LA MORT DANS L'ÂME

LA MORT DANS L'ÂME

MAXIME HOUDE

ALIRE

Illustration de couverture
BERNARD DUCHESNE

Photographie
MAXIME HOUDE

Diffusion et distribution pour le Canada
Québec Livres
2185, autoroute des Laurentides, Laval (Québec) H7S 1Z6
Tél.: 450-687-1210   Fax: 450-687-1331

Diffusion et distribution pour la France
D.E.Q. (Diffusion de l'Édition Québécoise)
30, rue Gay Lussac, 75005 Paris
Tél. : 01.43.54.49.02   Fax: 01.43.54.39.15
Courriel : liquebec@noos.fr

Pour toute information supplémentaire
LES ÉDITIONS ALIRE INC.
C. P. 67, Succ. B, Québec (Qc) Canada G1K 7A1
Tél.: 418-667-8314   Fax : 418-667-5348
Courriel : alire@alire.com
Internet : www.alire.com

Les Éditions Alire inc. bénéficient des programmes d'aide à l'édition
de la Société de développement des entreprises culturelles du Québec
(SODEC), du Conseil des Arts du Canada (CAC) et reconnaissent l'aide
financière du gouvernement du Canada par l'entremise du
Programme d'aide au développement de l'industrie de l'édition
(PADIÉ) pour leurs activités d'édition.
Les Éditions Alire inc. ont aussi droit au Programme de crédit d'impôt
pour l'édition de livres du gouvernement du Québec.

Dépôt légal : 2e trimestre 2002
Bibliothèque nationale du Québec
Bibliothèque nationale du Canada

© **2002** ÉDITIONS ALIRE INC. & MAXIME HOUDE

10   9   8   7   6   5   4   3   2e MILLE

CHAPITRE 1

C'était une petite chambre triste. Le mobilier se réduisait à une coiffeuse et à une chaise et à un lit en fer. Une lampe de chevet éclairait le papier peint passé de mode sur un des murs et un coin du plafond, où la peinture s'écaillait. Le bruit des voitures qui filaient au loin passait par la fenêtre à demi fermée. Un coup de klaxon ou un crissement de pneus retentissait de temps en temps, interrompant le ronronnement des moteurs.

« Donc, me dit Fleurette, assise au bord du lit, tu n'as pas eu de nouvelles.

— Non, pas de nouvelles.

— Comment ça ?

— Je ne suis pas allé la voir. Ce n'est pas facile, dis-je en anticipant sa prochaine question. On n'était plus en très bons termes quand elle est partie.

— Je m'en doute, sinon elle ne serait pas partie.

— Ça n'allait vraiment plus…

— C'est arrivé il y a quoi, deux ans ?

— À peu près, oui. »

Fleurette tira sur sa cigarette. C'était une femme qui avait déjà été jolie. Mais le travail et la vie en général l'avaient abîmée et, maintenant, on ne pouvait que s'imaginer sa beauté, comme on le fait avec les ruines d'un château.

« Mais c'est long, ça, deux ans ! Il y a beaucoup d'eau qui a coulé sous les ponts, comme on dit. On voit toujours les choses d'un autre œil avec un peu de recul.

— Peut-être bien, dis-je. Mais on ne dirait pas qu'elle a changé d'œil, elle.

— Tu parles par énigmes, là.

— Si elle voyait les choses d'un autre œil, comme tu dis, elle aurait essayé de me revoir.

— Peut-être. Tu crois que pour elle c'est fini, c'est ça ?

— Je ne sais pas ce qu'elle pense. Je ne sais pas ce que je pense moi-même. »

Fleurette secoua la tête et souffla une plume de fumée vers le plafond.

« Deux vrais enfants… C'est ridicule comme situation. Va lui parler, Stan, c'est tout. Comme ça, tu vas avoir l'heure juste. C'est ce que moi je pense, en tout cas. »

Elle avait raison, c'était ridicule.

Je me levai et allai à la fenêtre. Tout était sombre dans la rue Berger, deux étages plus bas. Je n'aimais pas venir dans le coin. Les portes dérobées, les façades délabrées, l'éclairage tamisé – je me sentais comme un vieux cochon qui se paie une pute de temps en temps pour faire sortir le méchant.

« Si on changeait de sujet ? suggérai-je.

— Qu'est-ce que tu proposes ?

— Parle-moi donc de toi. Je ne t'ai pas demandé comment ça allait, tout à l'heure.

— Bof, fit Fleurette. Il n'y a pas grand-chose à dire.

— Mais encore ?

— Ça va, dit-elle avec un haussement d'épaules. Pas besoin de glisser un *bill* de cinq dans la poche de ma robe de chambre comme la dernière fois.

— Ce n'était pas moi.

— Tu es un mauvais menteur, Stan. C'est pour ça que tu travailles du bon bord de la loi. »

Elle me fit un sourire qui me parut triste. Tous ses sourires paraissaient tristes.

« Et toi ? Tu travailles sur une affaire en ce moment ?

— Non, pas en ce moment. Je viens juste de régler une affaire pour une famille de Westmount.

— Westmount, dit Fleurette d'un air faussement impressionné.

— Leur fils avait été kidnappé et les ravisseurs exigeaient une rançon. La famille était dans tous ses états. En fin de compte, c'était le fils lui-même qui avait tout arrangé. Il avait besoin d'argent pour se pousser avec sa blonde, que ses parents n'aimaient pas. Je l'avais deviné en leur parlant et ça n'a pas été difficile de déjouer les plans du garçon.

— Il n'avait aucune chance contre le meilleur détective privé de la ville. »

Des bruits de pas précipités et des éclats de voix retentirent au premier étage.

« Qu'est-ce qui se passe ? » demanda Fleurette.

J'ouvris la porte. Un homme en bedaine se tenait dans l'embrasure de la porte à côté, l'oreille tendue. Je m'avançai et vis, entre les boules du lustre, des policiers essaimer dans le salon où les clients choisissaient leur fille.

Je retournai dans la chambre. Fleurette m'interrogea du regard.

« C'est une descente, lui annonçai-je.

— Oh, crisse… tophe. »

Elle se leva, écrasa sa cigarette sous sa pantoufle. Je retournai à la fenêtre. Des voitures et deux fourgons de police bloquaient la rue Berger. Leurs gyrophares bleus et rouges balayaient les façades obscures des édifices.

C'était bien une descente – une des rares qui avaient lieu. Et il fallait que ça tombe sur moi.

Ils entassèrent les clients pris en flagrant délit dans un des fourgons et les conduisirent au poste le plus près. Les filles, elles, prirent le chemin du Bureau médical de la police dans l'autre fourgon. Elles devaient passer des prises de sang pour qu'on sache si elles avaient ou non la syphilis. J'étais bien content de ne pas être soumis à ce test. Les aiguilles me donnent la chair de poule.

Je fis le voyage assis entre un petit bonhomme maigre au visage simiesque et un gars qui ne devait pas avoir vingt ans. Ils fixèrent leurs souliers comme les autres passagers durant tout le trajet. On aurait dit des condamnés à mort qu'on conduisait à l'échafaud. Mais ils n'avaient pas à s'inquiéter. Tout ce qu'ils avaient à faire, c'était de plaider coupable en cour le lendemain. Le juge, qui bien souvent était mal placé pour faire la leçon à qui que ce soit, se montrait clément la plupart du temps et leur seule punition serait de payer les frais de cour, soit environ deux dollars.

Non, le plus pénible dans cette affaire serait d'expliquer à leur épouse où ils avaient passé la nuit.

Une fois arrivés au poste, on nous conduisit à l'accueil pour les formalités. J'attendais mon tour, debout contre le mur – il n'y avait pas assez de chaises pour tout le monde – quand un policier vint me trouver.

« Stan Coveleski ?

— Le seul et unique.

— Par ici… »

Je suivis le policier le long d'un couloir flanqué de portes. Il finit par en ouvrir une, puis il m'invita à m'asseoir et s'en alla. C'était une salle d'interrogatoire triste et dénudée comme toutes les salles d'interrogatoire du monde. Un cendrier qui débordait de cendre et de mégots trônait au centre de la table. Une lampe suspendue au-dessus de celle-ci en éclairait la surface égratignée, laissant les recoins de la pièce dans la pénombre.

Je m'assis. Il y avait une horloge au mur. Minuit et quart. J'allumai une Grads et écoutai la trotteuse, tic, tac, tic, tac, tic, tac. La grande aiguille frôlait le six quand une main s'abattit sur mon épaule, la broya. Je baissai les yeux dessus. C'était une main au dessus poilu. Les doigts avaient de grosses jointures et ils se terminaient par des ongles jaunâtres coupés à coups de dents.

Je levai les yeux pour voir à qui elle appartenait. Elle appartenait au sergent-détective Roger DeVries qui me surplombait, la bouche fendue jusqu'aux oreilles.

« Mon vieux Stan ! Je suis bien content de te revoir ! »

Je me levai et on se serra la pince.

« Bonsoir, sergent-détective.

— Capitaine, me corrigea-t-il.

— Tu as eu une promotion ?

— Eh oui.

— Toutes mes félicitations.

— Merci, merci… »

Son haleine, un mélange agressif de tabac et de bonbons à la menthe, était toujours la même. Quand on se mettait le combiné d'un téléphone à l'oreille, on pouvait dire s'il s'en était servi. Physiquement aussi, il était le même : pas très grand, large d'épaules, le teint rougeaud. Les rigueurs du métier lui avaient bouffi le visage et un début de bedaine déformait sa silhouette. Ses yeux noirs n'avaient rien de remarquable, mais ils ne manquaient jamais un détail, aussi petit fût-il, sur les lieux d'un crime. Ses cheveux commençaient à s'éclaircir sur le dessus de sa tête.

Pour parler bien franchement, je n'étais pas très content de le revoir. Dans mon souvenir, il se comportait toujours comme s'il avait tout vu et tout entendu et il avait participé à un épisode de ma vie que j'aurais préféré oublier. Lui, il l'avait oublié. Il jouissait d'une mémoire sélective. C'était aussi le genre de policier qui est prêt à enfreindre les lois qu'il est censé faire respecter pour obtenir ce qu'il veut. Je n'avais jamais su si c'était un bon policier grâce à ça ou malgré ça.

Il me dit de me rasseoir. Je me rassis. Lui s'installa de l'autre côté de la table.

« Ça fait un bout de temps qu'on s'est vus, dit-il.

— Oui, ça fait un bail.

— Un an et demi, deux ans ?

— Presque deux ans.

— Depuis que t'as quitté la Sûreté, finalement. *So ?* Qu'est-ce que tu fais de bon ?

— Je travaille à mon compte, dis-je.

— Qu'est-ce que tu fais ?

— Je suis détective privé.

— Ah oui ? dit DeVries comme si ça l'intéressait. Comment ça marche ?

— Ça marche. »

Il avança les babines comme s'il voulait m'embrasser, hocha lentement la tête.

« À part ça ? Quoi de neuf ?

— Pas grand-chose.

— Non ? Et Kathryn ?

— Quoi ?

— Comment ça va, vous deux ?

— Qu'est-ce que ça peut te faire ?

— Ben, t'as été arrêté dans un bordel. Je me demandais comment ça allait, c'est tout. *So ?* »

Il me fixait comme si j'étais sur le point de lui révéler son avenir. Je tirai sur ma cigarette et me cachai derrière les volutes de fumée.

« C'est fini, hein ? dit-il avec le petit sourire qu'il esquissait quand il voulait narguer quelqu'un. C'est bien ce que je pensais. Je vais te dire, je l'ai toujours trouvée de mon goût. Habituellement, les femmes se déglinguent en vieillissant – les hommes s'arrangent, les femmes se déglinguent –, mais ce n'est pas le cas pour Kathryn. Elle a un beau genre, chic, distingué. Elle était pas mal la dernière fois que…

— Et Colette ? coupai-je. Comment elle va ? »

Cette question le dégrisa.

« Ah ! m'en parle pas.

— Ça a empiré ?

— Mouais, grogna-t-il. C'est rendu que, des jours, elle ne peut plus marcher tellement ça fait mal. Ses pieds sont tout déformés. Et il y a des matins où elle se réveille et la douleur est rendue dans ses jambes ou dans son dos.

— Qu'est-ce que les médecins en pensent ?

— Ils n'en pensent rien. Ils ne savent pas ce qu'ils font la moitié du temps, ces charlatans-là… »

DeVries secoua la tête d'un air dégoûté. J'écrasai mon mégot dans le cendrier et me levai.

« Bon, eh bien, je vais retourner faire la file. Tu salueras Colette de ma part. À dans deux ans.

— Hé, pas si vite, dit-il.

— Qu'est-ce qu'il y a ?

— Il faut que je te parle de quelque chose.

— Quoi ?

— Rassis-toi, rassis-toi. »

Je repris ma place sur la chaise et attendis. C'était tout ce que je faisais, cette nuit-là, attendre. Mon lit commençait à me manquer.

« Tu lis le journal, de temps en temps ? me demanda DeVries au bout d'une éternité.

— Comme tout le monde, oui.

— Te souviens-tu de la femme qu'on avait retrouvée morte chez elle, Alice Bilodeau ? Elle avait été violée et étranglée, tout son logement était à l'envers. C'était il y a deux mois.

— Ça me dit quelque chose.

— Il y a eu deux autres cas semblables depuis ce temps-là, et je pense que c'est la même personne qui a fait le coup. Je sais ce que tu vas me dire, que c'est prématuré. Les victimes n'ont pas le même profil, c'est vrai. Elles n'ont pas le même âge, pas les mêmes occupations, pas le même statut social. Il y en a une qui était mariée. Mais elles sont toutes mortes d'une mort violente – il y en a une qui avait reçu des dizaines de coups de couteau – et elles ont subi des sévices sexuels.

— Les trois avaient subi des sévices ? dis-je.

— Je sais, si on se fie aux journaux, il n'y a que la première victime qui a été violée. On n'a pas révélé que c'était le cas pour les victimes numéros deux et trois. On ne voulait pas semer la panique chez les gens. »

Le dring-dring d'un téléphone retentit quelque part. On commettait des crimes à toute heure du jour et de la nuit dans cette ville. C'est ce qui faisait son charme.

« Il y avait des traces d'effraction, des empreintes ?

— Une moustiquaire brisée, une fois. Ce ne sont pas tous les habitants qui ferment leur porte à double tour. Et des empreintes, en veux-tu en v'là, mais on n'a pas trouvé deux sets identiques. *Anyway*, je ne pense pas que le tueur soit fiché.

— Et tu ne crois pas aux coïncidences ?

— Je suis sûr qu'on a affaire au même gars, affirma DeVries. C'est mon instinct qui me le dit. »

Son visage s'assombrit.

« Tu vois, j'ai senti en arrivant sur les lieux du deuxième crime que ce n'était pas un événement isolé, un accident ou un vol qui avait mal tourné. Il y a bien eu vol dans les trois cas – les logements ont été fouillés et des bijoux ou des objets de valeur ont disparu –, mais je pense que c'était juste pour jeter de la poudre aux yeux. On a vérifié dans tous les *pawnshop* en ville – rien. Pourquoi le tueur volerait-il une paire de boucles d'oreilles si ce n'est pas pour les revendre, dis-moi donc? Moi, ça me porte à croire qu'on a affaire à une espèce de pervers sexuel qui essaie d'effacer ses traces. Qu'est-ce que t'en penses?

— C'est possible, dis-je sans me compromettre. Pourquoi tu me racontes tout ça?»

Il repoussa sa chaise et s'assit précairement devant moi, sur un coin de la table.

«Je suis chargé de l'enquête, Stan. On ne peut pas dire quand le tueur va frapper de nouveau. Il faut que je le trouve et que je l'arrête et j'ai pensé que tu pourrais m'aider.

— T'oublies un détail. Je ne suis plus dans la police.

— *So?*

— Ça ne pose pas de problème?

— Bah! fit DeVries, il y a toujours moyen de s'arranger. Et si tu me donnes un coup de main, je vais m'arranger pour qu'on oublie ce qui t'est arrivé, ce soir.

— Pour qui tu me prends? Je sais comment fonctionne le système. Je plaide coupable en cour, demain matin, je paie les frais et je suis libre comme l'air.

— Oui, mais je ne pense pas que Kathryn serait très heureuse d'apprendre que tu vas aux putes, lança-t-il. Et comme t'espères toujours que vous allez revenir ensemble…

— Où est-ce que tu vas chercher ça?»

Il esquissa son petit sourire baveux.

«Voyons, Stan. On a travaillé ensemble pendant neuf ans, toi et moi. Je te connais comme ma poche!

C'est clair que, pour toi, ce n'est pas fini entre vous deux. Quand j'ai dit tout à l'heure que je l'avais toujours trouvée à mon goût, t'étais prêt à me sauter dessus et à me casser la gueule.»

Il avait raison. Mais je ris dans ma barbe quand même.

«Qu'est-ce qu'il y a de drôle? grogna-t-il.

— Tu vas l'appeler, comme ça, de nulle part: "Bonjour, Kathryn. Ici Roger DeVries, un des anciens collègues de travail de votre mari. Comment allez-vous? Je vous appelle pour vous dire que votre mari a été arrêté dans un bordel."

— Je ne vais pas l'appeler, d'après toi?

— Non.

— Comment peux-tu en être certain?

— J'en suis certain, c'est tout. C'est stupide comme idée.»

On se fixa sans rien dire. Il grimaçait comme s'il venait de mordre dans un citron.

«Donc tu ne vas pas m'aider.

— Eh non. C'est bien triste ce qui est arrivé à ces femmes-là, mais arrange-toi tout seul.»

Je me levai. Il se leva et me suivit des yeux, sans bouger.

«Bonne nuit», lui dis-je.

Je quittai la salle d'interrogatoire et le laissai là à se mordiller l'intérieur de la joue.

CHAPITRE 2

Le réveille-matin glapit à sept heures tapant.

Je lui fermai la gueule d'une claque, roulai sur le dos. Il pleuvait. La pluie crépitait sur les vitres, il faisait sombre, mon lit était chaud et douillet. J'avais envie de rester couché, mais j'avais des comptes et un loyer à payer comme tout le monde, alors je m'extirpai du lit, déjeunai, fis un brin de toilette, m'habillai et sautai dans la Studebaker. Les gens que je vis en route avaient l'air de s'ennuyer de leur lit eux aussi.

Mon bureau était situé rue Sainte-Catherine, dans un gros immeuble gris où l'on trouvait entre autres deux cabinets d'avocat, le bureau d'un philatéliste et une agence de placement. Quand j'entrai dans le hall, Émile servait un homme en imper à son kiosque.

« Merci, m'sieur Boudrias », dit-il à l'homme à l'imper.

L'homme marcha vers les ascenseurs au bout du hall. J'appuyai un coude sur le comptoir.

« Salut, Émile.

— Bonjour, m'sieur Coveleski, dit-il avec un sourire.

— Il fait beau, tu ne trouves pas?

— C'est un peu trop humide à mon goût.

— Au mien aussi, dis-je.

— La même chose que d'habitude ?

— La même chose que d'habitude. »

Il se pencha derrière le comptoir. Je baissai les yeux sur la pile de journaux à mes pieds. Les Royaux avaient battu Jersey City la veille. Leur sixième victoire d'affilée.

« Hé, ton équipe a encore gagné, Émile.

— Oui, mais ça ne durera pas. »

Il se releva et déposa mon paquet quotidien de Grads devant moi.

« Pourquoi pas ?

— Ils n'ont pas d'attaque, m'expliqua-t-il laconiquement.

— Qu'est-ce que tu fais de Campanella et de Whitman ? Et de Sandlock, au troisième ?

— À la longue, Jackie va leur manquer.

— Bah ! aucun joueur n'est irremplaçable, dis-je en empochant le paquet de cigarettes.

— Non, mais c'est différent pour Jackie. De la façon qu'il joue à Brooklyn, on peut en faire notre deuil.

— Amen. »

Je lui remis quarante sous pour les cigarettes et montai au quatrième. La troisième porte à gauche en sortant de l'ascenseur portait l'inscription « Stanislas A. Coveleski » avec, en dessous, « Détective privé ». Je l'ouvris et entrai dans la salle d'attente. Emma lisait le *Montréal-Matin*, assise à son bureau.

Je n'avais même pas voulu l'engager, c'est elle qui avait insisté. Elle avait besoin d'un travail et moi d'une secrétaire, m'avait-elle annoncé. Elle venait de la campagne et n'était pas faite pour la vie rurale. Je m'étais dit qu'elle ne devait pas avoir froid aux yeux pour ainsi quitter la terre familiale et vivre sa vie comme elle le voulait. J'avais mis dans le mille : deux mois plus tard, elle m'avait assisté lors d'une enquête et elle avait assommé un petit truand qui s'apprêtait à me réserver le même sort.

« Salut, Emma.

— 'jour, marmonna-t-elle sans lever les yeux.

— Qu'est-ce que tu lis ?

— La chronique de Jeannette.

— De quoi est-ce qu'elle parle, ce matin ?

— Des dangers qui guettent la femme au foyer.

— Quels dangers ? »

Emma leva son nez du journal.

« Selon elle, la ménagère peut glisser sur un plancher frais ciré, s'enfarger dans le fil de l'aspirateur ou se blesser en époussetant le dessus des armoires.

— Sans parler de tous les instruments tranchants dans la cuisine.

— C'est vrai. Je n'avais pas pensé à ça.

— Ça te coupe l'envie de te marier ?

— Si je me marie un jour, mon cher époux va faire sa part dans la maison.

— Si tu te maries un jour, ton cher époux va prendre la poudre d'escampette au bout d'un mois.

— Je travaille pour vous depuis un an, dit Emma avec un sourire narquois, et vous êtes encore là.

— J'ai une bonne carapace. »

J'allai à mon bureau, me mis à mon aise et attendis qu'une âme en détresse cogne à ma porte. Emma m'apporta le journal quand elle en eut fini. Je le lus d'un bout à l'autre. Il ne s'était rien passé d'extraordinaire dans le monde.

Aux alentours de onze heures, je décidai de rendre visite à un ancien collègue de la Sûreté, Louis Boileau. Habituellement, j'allais le voir quand j'avais besoin de renseignements que seule la police pouvait me donner. Cette fois-ci, je voulais seulement de ses nouvelles. Je n'en avais pas eu depuis deux mois. Et je commençais à m'ennuyer entre les quatre murs de mon bureau.

Il pleuvait toujours quand je me mis en route, une pluie assez drue pour qu'on ouvre son parapluie si on avait pensé à l'apporter en sortant de chez soi. Louis était dans son bureau, le nez plongé dans un dossier. C'était un grand gaillard, droit comme un chêne, dans la quarantaine comme moi. Ses cheveux noirs commençaient à grisonner aux tempes et les rides au coin de ses yeux et de sa bouche se creusaient, mais ça ne le vieillissait pas. Il portait bien son âge. Emma l'avait déjà rencontré et le trouvait charmant.

On se serra la pince en échangeant les salutations d'usage et on s'assit.

« Et puis, lui demandai-je, tu travailles fort ?

— Je n'ai pas le temps de m'ennuyer. Tu sais comment c'est, ici.

— Ça n'arrête jamais.

— Non, pas même une minute. Cambriolage, homicide, recel… Quand ce n'est pas l'un, c'est l'autre.

— Qu'est-ce que tu fais dans ton bureau, dans ce cas-là ?

— J'ai débranché mon téléphone, blagua Louis. Je vais te dire une chose : si on réussissait à enrayer toutes les formes de crime, je suis certain que quelqu'un, quelque part, en inventerait une autre.

— Toujours aussi optimiste, mon Louis.

— Quelques journées de congé ne me feraient pas de tort, grogna-t-il. Et toi ? Comment vont les affaires ?

— Bien, bien.

— T'as sauvé le monde combien de fois depuis notre dernière rencontre ? »

C'était sa façon à lui de me demander si j'avais eu beaucoup ou peu de travail.

«Oh, six-sept fois.

— Tu as de bonnes anecdotes à me raconter? Ça me ferait du bien de rire un peu.»

Je lui glissai un mot sur le garçon de Westmount qui avait essayé d'escroquer de l'argent à sa famille. Il m'écouta en se tripotant la lèvre inférieure.

«Tu aurais dû le laisser filer, dit-il quand j'eus fini.

— Tu crois?

— Je me doute un peu du genre de famille dans laquelle il a grandi. Le genre où est défendu de mettre ses coudes sur la table pendant le souper de six services, mais où il est permis d'être condescendant avec les domestiques. La fille ne devait pas venir de ce milieu-là, je me trompe?

— Elle ressemblait aux filles qui traînent dans les clubs et qui se font payer des verres en dévoilant une bonne part de leur anatomie.

— Tu aurais dû laisser le garçon filer avec elle. Ça lui aurait fait du bien de fréquenter le vrai monde.»

Louis se pencha en avant, appuya les coudes sur le bureau.

«Cela dit, que me vaut l'honneur de ta visite? Tu es venu ici pour mon aide ou pour passer le temps?

— Passer le temps.

— Je devrais tout lâcher et devenir détective, moi aussi, dit Louis. Comme ça, je les aurais, mes journées de congé.

— Arrête, je vais me sentir coupable.

— J'aurais ma propre secrétaire, aussi, une belle petite rousse aux yeux bruns…»

On s'échangea un sourire.

«Comment est-ce qu'elle va, la belle Emma?

— Bien, dis-je. Elle me demandait de tes nouvelles depuis deux semaines. C'est pour ça que je suis venu.

— C'est vrai?

— Non.

— Très drôle, me fit remarquer Louis, impassible. C'est ta meilleure, celle-là.

— Si tu étais détective privé, je ne crois pas que Florence aimerait ça que tu emploies une jolie secrétaire de vingt-deux ans. Comment est-ce qu'elle va, en passant?

— Bien, j'imagine…

— Tu ne le sais pas?

— Non, je ne l'ai pas vue depuis le mois passé, dit Louis. On s'est laissés.

— Vous vous êtes laissés?

— Ben oui, on est partis chacun de notre bord, dit-il comme si tout le monde le savait sauf moi. C'est fini. Tu comprends?

— Je croyais que votre ménage allait bien.

— On se chicanait souvent les derniers temps.

— Ah bon. Je ne savais pas.

— Mouais…»

Louis ramassa un trombone et se mit à le tripoter, les yeux rivés dessus.

« Ça ne m'a pas surpris. Ce n'était pas juste une mauvaise passe. On faisait tout pour s'éviter dans la maison et quand on finissait par se parler, on se chicanait. On se chicanait tout le temps. Tout était un prétexte pour s'engueuler. Il fallait qu'elle ait raison ou que j'aie raison, c'était quasiment une question de vie ou de mort. Il fallait se rendre à l'évidence, ça ne marchait plus.

— C'est arrivé quand? demandai-je.

— Il y a un mois.

— Elle est où, Florence?

— Chez une amie. Elle va rester là un moment, j'imagine, le temps de retomber sur ses pattes.

— Qu'est-ce qui va arriver? C'est définitif ou…?

— On dirait bien. »

Louis cassa le trombone en deux et leva les yeux sur moi. Il esquissa un petit sourire en coin.

« Fais pas cette tête-là, voyons.

— Excuse-moi. C'est la dernière chose que je m'attendais à entendre ce matin.

— C'est aussi bien de même, ce n'était plus vivable.

— Qu'est-ce que tu vas faire ?

— Qu'est-ce que tu veux que je fasse ? dit Louis en haussant les épaules. C'est fini, c'est fini. Ça ne sert à rien de vivre dans le passé. Je me suis trouvé un logement. Tu passeras faire un tour, je te le ferai visiter. »

Il consulta sa montre et posa les mains à plat sur le bureau.

« On va manger une bouchée ?

— Si tu veux. »

Il se leva et décrocha son veston du dossier de sa chaise.

« On y va. Je t'invite. »

On alla dîner, puis je retournai au bureau. On avait pris chacun notre voiture, alors je n'eus pas à repasser par son poste. J'annonçai à Emma que Louis et sa femme s'étaient laissés, puis je dus lui donner tous les détails. Elle connaissait Louis, je m'étais dit que ça l'intéresserait, mais pas à ce point-là. J'eus l'impression de me faire cuisiner par un avocat.

« Comment est-ce qu'il va ? s'informa-t-elle à la fin.

— Il a l'air en bonne santé. Il a mangé avec appétit.

— Non, pas ça. Vous savez ce que je veux dire.

— Il va bien.

— Quand même, dit Emma, on ne se remet pas d'un choc pareil en criant ciseau.

— Louis est un *tough*. Il va passer à travers.

— Ce n'est pas la même chose. Ils étaient ensemble depuis combien de temps, lui et sa femme ?

— Je ne sais pas, dis-je. Longtemps.

— Ils vont peut-être essayer de se raccommoder. Qu'est-ce qu'il a dit là-dessus ?

— Il ne le sait pas.

— Un coup que la poussière sera retombée, il va peut-être voir les choses différemment, dit Emma d'un ton dubitatif. Ou c'est peut-être sa femme qui va s'apercevoir que… »

Je la coupai. Je n'aimais pas parler de la situation de mon ex-collègue.

« Ce n'est pas de nos oignons.

— C'est votre ami. Vous ne vous inquiétez pas pour lui ?

— Louis est un grand garçon, il fera bien ce qu'il veut. Retourne à la réception, maintenant, au cas où il y aurait des clients. »

Emma poussa un soupir.

« Bon, j'y vais. Je suis certaine qu'il y a une *looongue* file dans le corridor… »

Elle quitta mon bureau.

Cinq heures sonna. Je reconduisis Emma chez elle – il ne pleuvait plus, pour l'instant – et rentrai chez moi, dans mon petit quatre pièces des Appartements The Court. C'était un immeuble qui avait été bâti au siècle précédent pour loger les travailleurs des environs. Il commençait à faire son âge, mais je me consolais en me disant que le loyer n'était pas cher.

Je me fis à souper sur la vieille cuisinière au gaz. Je mangeai, lavai la vaisselle, puis allai au salon et allumai la radio. Je m'assoupis sur le canapé pendant *Quoi de neuf ?* et me réveillai, la nuque raide comme une planche à repasser, au début des *Fanfares mon-*

tréalaises. La musique militaire ne me disait rien, je n'avais rien à faire et je n'avais pas du tout sommeil. Valait mieux sortir.

Je mis le cap sur le *red light*. Je laissai la Studebaker dans la rue Craig, près d'un *pawnshop*, et fis le reste du trajet à pied. Tout était tranquille. Je ne vis qu'un taxi qui roulait lentement comme si le conducteur essayait de lire les numéros des maisons. Je m'étais attendu à plus d'action, c'était le premier soir en trois jours qu'il ne pleuvait pas. Le quartier paraissait bien, la nuit tombée. On se serait cru dans un quartier comme les autres, n'eût été des ampoules rouges qui brillaient au-dessus des portes.

Je franchis l'une d'elles. La femme qui collectait l'argent ne leva même pas le nez de son magazine pour voir qui j'étais. Le salon se trouvait derrière elle. Le rideau qui servait de porte était tiré et on voyait dans la pièce. Quatre filles attendaient d'éventuels clients. Il y avait une blonde maigrichonne, deux brunes et une petite noire qui semblait avoir du chien et que je n'avais jamais vue avant. Aucun signe de Fleurette. La petite noire me fit un sourire avide. Les trois autres m'ignorèrent. Elles savaient que je n'étais pas là pour elles, on se connaissait de vue.

« Non, elle travaille pas à soir, dit la femme en réponse à ma question. Elle est malade.

— Malade ?

— Oui. On a une nouvelle, si tu veux l'essayer… »

Je tournai les talons.

« Une job de calotte, trois piasses », dit la femme dans mon dos.

Je claquai la porte.

Fleurette habitait à quelques rues de là, dans un duplex dont la porte d'entrée au rez-de-chaussée s'ouvrait directement sur le trottoir. Je décidai d'aller voir si elle était chez elle. Qu'elle fût là ou non, une petite promenade ne me ferait pas de tort.

J'enfonçai sa sonnette et attendis. La silhouette des duplex dans la rue se découpait à l'infini contre le ciel illuminé, aurait-on dit. Au bout d'un instant, des pas résonnèrent et la porte s'ouvrit, et je me trouvai devant une femme aux cheveux en bataille qui nouait la ceinture d'une robe de chambre. Ses yeux étaient écarquillés, je voyais tout le blanc dans la pénombre. Ce n'était pas Fleurette. Je lui demandai si elle était là.

« Oui, oui, elle est là, dit la femme avec empressement.

— Je peux la voir ?

— Si tu veux. »

J'entrai. Un passage sombre s'étendait devant moi avec, au bout, la cuisine.

« Elle est dans la chambre, au fond », dit la femme.

Et elle disparut par une porte.

Je m'avançai dans le passage, accompagné par les craquements du plancher. Des centaines de pieds l'avaient piétiné avant les miens. Je jetai un œil dans la chambre. Fleurette était allongée sur le côté sur un lit tout défait. La lampe de chevet était allumée. C'était la seule lumière dans la pièce. Une bouteille de de Kuyper et un verre trônaient sur une table à côté du lit.

Elle dut m'entendre parce qu'elle releva la tête et me fixa une seconde. Elle ne réagit pas.

« C'est moi », dis-je en m'avançant dans la pièce.

Son visage s'illumina.

« Stan ! Ah ben, ça, c'est une belle surprise ! »

Elle se redressa de peine et de misère et s'assit au bord du lit. Elle portait un jupon-combinaison une taille trop petite.

« Comment va le meilleur détective en ville ?

— Bien.

— Tant mieux, tant mieux.

— Toi aussi ç'a l'air d'aller, pour quelqu'un de malade.

— Qui t'a dit que j'étais malade ?»

Je ramassai la bouteille de de Kuyper. Vide. Voilà qui expliquait sa guérison rapide.

« Qui t'a dit que j'étais malade ? répéta Fleurette.

— Laisse faire.

— T'es venu pour te coller un peu, hum ?

— Non.

— T'es venu pour ça, dis-le donc.

— Je passais dans le coin. J'ai décidé d'arrêter.

— Ça ne te tente pas ? dit-elle en prenant de faux airs de sainte-nitouche. Pas même un petit peu ?

— Pas une miette.

— Envoye donc… »

Elle me prit le bras et m'attira vers elle.

« Dans ton état, ce ne serait pas amusant, ni pour toi ni pour moi, dis-je en me défaisant de son étreinte. Allez, debout. Je vais faire du café. »

Elle passa la main dans ses cheveux platine, baissa la tête.

« Donne-moi une minute, tu veux bien ? »

Je voulais bien. Je sortis de la chambre et allai à la cuisine, juste à côté. C'était une cuisine minuscule qui avait grandement besoin de rénovation et de redécoration. Il n'y avait même pas de rideaux à la fenêtre. Les voisins d'en arrière voyaient dans les assiettes des convives pendant les repas.

J'allumai le plafonnier, remplis la bouilloire et la mis sur le feu. Pendant que l'eau chauffait, je cherchai le café. Il y avait un pot de Borden's dans la dépense, pas grand-chose d'autre. Un lit, quelque part dans le logement, se mit à grincer. Fleurette entra dans la cuisine au même moment, drapée dans un peignoir.

« Je ne savais pas que Marie-Ange travaillait ce soir », dit-elle.

Elle s'assit à table. Son visage était gris et boursouflé comme le visage d'un noyé. Elle se frotta les yeux avec le pouce et l'index, puis laissa ses doigts glisser le long de son nez jusqu'à son menton en contournant sa bouche.

« Christophe, dit-elle tout bas. J'ai l'impression d'avoir quatre-vingt-quinze ans ce soir.

— On t'en donnerait à peine quatre-vingt-dix.

— Merci. Ça me remonte le moral.

— C'est ça qui arrive quand on boit toute une bouteille de de Kuyper.

— Tu me fais la morale ? répliqua-t-elle.

— Pas du tout. C'est une constatation. Tu l'as toute bu ?

— Presque.

— C'était ton dîner ?

— Mon déjeuner. »

L'eau bouillait. Je préparai deux tasses, une pour Fleurette, une pour moi, et m'assis sur une chaise qui avait une patte plus courte que les autres. Fleurette serra sa tasse entre ses mains et rentra sa tête dans ses épaules.

« On gèle ici-dedans. C'est humide.

— La pluie qui nous tombe dessus depuis trois jours ne fait rien pour aider.

— Oui, quel temps de chien…

— Tu as une colocataire maintenant ?

— C'est récent, dit Fleurette. Deux-trois semaines, je ne me rappelle plus.

— Je ne savais pas.

— Le loyer est moins cher comme ça. Il y a des soirs où elle ramène des clients.

— J'entends ça. »

Elle porta sa tasse à ses lèvres, puis riva ses yeux dedans. Le lit continuait de grincer, monotone.

« T'es fin de t'occuper d'un cas désespéré comme moi.

— Il est un peu tard pour les regrets, non?

— T'as raison, il est tard, dit-elle avec un sourire. Au point où je suis rendue, j'ai eu bien des chances de me prendre en main. C'était à moi de le faire.

— Comment ça s'est passé, hier?

— La descente, tu veux dire?

— Hm-hm, fis-je en sirotant ma tasse.

— Comme d'habitude. Le docteur nous a examinées, il a fait des prises de sang, puis on a été relâchées. Madame Beauchamp est arrivée pendant que le docteur nous examinait. Elle y a vu.

— Tu es vraiment malade ou…?

— Oui, dit Fleurette. Il faut que je prenne des anti-biotiques.

— Prends-les.

— Je vais les prendre. »

Un client avait dû lui refiler une saloperie.

« Qu'est-ce que t'es venu faire ici, Stan? Ne me raconte pas d'histoires.

— Je voulais de tes nouvelles.

— T'en as eu. Tu vas t'en aller, maintenant? blagua-t-elle.

— Tu me mets à la porte?

— Non, non. Tu peux rester si tu veux.

— J'aimerais bien finir mon café.

— Eh ben, vas-y. »

Le lit arrêta de grincer et on écouta le silence un moment. C'était impossible de lui en passer une.

« Et toi, Stan, reprit-elle, ça t'arrive d'avoir des regrets?

— Ce n'est pas vraiment le moment d'avoir une conversation métaphysique.

— Je te pose une question, c'est tout.

— Non, je ne dirais pas que j'ai des regrets. Mais des fois, je me demande ce qui serait arrivé si j'avais fait telle chose au lieu de telle autre.

— Comme quoi?

— Eh bien, un été, par exemple, dis-je en fouillant ma mémoire, j'ai travaillé à la ferme d'un de mes oncles à Saint-Félix-de-Valois. J'avais dix-sept, dix-huit ans. Je trayais les vaches, je livrais les fruits et les légumes au village en tracteur. Je l'ai aidé à faire les foins.

— C'était une grosse ferme, fit remarquer Fleurette.

— Un peu plus loin dans le rang, il y avait un homme qui habitait avec ses trois fils et sa fille. Sa femme était morte en couches et la fille avait pris sa place, elle s'occupait de toute la famille. Elle venait faire un tour le soir après le souper. Elle connaissait bien ma tante, qui s'était occupée d'elle quand elle était petite. On est devenus amis très vite. »

J'avalai une gorgée de café. Raconter cet épisode-là de ma jeunesse était la dernière chose à laquelle je m'étais attendu.

« Je parie qu'elle était belle, dit Fleurette.

— C'était une fille très gentille. On s'installait dans la balançoire, dans la cour, et on regardait les étoiles en bavardant de choses et d'autres. Elle me demandait souvent de lui parler de Montréal. Je pense qu'elle aurait aimé ça venir s'installer ici, mais elle devait rester à la ferme de son père et s'occuper de lui et de ses frères. C'était comme un devoir pour elle. Elle pensait toujours aux autres avant de penser à elle.

— Ah ! le premier amour, dit théâtralement Fleurette. C'est celui qu'on n'oublie jamais. »

Elle se frotta de nouveau les yeux et fit glisser ses doigts jusqu'à son menton. Kathryn faisait la même chose quand elle était fatiguée.

« Qu'est-ce qui s'est passé ? demanda-t-elle.

— Mon oncle m'a offert de rester à la fin de l'été. J'haïssais ça, la vie à la ferme, mais j'ai pensé rester quand même juste pour continuer de voir Nöella – c'était son nom, à la demoiselle. Quand je pense à tout ça, je me demande ce qui serait arrivé si j'avais accepté son offre.

— Peut-être que tu te serais marié avec Nöella et qu'elle aurait fini par voir comment c'était, Montréal.

— Ou peut-être que je me serais installé là-bas avec elle ou que je serais revenu ici tout seul. *Anyway*, ça ne sert à rien de penser à tout ça, maintenant. »

Des voix feutrées chuchotèrent dans le vestibule. Je tendis la tête : Marie-Ange, à l'autre bout du passage, mettait son client à la porte. Quand ce fut fait, elle sortit des billets de sa robe de chambre et les effeuilla.

« Marie-Ange a fini ? demanda Fleurette.

— Oui, elle compte ses recettes de la soirée. Donc, tu vois, ce ne sont pas vraiment des regrets.

— C'est vrai. Mais moi, je pense que t'en as, par rapport à ta femme, et que c'est pour ça que t'as peur.

— Peur ? De quoi ?

— De la revoir.

— Je n'ai pas peur.

— Raconte-moi pas d'histoires, Stan, dit Fleurette. Il s'est passé quelque chose pour qu'elle se décide à partir. Tu penses que c'est de ta faute et tu t'en veux.

— C'est de ma faute, oui, si elle est partie.

— Mais il s'est passé quelque chose pour que t'hésites à la revoir. Tu peux me dire c'est quoi, tu sais.

— C'est comme pour Nöella. Ça ne donnerait rien.

— Envoye, vide ton sac, insista Fleurette. Je ne charge rien pour écouter, profites-en.

— Une chance, sinon ma facture serait déjà pas mal salée. »

Elle sirota sa tasse en attendant que je me branche. Je me sentais comme une souris devant une trappe. Je décidai d'y aller pour le fromage, même si je connaissais les conséquences.

« On s'est chicanés.

— Vous vous êtes chicanés ? Tous les couples se chicanent à un moment donné, mais ils ne se laissent pas pour autant.

— Oui, mais c'était plus que ça. Je suis rentré tard à la maison, un soir. Elle voulait qu'on discute, moi, ça ne me disait rien. J'étais fatigué. Elle m'a accusé de ne rien vouloir faire pour qu'on se raccommode. Les choses n'allaient plus très bien entre nous deux, à ce moment-là. Elle s'est mise à me picosser la poitrine avec son doigt. Le ton a monté, et la première chose que je sais, c'est qu'elle se frotte la joue en me regardant avec des yeux gros comme ça, pleins de surprise et de douleur. »

Silence. Fleurette avait l'air ébranlée comme si c'était elle qui avait reçu la claque.

« Tu comprends maintenant pourquoi ce n'est pas facile ?

— C'est arrivé sous le coup de l'émotion, dit-elle du bout des lèvres en fixant sa tasse. Tu ne voulais pas faire ça. Tu ne ferais pas de mal à une mouche.

— Non, mais ça n'excuse pas mon geste.

— Tu t'es excusé, justement ?

— Hm-hm.

— Qu'est-ce qu'elle a fait ?

— Elle est partie le lendemain, dis-je en enfonçant le couteau dans la plaie. Et je la comprends très bien. Ce n'est pas comme si je lui avais fermé une porte sur un doigt par accident. Quoi que je dise, quoi que je fasse, ce nuage-là va toujours planer au-dessus de nos têtes. On ne peut rien y changer.

— Vous pourriez apprendre à vivre avec ce qui s'est passé.

— Je ne sais pas si Kathryn le pourrait. Et je ne sais pas non plus si moi, je le pourrais.

— Il faut que tu le saches, Stan, sinon tu vas toujours te poser des questions, comme pour Nöella. Et tu sais comme moi ce qu'il faut que tu fasses pour ça. »

Je le savais très bien. Mais ça ne facilitait pas les choses.

CHAPITRE 3

« Bonjour, m'sieur Coveleski ! lança Émile. Comment ça va, ce matin ?

— J'ai l'impression que j'aurais dû rester couché.

— Des Grads ?

— Comme tu me connais bien. »

Il descendit de son tabouret, disparut hors de ma vue derrière le comptoir. Je baissai les yeux sur la pile de journaux à mes pieds. Un titre attira mon attention : *Meurtre crapuleux dans le quartier Saint-Michel*.

« Les Royaux ont gagné, hier, m'annonça Émile.

— Ah oui ? Tu vois bien qu'ils peuvent se passer de Jackie.

— Ça ne durera pas, je vous le dis. C'était la bougie d'allumage du club, ce gars-là.

— C'est aux autres joueurs de prendre la relève.

— Qui ça ? Stevens, au premier ?

— Stevens est capable de cogner, dis-je. C'est le meilleur producteur de points de l'équipe.

— Bah ! il produit quand l'équipe mène par 7 à 2. Mais quand ça compte, par exemple…

— Tu es dur, Émile. Tu es dur. »

Je lui payai les Grads et pris l'ascenseur jusqu'au bureau. L'entretien que j'avais eu avec DeVries, l'autre nuit, me revint en tête. Le meurtre dans Saint-Michel avait-il été commis par le tueur dont il m'avait parlé?

Emma était à son poste, le nez dans le *Montréal-Matin*. On aurait dit que je la payais pour lire le journal.

«De quoi parle Jeannette, ce matin?

— Je ne lisais pas sa chronique, dit-elle sans lever les yeux, je lisais un article sur une femme qui s'est fait étrangler chez elle. Venez voir ça.»

Je m'assis sur un coin de son bureau. Elle me tendit le journal.

«Juste là.»

L'article était de Claude Poitras, une autre connaissance du temps où j'étais dans la police.

UNE FEMME EST SAUVAGEMENT ASSASSINÉE

Un meurtre dont la nature crapuleuse plonge dans la consternation le quartier Saint-Michel a été commis avant-hier. Irénée Gagnon, 58 ans, rue Beaubien, veuve depuis six ans, a été trouvée dans sa chambre à 8 heures 15, étranglée.

Découverte du corps

C'est monsieur Jean Gagnon, fils de la victime, qui, n'ayant aucune nouvelle de sa mère depuis trois jours, s'arrêta chez elle en se rendant à son travail et fit la macabre découverte. La ceinture de la robe de chambre de la victime était nouée autour de son cou et son visage témoignait du sort atroce qu'on lui avait réservé.

Monsieur Gagnon contacta le poste numéro 19. Le sergent Chevalier et les constables Gariépy et Saint-Amour se présentèrent sur les lieux du crime quelques instants après et constatèrent, impuissants, le décès de madame Gagnon. Ils communiquèrent alors avec les quartiers généraux de la police. Le capitaine DeVries et le détective Castonguay s'amenèrent aussitôt, suivis peu après des détectives Lacaille, Morin et Houde de l'escouade des homicides.

Reconstitution des événements

Le secrétaire dans le salon et la commode dans la chambre étaient sens dessus dessous, ce qui suggère que l'agresseur cherchait de l'argent ou des objets de valeur. Selon le capitaine DeVries, la victime l'aurait surpris dans ses recherches et une bagarre aurait éclaté. La robe de chambre de la victime était déchirée à plusieurs endroits. L'agresseur aurait fini par étrangler madame Gagnon pour que celle-ci ne puisse pas le reconnaître.

Le capitaine DeVries affirme que la police est sur les traces de l'assassin et qu'il sera bientôt appelé à répondre de ses actes.

Je refermai le journal. L'article ne répondait pas à ma question. Quant à DeVries, il paraissait bien, il avait l'air de contrôler la situation. Mais ça ne durerait pas longtemps encore. Quelqu'un finirait bien par faire le rapprochement entre les meurtres et fouiller le dossier.

« Pauvre madame Gagnon ! soupira Emma. Mourir comme ça, c'est horrible. Pensez-y : la dernière chose qu'elle a vue, ce sont les yeux fous de son assassin.

— Ça n'a pas dû être très agréable, en effet. Sois prudente.

— Je n'ai pas peur, dit-elle d'un ton détaché.

— Tu es très courageuse.

— Je suis capable de me défendre.

— Ah oui ?

— Hm-hm. Levez-vous. Je vais vous montrer. »

Je me levai. Elle se plaça derrière moi et me pinça la peau du cou, juste sous les cheveux, entre son pouce et son index, et serra en tournant lentement la main.

« Qu'est-ce que vous dites de ça, hum ?

— Pas mal, dis-je en serrant les dents.

— J'ai appris ce truc-là à la campagne. Ça faisait des merveilles pour repousser les gars un peu trop entreprenants. »

Elle me relâcha.

« Qu'est-ce que tu vas faire si t'es incapable de surprendre le gars par-derrière ?

— La même chose, sauf que je vais le pincer ailleurs. Une petite démonstration ? dit-elle avec un sourire malicieux.

— Sans façon, merci. Tu vas être prudente ? Promis ?

— Oui, oui, promis.

— Les gars de la ville sont plus rusés que les gars de la campagne.

— Ne vous en faites pas, je n'accepterai pas de bonbons d'un inconnu, même s'il est aussi charmant que vous. »

Ce fut une longue journée. Aucun client ne se présenta. Pas de parents qui voulaient que je retrouve leur fils en fugue, ni de vieille acariâtre qui avait perdu un collier. J'écoutai le murmure des pneus sur le pavé mouillé quatre étages plus bas dans Sainte-Catherine et le concert en ré mineur pour klaxon et cloche de tramway. De gros nuages obscurcissaient le ciel. Tout semblait gris comme si la pluie des derniers jours avait délavé la ville. J'avais vu juste, j'aurais dû rester couché.

À quatre heures, Emma entra et se laissa choir comme une poche de patates dans le canapé, sous la fenêtre.

« Il ne se passe rien.

— J'avais remarqué.

— J'ai mal aux pouces à force de me les tourner. »

Elle bâilla et se mit à tambouriner des doigts sur l'accoudoir.

« Vous savez quoi ? me dit-elle au bout d'un moment.

— Non.

— Vous devriez me sortir.

— Te sortir ?

— Oui. Depuis que je travaille pour vous, vous n'avez rien fait pour me témoigner votre appréciation.

— Qu'est-ce que tu dirais d'une boîte de chocolats ?

— Non, pas de chocolats. Ni de fleurs.

— Tu es difficile, dis-je. Qu'est-ce qui te ferait plaisir ?

— Je veux que vous me payiez un verre dans un club. Ce soir.

— Ah. O.K. »

Ce serait mieux que de m'endormir sur le canapé du salon après le souper.

« Mais dès que tu commences à faire des folies, dis-je, je te ramène chez toi.

— Je vais me comporter comme une bonne petite fille. Promis. »

La décoration du Café Saint-Michel ressemblait à la décoration des autres clubs en ville : des guirlandes ici et là, un lampion sur chaque table et des images pseudo-exotiques qui étaient censées faire rêver les clients de cocotiers et de jolies naïades. Mais les gens qui allaient dans les clubs n'y allaient pas pour le décor, ils y allaient pour la musique et l'atmosphère de fête qui y régnait, et quand ils allaient au Saint-Michel, ils étaient servis.

Le club présentait « le meilleur spectacle de couleur au Canada », d'après la publicité des journaux. Il avait mérité cet honneur grâce à son orchestre composé à moitié de Noirs. Chaque soir, l'orchestre s'entassait sur la scène et les murs semblaient sur le point de céder sous le déluge de notes comme un barrage sous la pression de l'eau et les danseurs bondissaient à ses pieds comme si la piste avait été recouverte de charbons ardents.

Il n'y avait aucune table de libre quand on arriva sur les lieux, Emma et moi, alors on se fraya un chemin jusqu'au bar. Le barman finit de servir un client et se dirigea vers nous. Il était à peine plus haut que le zinc.

« Qu'est-ce que vous prenez ? »

Il devait hausser le ton pour être certain qu'on le comprenne.

« Un martini, dit Emma. Un double.

— Et toi, chef ?

— Un whisky-soda. »

Le barman nous tourna le dos et se mit à l'ouvrage.

« Tu commences raide, dis-je à Emma.

— C'est exact, je fais juste commencer. »

Elle sourit. Elle portait une jolie robe et un ruban de velours noir attaché autour du cou. Ses cheveux étaient relevés en chignon, ce qui attirait l'attention sur ses grands yeux bruns. Elle était mignonne. Je n'étais pas le seul à le penser. On venait à peine de commencer nos verres qu'un jeune homme portant un nœud papillon vint lui demander si elle voulait danser. Elle répondit non merci et le jeune homme tourna les talons.

« Tu viens de lui briser le cœur, Emma.

— Il va s'en remettre, dit-elle nonchalamment.

— Tu ne le trouvais pas à ton goût ?

— Je n'aime pas les nœuds papillon.

— Ah bon. »

Des bravos et des applaudissements retentirent. L'orchestre venait de se taire. Les musiciens s'épongeaient le front avec des mouchoirs ou avalaient une gorgée rapide de bière, tandis que les danseurs quittaient la piste ou se dirigeaient vers elle. On se serait cru au coin de Peel et de Sainte-Catherine aux heures de pointe tellement il y avait du trafic. Puis l'orchestre repartit de plus belle.

Emma l'écouta en hochant la tête en cadence, puis dit quelque chose que je ne saisis pas.

« Quoi ?

— Ils sont bons, les musiciens, dit-elle en haussant la voix.

— Oui, ils sont pas mal.

— Ça me rappelle, quand j'étais petite, il y avait des gens qui organisaient des danses dans mon village et il y avait un violoneux qui faisait danser le monde. C'était le propriétaire du magasin général, si ma mémoire est exacte.

— Il était bon ?

— Les gens avaient l'air d'aimer ça, dit Emma. Quand il était fatigué ou trop soûl, c'étaient les gens dans la salle qui faisaient le spectacle. Il y en avait qui chantaient des chansons à répondre. C'était quelque chose à voir… Mes parents m'amenaient de temps en temps et j'ai chanté moi aussi.

— Je ne savais pas que tu avais des talents de chanteuse.

— J'étais pourrie ! J'oubliais des mots ou j'en changeais sans m'en rendre compte. J'haïssais ça… »

Emma leva les yeux au plafond, secoua la tête.

« Pourquoi tu chantais, dans ce cas-là ?

— C'est ma mère qui me forçait à le faire. Elle trouvait ça tellement mignon.

— Je ne savais pas que tu avais eu une enfance si difficile. Je suis désolé.

— Ça me fait du bien de vous en parler. Merci. »

Elle finit son martini d'une traite, avalant du même coup l'olive, et héla le barman à l'autre bout du zinc.

« Hé ! mon grand ! La même chose. »

Le barman hocha la tête.

« N'oublie pas ta promesse, dis-je à Emma.

— Je ne vais pas vous faire honte, ne vous inquiétez pas. »

Tandis qu'elle attendait, un deuxième prétendant se présenta, un grand brun élégamment vêtu. Il paraissait bien. Il repartit penaud comme le premier.

« Il ne portait pas de nœud papillon, lui.

— Il est trop grand, dit Emma. Je ne voulais pas lui fixer le nombril pendant qu'on dansait.

— Ah bon. Et lui ? dis-je en indiquant un voisin.

— Non, trop gros.

— Et lui ?

— Trop maigre. »

Je désignai un jeune homme aux épaules un peu voûtées, le nez chaussé de lunettes, appuyé contre un mur.

« Lui, peut-être ?

— Il n'aurait jamais le courage de m'approcher – trop timide. Regardez bien. »

Elle lui fit un signe de la main. Il se cacha derrière son verre.

« O.K. Et lui ? dis-je en recommençant à montrer.

— Il a des dents de cheval.

— Comment peux-tu voir ça d'ici ?

— Vous n'avez pas encore compris ? dit Emma.

— Compris quoi ?

— C'est avec vous que je veux danser !

— Je ne danse pas.

— Envoyez donc, insista-t-elle.

— Non, non.

— Pourquoi pas ?

— Je ne peux pas. Une vieille blessure subie pendant la guerre. »

Elle fronça les sourcils.

« Quelle blessure ?

— C'était en 43. J'ai perdu pied en descendant l'escalier chez moi. J'ai la cheville gauche sensible depuis ce temps-là. »

Elle me fit une grimace. Je sirotai innocemment mon whisky-soda.

Le barman revint avec son martini. Au même moment, un jeune homme vint tenter sa chance.

« Vas-y, mon gars, lui dis-je. Elle est tout à toi. »

Il sourit, ravi, comme s'il croyait qu'Emma était ma fille et que je venais de lui donner ma bénédiction.

Avant qu'Emma puisse rouspéter, le jeune homme l'agrippa par un coude et l'entraîna vers la piste. Elle me jeta un regard qui en disait long sur ce qu'elle pensait de moi à ce moment précis, puis adressa un sourire forcé à son cavalier. Celui-ci posa une main sur son épaule, l'autre au creux de ses reins et l'attira contre lui et ils commencèrent à danser.

Je les observai en espérant qu'elle ne lui déboîte pas l'épaule en le faisant tournoyer sur lui-même. Elle en était bien capable. Puis quelque chose attira mon regard vers un coin de la salle. Deux couples voulaient s'asseoir à une table déjà occupée par un homme. Il y avait un type coiffé d'un feutre gris et un petit bonhomme chétif au visage de bébé que son épouse dépassait d'une bonne tête.

L'homme aurait dû laisser la table à tout ce beau monde, mais il ne voulait rien savoir, il secouait obstinément la tête. Le type au feutre agrippa une des chaises. L'homme bondit sur ses pieds.

C'était Louis.

Je n'entendis pas ce qu'il dit, mais le type au feutre leva son poing, prêt à l'écraser contre le nez de Louis. Sa femme s'accrocha à son bras pour l'en empêcher. Le petit bonhomme chétif recula. Une discussion animée suivit. Le type au feutre mitraillait des yeux Louis, qui avait l'air de trouver la situation amusante.

Les deux couples s'en allèrent et Louis se rassit. Je payai mon whisky-soda et les martinis d'Emma et me faufilai entre les tables jusqu'à lui. Il avait les coudes sur la table, les épaules penchées en avant, le nez dans son verre.

« Hé ! t'as pas compris ? gueula-t-il. Je t'ai dit de décrisser ! »

Il leva les yeux sur moi. Ils étaient bouffis et rougis comme s'il venait juste de se réveiller. Il s'aperçut que c'était moi et refixa son verre.

« Qu'est-ce que tu fais ici ?

— Je suis venu faire un tour avec Emma, dis-je en m'assoyant. Et toi ?

— Qu'est-ce que j'ai l'air de faire ? répliqua-t-il.

— Tu as l'air de prendre un coup.

— Ben, bravo ! t'es très perspicace ! »

Il porta son verre à ses lèvres d'une main mal assurée.

«Qu'est-ce qui vient de se passer?

— Le gars voulait ma place, dit Louis, indigné. Je lui ai dit d'aller s'ach... s'asseoir ailleurs, l'enfant de chienne. J'étais achis ici en premier, non?

— Ce n'est pas une raison pour vouloir frapper quelqu'un.

— D'après lui, j'ai dit à sa femme qu'elle avait un gros cul. Ce n'est pas ce que j'ai dit.

— Qu'est-ce que tu as dit?

— Qu'elle avait une bedaine, dit Louis.

— Ça fait toute la différence.

— C'était vrai! Elle est passée où, Em... Emma? dit-il en jetant des regards autour de lui.

— Elle s'est trouvé un cavalier. Elle danse.

— J'aimerais bien avoir mon tour, tantôt.

— Je doute que tu puisses encore te tenir debout, mon vieux.

— Je suis capable d'en prendre!»

Il leva le coude une autre fois.

«Pourquoi tu bois comme ça?

— Je bois en l'honneur de Florence, cria-t-il, la plus ingrate des créatures de la Terre!»

Le couple assis à notre droite tourna la tête vers nous.

«De quoi tu parles?

— J'ai tout fait pour cette femme-là, Stan, dit Louis. Tout! J'ai travaillé jour et nuit quasiment pour qu'elle puisse s'acheter ses robes pis ses bijoux. Et la maison aussi. Avec quoi tu penses qu'elle a été payée, cette câlisse de maison-là? Il a fallu que je m'occupe de l'épicerie de mon père pendant huit ans, en plus de ma job à la Sûreté, pour pouvoir la payer. Nos enfants étaient supposés grandir dans cette maison-là et nos petits-enfants étaient censés nous y rendre visite. J'ai passé seize ans de ma vie avec cette femme-là, Stan, seize ans, et elle n'a même pas été foutue de m'en donner un enfant, crisse de maudite pute frigide…

— Tu n'y vas pas un peu fort ?

— La dernière fois qu'on a fourré, c'était il y a deux ans ! Tu penses que j'y vais fort ? »

Je n'émis aucun commentaire. Louis n'en avait pas besoin pour continuer.

« Et moi dans tout ça, hein ? Qu'est-ce qu'elle m'a donné en retour ? Le mariage, ce n'est pas une rue à sens unique, ça. Eh ben, elle ne m'a rien donné. Rien ! »

Il rejeta la tête en arrière, vida son verre.

« La maison était une vraie soue à cochons et le souper n'était jamais prêt à temps. Qu'est-ce qu'elle faisait de ses journées, veux-tu ben me le dire ? Et puis, un soir, elle a le culot de venir me dire qu'elle n'est pas heureuse et qu'elle s'en va. Ben c'est ça, que je lui ai dit, fais-la, ta valise, bon débarras ! Pis laisse faire les cartes postales. Je ne vais pas m'ennuyer de ses lamentations, ça non. Ça n'en finissait plus. "On ne va jamais au restaurant, on ne voit jamais personne…" Tu penses que ça me tentait d'entendre ça, le soir, quand je revenais de l'ouvrage ? Je ne lui montrais pas que je l'aimais, d'après elle, je ne l'appréciais pas à sa juste valeur. Je me tuais à l'ouvrage pour qu'elle puisse vivre décemment, câlisse ! Ce n'est pas une preuve d'amour, ça ? »

Il se mit à tripoter son verre en le fixant, comme hypnotisé par lui. Sa voix se remplit d'amertume.

« Il n'y avait jamais rien d'assez bon pour elle. Elle a été gâtée pourrie quand elle était jeune, c'est ça son maudit problème. Elle s'imagine qu'il y a juste son petit bonheur à elle qui compte dans la vie. Elle s'en foutait bien, de mon bonheur à moi. Tu penses que j'étais heureux – que je suis heureux, moi, en ce moment ? Il n'y a pas moyen d'avoir de l'avancement, à la job, à moins de graisser la patte de quelqu'un quelque part. Tu sais comme moi comment ça marche. Faut suivre les ordres sinon on se retrouve à travailler trois mois de nuit, une semaine de jour, puis trois autres mois de nuit… Et puis là, je viens de me rendre compte que vingt années de ma vie sont parties pour toujours, pfft ! envolées. J'avais des rêves quand j'ai rencontré cette femme-là. Je voulais une famille, un bon travail. Je voulais qu'on soit heureux. Je voulais réaliser ces rêves-là avec elle. C'est fini, maintenant. *Kaput*. Elle les a emportés dans ses valises quand elle est partie. »

Il se passa la main sur le visage et renifla.

« Merde. Je ne suis pas encore assez soûl. »

Il fit signe à une serveuse qui passait par là.

Je ne pouvais rien pour lui. Je retournai au bar. Emma était adossée au zinc, les bras croisés, l'air boudeur. Les musiciens faisaient une pause. Les éclats de voix et le cliquetis des verres me paraissaient assourdissants.

« Merci de m'avoir jeté dans les bras de cet énergumène.

— Tu voulais danser, non ?

— Il a essayé de me pogner le derrière. Vous l'avez vu faire ?

— Non.

— Où est-ce que vous étiez passé ?

— J'étais parti voir Louis.

— Il est ici ? dit Emma en scrutant la salle.

— Oui, mais vaut mieux le laisser tranquille.

— Comment ça ?

— Il boit en l'honneur de sa femme, dis-je. Tu veux un autre martini ? »

Mon offre lui arracha un sourire.

« Vous me devez bien ça. »

Elle prit un Virgin Mary, en fin de compte. Quand elle l'eut fini, je la ramenai chez elle. L'article sur le meurtre de madame Gagnon me revint en tête et je raccompagnai Emma jusqu'à sa porte, au cas où quelqu'un l'aurait attendue. Une fois à la maison, j'allai à ma chambre. J'allumai la lampe de chevet et commençai à me dévêtir. Il me restait juste mon pantalon quand je m'assis au bord du lit et ouvris le tiroir de la table de chevet.

L'enveloppe était toujours là. Je la sortis du tiroir, pêchai mon alliance dedans. Je l'examinai comme l'aurait examinée un bijoutier. Ce n'était qu'un anneau plaqué argent – l'intérieur avait commencé à ternir – mais, en l'examinant, je me rappelai le soir où j'avais demandé Kathryn en mariage.

On avait assisté à un concert à la salle du Plateau, ce soir-là. Je ne me souviens pas du programme, j'étais trop occupé à penser à ce qui allait suivre. Après le concert, je l'avais raccompagnée chez elle – ou plutôt chez sa sœur Rachel. C'est là qu'elle logeait à cette époque. C'était une nuit fraîche. Je ne regrettais pas d'avoir mis un veston. Elle, elle avait drapé une veste en laine sur ses épaules. On avait discuté sous le porche et elle m'avait demandé si quelque chose me tracassait. Je m'étais conduit bizarrement toute la soirée, je n'avais pas dit un mot ou presque. Elle avait senti ma tension. C'était une preuve qu'on était sur la même longueur d'onde et ça m'avait convaincu une fois pour toutes que je prenais la bonne décision.

J'étais alors descendu sur une marche pour pouvoir la regarder droit dans les yeux et je lui avais pris la main. Mes mains à moi étaient glacées et ce n'était pas seulement à cause de la température. Je lui avais dit combien je l'aimais, combien elle comptait pour moi et c'était la vérité – je n'avais jamais ressenti si profondément mes paroles. Elle m'avait écouté d'un air ému, la tête inclinée sur le côté, puis son visage s'était fendu en un sourire radieux et elle avait répondu évidemment que oui à ma question. Elle avait voulu prendre un verre pour célébrer, mais elle n'avait pas de vin et encore moins de champagne, alors on avait bu chacun un verre d'eau à la cuisine. Elle était incapable d'arrêter de sourire. Pour moi, c'était pareil. À ce moment précis, je voulais annoncer la nouvelle à tout le monde que je connaissais, l'épouser et emménager avec elle, tout en même temps. La journée du lendemain était trop loin.

Je l'avais rencontrée l'année précédente à une réception qui se déroulait dans un grand salon double. Il y avait un piano droit dans un coin et elle s'était tenue là une partie de la soirée. Elle ne jouait pas, elle chantait. Elle avait une jolie voix. Comparés à elle, les gens qui l'accompagnaient chantaient comme des vaches qui vêlaient. Elle n'avait pas suivi de cours dans sa jeunesse, c'était tout ce qu'il y avait de plus naturel comme talent. Je ressentais toujours une certaine fierté quand elle chantait en public.

Elle aimait chanter, elle échangeait des sourires avec ses compères. Ses cheveux auburn étaient relevés en chignon comme à l'habitude. Je m'étais demandé de quoi elle avait l'air quand elle les détachait. Pendant nos fréquentations, je me l'imaginais souvent, assise à sa coiffeuse, qui les brossait avant de se coucher. J'avais finalement vu de quoi elle avait l'air lors de notre nuit de noces quand elle s'était allongée dans notre lit et qu'ils se répandaient sur l'oreiller et sur ses épaules nues. Elle n'avait jamais été aussi belle que cette nuit-là.

Elle s'était confiée à moi au fil de nos fréquentations et m'avait appris qu'elle avait déjà été mariée. Elle était veuve, son mari avait trouvé la mort dans un accident de la route le jour de leur huitième anniversaire de mariage. Elle n'avait pas de travail, à ce moment-là, ni d'argent, ni de vie à elle. Elle s'était prise en main et avait continué son chemin. Je l'admirais pour ça. C'était une femme de caractère mais, en même temps, elle dégageait une certaine sensibilité et une certaine sérénité par suite de ce qu'elle avait vécu.

Oui, c'étaient de beaux souvenirs. Mais ce n'était que ça, justement, des souvenirs. J'avais laissé la situation prendre le dessus sur moi et, à la longue, un grand fossé s'était creusé entre nous deux, et maintenant j'ignorais si on pouvait construire un pont pour nous rejoindre. J'avais peur de devenir comme Louis si je restais dans le noir. Il l'aimait toujours, Florence. Il ne croyait certainement pas les choses horribles qu'il disait sur son compte. Il espérait seulement qu'en les disant il finirait par les croire et que ses blessures se cicatriseraient.

Je ne voulais pas être pris dans le même engrenage. Il fallait que je sache.

CHAPITRE 4

Un jeune homme passa sur le trottoir à côté de la Studebaker. Ses cheveux étaient coupés en brosse et il portait des lunettes très épaisses. Une fille rondelette au visage rebondi comme une pomme s'accrochait à son bras. Je tirai une bouffée de ma Grads et les regardai s'éloigner dans le rétroviseur. Ils discutaient de ce qu'ils feraient ce soir-là ou peut-être même de leur avenir ensemble – quand ils allaient se marier, combien d'enfants ils auraient, comment ils les appelleraient. Un beau petit couple.

Je consultai ma montre pour la énième fois depuis mon arrivée. Plus que deux ou trois minutes et les employés sortiraient. Je ne manquerais rien de l'action. D'où j'étais garé, au sommet de la côte du Beaver Hall, j'avais une vue parfaite des portes. Je me sentais comme un acteur, deux minutes avant le lever du rideau.

Une des portes finit par s'ouvrir et un employé apparut, puis un autre et encore un autre. Bientôt le trottoir grouillait de commis et de standardistes. J'observai cette ménagerie en cherchant Kathryn du regard. Ce fut une des dernières à sortir. Elle portait un tailleur anthracite, un chemisier blanc à jabot. Elle s'était fait couper les cheveux. Ils tombaient juste sur sa nuque maintenant. Il n'y aurait plus de chignon pendant un bout de temps.

Je tirai mon mégot par la fenêtre, démarrai et dirigeai la Studebaker au bas de la côte. Arrivé à la hauteur de Kathryn, je me rangeai en bordure du trottoir. Elle dut reconnaître la voiture, car elle se pencha et regarda à l'intérieur par la fenêtre de la portière.

« Stan ?

— Monte. Je te ramène chez toi.

— Tu ne sais pas où j'habite.

— Tu m'expliqueras le chemin en route. »

Elle lança un regard aux deux extrémités de la rue.

« Monte, je te dis », insistai-je.

Elle se redressa. Un moment s'écoula. Je pouvais voir par la fenêtre ses doigts tambouriner contre son sac à main. Puis elle se décida et ouvrit la portière et se glissa à côté de moi sur la banquette. Je laissai passer une Packard beige et lâchai le frein. On commença à descendre la côte.

J'observai Kathryn du coin de l'œil. Son visage n'avait pas changé. Les yeux bleus tiraient toujours sur le violet, le nez fin surplombait toujours la bouche mince inclinée aux commissures. C'était une bouche qui lui donnait un air sévère, mais elle pouvait esquisser un sourire tout à fait charmant qui illuminait tout son visage. Le menton était toujours important. Je la trouvais plus jolie quand elle portait ses cheveux relevés en chignon, on voyait mieux son visage. Sa nouvelle coiffure le cachait un peu.

« Tu as l'air en forme, dis-je.

— Merci. »

Un silence aussi épais qu'un mur de brique s'installa entre nous. J'avais l'impression qu'elle ne prononcerait plus un seul mot si je ne prenais pas l'initiative.

« À ce moment-ci de la conversation, ce serait poli de me demander si moi aussi je suis en forme.

— Si tu le dis. Tu es en forme ?

— Bon. Oui, merci.

— Tu t'es laissé pousser la moustache, me fit-elle remarquer.

— Et toi, tu t'es fait couper les cheveux. Ça te va bien, ça te rajeunit.

— Ta moustache ne te rajeunit pas, toi. Tourne à gauche. »

On était arrivés à la rue Notre-Dame. Je m'arrêtai et attendis une ouverture. Il y avait beaucoup de trafic à cette heure. Un type au volant d'une vieille Essex ralentit et me fit signe de passer. Je le remerciai d'un geste de la main et immergeai la Studebaker dans le flot de la circulation.

« Quoi de neuf, à part ta coupe de cheveux ?

— Pas grand-chose, soupira Kathryn. Je travaille toujours chez Bell, comme tu peux voir. »

Il y avait dans sa voix une pointe d'agressivité qui ne laissait rien présager de bon.

« Tu es toujours au service à la clientèle ?

— Hm-hm.

— Moi, j'ai toujours mon bureau au centre-ville, dis-je. Les affaires tournent un peu au ralenti, de ce temps-là, mais on dirait que ça vient par bourrée.

— Hm-hm.

— Il ne se passe rien pendant deux semaines, puis ça n'arrête pas les deux semaines d'après.

— Tant mieux pour toi si ça marche, dit Kathryn. Tu ne passais pas dans le coin par hasard quand tu m'as vue, je me trompe ?

— Non.

— Qu'est-ce que tu me veux ?

— Te parler.

— Ben vas-y, arrête de tourner autour du pot.

— Tu pourrais être un peu plus reconnaissante. Je te ramène chez toi, après tout. »

Son visage resta de marbre. Sa bouche lui donnait vraiment l'air sévère.

« J'ai revu Louis cette semaine. Louis Boileau. Je ne sais pas si je t'ai déjà parlé de lui.

— Pas que je me souvienne, non.

— Mais oui, on a mené quelques enquêtes ensemble, à la Sûreté.

— Je ne m'en souviens pas.

— Ça ne fait rien. Il est marié, c'est-à-dire qu'il l'était jusqu'à tout récemment. Sa femme l'a laissé le mois passé. Ils ne s'entendaient plus. Louis le regrette. Il fait comme si ça ne le dérangeait pas, mais il est amer. Je l'ai croisé au Saint-Michel, hier soir. Ce n'était pas beau à voir, ni à entendre. »

Le feu passa au rouge au coin de Saint-Laurent. Je m'arrêtai et regardai défiler les piétons devant le pare-chocs de la Studebaker. Je savais maintenant comment se sentait un acteur qui vient de manquer sa réplique. J'aurais préféré subir des prises de sang plutôt que d'être assis là.

« Pourquoi tu me racontes ça ? me demanda Kathryn.

— Parce que Louis n'est pas heureux et j'imagine que Florence ne l'est pas, elle non plus.

— C'est qui, Florence ?

— Sa femme. À Louis.

— C'est bien triste, ce qui leur est arrivé…

— Oui, mais ils auraient pu éviter tout ça s'ils avaient agi, dis-je. Ils ont laissé une mauvaise situation se dégrader et regarde où ça les a menés.

— Tu as peut-être raison, dit Kathryn. Où est-ce que tu veux en venir ?

— Ben…

— Tu aimerais ça qu'on réessaie, toi et moi, c'est ça ? »

Je fis signe que oui. Elle poussa un petit rire sarcastique.

« Tu as aimé les derniers mois qu'on a passés ensemble, les engueulades, les silences ?

— Ce serait peut-être différent ce coup-ci.

— Pourquoi ce serait différent ?

— Les choses ont changé.

— Qu'est-ce qui a tant changé depuis ce temps-là ? »

Le feu passa au vert. J'appuyai sur l'accélérateur.

« On avait peut-être besoin de prendre congé l'un de l'autre pour un bout de temps.

— On prend congé d'un travail, Stan, pas de quelqu'un.

— Je sais, dis-je. Mais avec le recul…

— Tu vas me dire que le temps guérit tous les maux, qu'il efface tout ce qui s'est passé ? Je n'ai pas oublié ce qui s'est passé entre nous deux, Stan.

— Moi non plus. Je ne referais pas les mêmes erreurs.

— N'essaie pas de te blâmer pour t'attirer ma pitié, dit Kathryn. J'ai fait des erreurs, moi aussi. Toi, t'en as fait une monumentale, c'est vrai, tu t'en souviens sûrement, mais je suis aussi fautive que toi. Sauf que ça s'est produit quand le torchon brûlait entre nous deux, pas quand tout allait pour le mieux, et je crois qu'on en était arrivés là parce que ça ne pouvait plus marcher, voilà.

— Peut-être pas. Il faut qu'on se donne une autre chance.

— Ça ne servirait à rien.

— Il n'est peut-être pas trop tard. Regarde Louis. S'il…

— Tu veux arrêter de me casser les oreilles avec ton Louis pis sa femme ? coupa-t-elle. Ils se sont séparés, on s'est séparés, les ressemblances s'arrêtent là. »

Son éruption sembla la surprendre autant que moi et le silence se fit dans la voiture.

« C'est fini, reprit-elle au bout d'un moment. Notre relation a atteint le point de non-retour.

— On ne le saura jamais si on n'essaie pas.

— Si l'issue de mon procès dépendait d'un argument comme celui-là, je finirais pendue… »

Mes doigts se crispèrent autour du volant.

« Je sais que c'est simple comme argument, mais c'est comme ça. Qu'est-ce que tu veux qu'on fasse d'autre ?

— Rien.

— Qu'est-ce qui nous empêche d'essayer, hum ? Dis-le-moi.

— C'est que…

— Quoi ? »

Je lui jetai un regard de côté. Elle tripotait son sac à main posé sur ses genoux.

« Quoi ? criai-je presque.

— J'ai rencontré quelqu'un », laissa-t-elle tomber.

Je tournai la tête vers elle. Nos regards se croisèrent pour la première fois, une seconde à peine ; puis elle tourna la tête et, le menton appuyé au creux de la main, observa les façades des immeubles qui s'alignaient le long de la rue.

« Quand ça ?

— Il y a quelques mois déjà.

— C'est qui ? Je le connais ?

— Quelle différence ça peut faire ? dit-elle d'une voix lasse.

— C'est un collègue de travail ?

— Hm-hm. Tu ne le connais pas.

— Qu'est-ce qu'il fait ?

— Il occupe un poste administratif.

— Il a quel âge ? Il est jeune ?

— Non, il a mon âge. Il est vieux garçon.

— Vous vous êtes rencontrés chez Bell ou…

— Je n'ai pas à répondre à tes questions, dit sèchement Kathryn. Je ne suis pas un de tes clients. »

C'est là-dessus que prit fin notre entretien. Kathryn ne dit plus un mot, sauf pour m'indiquer dans quelles rues tourner. En suivant ses consignes, je me trouvai devant une vieille maison en bois de deux étages qui se dressait dans une petite rue. Une bande de gazon jaune la séparait du trottoir. Une affiche dans une fenêtre du rez-de-chaussée indiquait *Chambres à louer*. C'était un trou. Qu'est-ce que Kathryn faisait dans un endroit pareil ?

Je rangeai la Studebaker devant la maison et me tournai vers elle. Elle avait déjà ouvert sa portière.

« Merci de m'avoir ramenée », dit-elle froidement.

J'aurais dû ajouter quelque chose, mais je ne trouvais pas les bons mots. Alors elle descendit, claqua sa portière et emprunta le sentier qui menait à la maison. Quand la porte-moustiquaire se fut refermée, je redémarrai.

La première bouchée de mes spaghettis me resta en travers de la gorge, ce soir-là. Kathryn était de mauvaise foi. J'aurais pu lui servir n'importe quel argument dans la Studebaker, elle l'aurait démoli. Elle se rappelait juste les derniers mois de notre relation, quand tout allait mal, pas les cent autres, qui avaient été plutôt agréables. Et sa manière de glisser dans la conversation mon « erreur monumentale », comme elle avait qualifié ma gifle… Typique de sa part. Une petite flèche, comme ça, en passant.

Elle ne voulait tout simplement rien entendre. Ça aussi, c'était typique. Une vraie tête de cochon. Qu'est-ce que je pouvais faire ? Peut-être que j'avais trop attendu avant d'agir et, maintenant, il était trop tard. Non, ça, je ne voulais pas le croire. Kathryn se souvenait aussi des bons moments qu'on avait passés ensemble, quoi qu'elle en dise. Elle ne pouvait pas avoir rangé ces souvenirs tout bonnement dans un coin de son esprit avec d'autres vulgaires souvenirs, comme ce qu'elle avait mangé pour dîner jeudi passé et le nom de son professeur à la petite école, et s'être éprise d'un autre homme.

Il n'y avait plus une maudite goutte de boisson dans la maison, les murs se refermaient sur moi. Je sautai dans la Studebaker. Valait mieux parler à quelqu'un plutôt que de rester là. Le jeune homme aux cheveux en brosse et sa petite amie me revinrent en tête. Ils auraient dû mettre fin à leur relation, ça leur éviterait bien des peines.

La même femme que l'autre soir m'ouvrit, Marie-Ange.

« Fleurette ? dit-elle.

— Oui.

— Dans sa chambre. »

J'entrai.

« Elle était là quand je suis rentrée, cet après-midi. Je ne l'ai pas dérangée. Sa porte était fermée. »

Peut-être qu'elle cuvait encore une fois son petit déjeuner. Je cognai à la porte. Pas de réponse. Je cognai une deuxième fois. Même résultat.

« Elle doit dormir comme une bûche », dit Marie-Ange.

J'entrouvris la porte. Le store était baissé, la lampe de chevet, allumée. La bouteille de de Kuyper était par terre, à côté du lit, cassée en deux. La moitié du haut était maculée de sang, il y en avait une grande flaque sur le plancher. Je luttai pour en détacher mes yeux et les porter sur le lit. Fleurette était étendue dessus, sur le dos. Sa jambe droite était pliée à quatre-vingt-dix degrés, la gauche pendait dans le vide, les orteils effleuraient le plancher. Sa combinaison-jupon était relevée jusqu'à sa taille.

J'avais vu des choses horribles de mon temps à la Sûreté – des corps dont une balle avait arraché la moitié du visage, des noyés qui avaient passé des jours et des jours au fond du fleuve – mais c'était il y a longtemps. Je m'approchai du lit quand même, c'était plus fort que moi. Elle ne portait rien sous sa combinaison-jupon. Elle fixait le plafond, ses yeux à demi fermés étaient vides comme des yeux de poisson. Son torse n'était plus qu'une masse sanguinolente, on ne distinguait plus le vêtement qui le recouvrait. C'est de là que provenait tout le sang. Il y en avait même sur le mur à côté du lit, il était couvert de coulisses qui se croisaient et s'entrecroisaient dans toutes sortes d'angles bizarres. En levant et en abaissant la bouteille, le fou furieux qui avait fait ça avait créé une œuvre.

Meurtre d'une prostituée, sang sur plâtre.

Je ne pensai même pas à la recouvrir. Je fis demi-tour. Marie-Ange se tenait dans l'embrasure de la porte, la main sur la poignée, figée sur place. Elle fixait le tableau sans expression particulière.

« Appelle la police. »

Elle continua de fixer le tableau. Je me faufilai hors de la chambre et m'en occupai moi-même.

Ils arrivèrent cinq minutes plus tard, deux policiers en uniforme, un jeune et un moins jeune. Ils jetèrent un œil dans la chambre, puis le moins jeune appela des renforts et on les attendit tous les quatre dans la cuisine. Je m'assis à table avec Marie-Ange, eux restèrent debout. Marie-Ange avait les yeux braqués sur le dessus de la table. Elle avait l'air complètement perdu.

« C'est toi qui as découvert le corps ? me demanda le jeune.

— Oui.

— Comment tu t'appelles ?

— Stan Coveleski.

— Tes papiers. »

Je lui tendis mon portefeuille. Il en examina le contenu et le garda entre ses mains.

« Qu'est-ce que t'étais venu faire ici ?

— Je lui rendais visite.

— C'était une amie à toi ? demanda le moins jeune.

— Si on veut, oui.

— C'était une amie, oui ou non ? »

Je ne dis rien. Le jeune me fixait en plissant les yeux.

« Comment est-ce qu'elle s'appelait ? poursuivit le moins jeune.

— Fleurette Corriveau.

— Et toi ? demanda-t-il à Marie-Ange. Hé ! c'est à toi que je parle, ma belle. »

Elle tressaillit sur sa chaise.

« Hein ? Moi ?

— T'es la seule femme ici, non ? C'est quoi, ton nom ?

— Marie-Ange Paradis.

— Tu lui rendais visite, toi aussi ?

— Non, je… J'habite ici.

— Tu fais quoi dans la vie ?

— Prostituée, dit tout bas Marie-Ange comme si elle avait honte.

— Fleurette aussi se prostituait ?

— Oui. »

Les deux policiers échangèrent un regard. Des petits sourires retroussèrent leurs babines.

« Tu lui rendais souvent visite ? me demanda le jeune d'un ton plein de sous-entendus.

— De temps en temps.

— Hm-hm. C'est vrai, ça, Marie-Ange ?

— C'est juste la deuxième fois que je le vois, dit-elle.

— Elle recevait des clients ici ?

— Non, pas ici. Elle travaille dans le *red light*.

— Où ça ? dit le moins jeune. Il y en a plein, des bordels, dans le *red light*.

— Je ne sais pas lequel.

— Tu le sais, toi, Coveleski ?

— Oui.

— *Good*, dit le jeune en hochant la tête. *Good*. Le capitaine va être content. »

Les renforts finirent par arriver. Il y avait des policiers, des détectives en civil, un type avec un appareil photo au cou, un autre avec une trousse dactyloscopique au poing – la ménagerie habituelle. Je les reconnus tous ou presque. DeVries était là. Nos regards se rencontrèrent une seconde. S'il était surpris de me trouver là – il devait bien l'être –, ça ne parut pas sur son visage.

Tout ce beau monde s'entassa dans la cuisine. Le jeune policier alla voir DeVries avec mon portefeuille et le lui tendit. DeVries examina le contenu d'un œil désintéressé. Le jeune lui résuma notre entretien, puis baissa le ton et ajouta autre chose que je ne saisis pas. Il avait l'air très excité, DeVries, lui, beaucoup moins. Les détectives se bousculaient à la porte de la chambre pour voir le corps, comme des enfants devant les vitrines d'Ogilvy pendant le temps des fêtes.

Tandis que DeVries et le jeune policier jasaient, un homme entra dans la cuisine. Celui-là, il ne me disait rien. Il portait un trench beige dans les poches duquel il gardait ses mains enfoncées. Le trench allongeait sa silhouette. Il avait un long visage au menton en proue, une bouche mince et plate. Dans la pièce, c'était le seul homme nu-tête. Ses cheveux étaient coupés très court, presque en brosse. Ses joues creuses étaient lisses comme s'il venait juste de se raser. Une cicatrice traversait sa joue droite. Il s'était peut-être coupé en se rasant. Au premier coup d'œil, il avait l'air aussi heureux qu'un gars qui a mal aux dents trois cent soixante-cinq jours par année.

Il parcourut la pièce des yeux sans bouger la tête. DeVries sentit sa présence et se tourna vers lui.

« Ah, c'est toi, Néron.

— C'est qui, Coveleski ? lui demanda le dénommé Néron.

— Ça va, je le connais. C'est un ami.

— Et on le trouve sur les lieux d'un crime ? Tu devrais surveiller tes fréquentations…

— Hé, Coveleski est correct, dit DeVries. Il n'a rien à voir là-dedans. »

Néron ôta mon portefeuille des mains du jeune policier. Sa voix était brusque, ses gestes aussi.

« Qu'est-ce qu'il faisait ici ? dit-il examinant le contenu de mon portefeuille.

— Laisse faire, je vais l'interroger, dit DeVries.

— J'aimerais mieux que quelqu'un d'impartial s'en occupe.

— Quelqu'un d'impartial ?

— C'est un suspect.

— Ah oui ? dit DeVries, sarcastique. Dans quoi ?

— Dans cette affaire-ci. Il vaudrait mieux quelqu'un d'impartial pour s'occuper de lui.

— Coveleski n'est pas un suspect. Je réponds de lui.

— C'est bien gentil de ta part, répliqua Néron, mais ça ne l'innocente pas.

— J'ai dit qu'il n'avait rien à voir là-dedans. Qu'est-ce que tu ne comprends pas, Nécarré ? C'est simple, pourtant, non ? »

Néron se raidit. Les autres policiers ne leur prêtaient pas attention, comme s'ils étaient habitués de les voir se disputer comme deux enfants.

« Il faut suivre la procédure.

— Ouais, ben, je m'en fous de la procédure. Il est innocent, point final. Toi et tes hommes, interrogez les voisins, moi et mes hommes, on s'occupe du bordel.

— On s'occupe du bordel, vous autres, des voisins, dit Néron.

— Non.

— Mais vous êtes plus nombreux. »

DeVries lui arracha mon portefeuille des mains.

« *So* ? On fait comme j'ai dit, Nécarré. C'est moi qui décide, O.K. ? T'es là juste pour me donner un coup de main. »

Il donna des ordres à ses hommes, puis me fit signe de le suivre. On quitta la cuisine. Néron nous suivit du regard, les mains toujours enfouies dans ses poches. Ses petites oreilles pointues, collées à son crâne, étaient écarlates.

Les derniers rayons du soleil coloraient le ciel de rouge. Les voisins étaient sortis sur les trottoirs ou sur leurs balcons, attirés par les voitures de patrouille. On pouvait distinguer leur silhouette dans la pénombre. Je m'assis à l'arrière d'une auto, entre DeVries et un détective qui mâchouillait un cure-dent. Deux autres détectives s'assirent à l'avant.

« Pour qui il se prend, cet enfant de chienne-là ? pensa tout haut DeVries. Si c'est moi qu'on a chargé de l'enquête et pas lui, c'est qu'il y avait une raison, non ? Je l'ai remis à sa place, hein ? Qu'est-ce que vous en pensez, les gars ? »

Les gars approuvèrent du chef.

« Bon. On va où ? me demanda DeVries.

— Rue Berger. Je vais vous dire où.

— T'as compris, Gilles ? »

Le chauffeur fit signe qu'il avait compris et démarra. Deux voitures de patrouille se mirent aussi en route.

Au bout d'un moment, DeVries me donna un léger coup dans les côtes avec mon portefeuille. Je le rempochai.

« Qu'est-ce que tu faisais chez Fleurette Corriveau ? Tu la connaissais bien ?

— Elle était dans le trouble, une fois…

— Hé, hé, hé, sans blague, dit DeVries en ricanant.

— … et je l'ai aidée à s'en sortir.

— Elle avait fait appel à tes services ?

— Pas exactement.

— Papineau, l'agent avec qui j'ai parlé, pense que tu l'aimais et que c'est toi qui l'as tuée parce que t'étais jaloux des hommes avec qui elle couchait.

— Il a un brillant avenir dans la police, celui-là.

— Vous baisiez ?

— On discutait. Ce n'était pas une mauvaise personne.

— Écoute, on la connaissait, la Corriveau, dit DeVries. Son casier judiciaire débordait.

— Elle a eu moins de chances que d'autres dans la vie, c'est tout. »

Il poussa un grognement d'un air peu convaincu.

« Elle travaillait ici depuis longtemps ? demanda DeVries à madame Beauchamp, une grosse bonne femme au visage huileux.

— Je ne sais pas. Six-sept mois.

— C'était une bonne employée ?

— Oui. Elle buvait un peu trop des fois – elle a manqué quelques journées de travail à cause de ça –, mais ce n'était pas une habitude chez elle.

— Elle était populaire ?

— Toutes les filles ont des clients qui viennent régulièrement les voir, dit madame Beauchamp.

— Fleurette avait des clients réguliers ?

— Ben oui, mais…

— Mais quoi ?

— Je vois où tu veux en venir, mais je ne peux pas te donner de noms. On ne demande pas le nom des hommes qui se présentent ici. Tout se fait dans l'anonymat.

— Il n'y a pas quelqu'un qui pourrait reconnaître les clients de Fleurette ? demanda DeVries.

— Céline, peut-être.

— C'est qui, ça ?

— C'est la femme qui collecte l'argent, à l'entrée.

— Je vais demander qu'on l'interroge. »

Madame Beauchamp ajusta le foulard noué sur sa tête. J'étais assis dans un coin, oublié tel un mégot dans un cendrier. On se trouvait dans une des chambres du premier. Les détectives avaient expulsé les hommes qui étaient dans la place, après avoir noté leurs coordonnées pour les interroger plus tard, et ils questionnaient les filles dans les autres chambres.

« Elle n'aurait pas eu d'ennuis avec un pimp ? reprit DeVries.

— Bien sûr que non, dit madame Beauchamp d'un ton indigné. Elle travaillait juste ici. Elle n'avait pas de raisons d'aller ailleurs. On est comme une famille, on se tient toutes. Je voudrais bien voir mes filles, d'ailleurs. Achèves-tu ?

— J'achève.

— Tes gars sont mieux de bien se conduire avec elles, dit-elle en brandissant un index menaçant.

— Ils ne vont pas leur fait mal. Comment était Fleurette ces derniers jours ?

— T'es mieux de demander aux autres filles…

— Je te le demande à toi. »

Aux yeux de DeVries, peu de gens méritaient d'être vouvoyés. Les tenancières de bordel n'apparaissaient pas sur sa liste.

« Elle n'avait pas l'air bien. Elle était malade.

— Malade ?

— Je tiens une maison respectable, moi, dit madame Beauchamp d'un air hautain, mais je ne peux pas en dire autant des autres endroits où passent les clients.

— Il n'y en avait pas un, justement, un client qui la harcelait ou quelque chose dans le genre ?

— Pas à ma connaissance.

— O.K. Disparais. »

Madame Beauchamp se leva péniblement et traîna son énorme carcasse hors de la chambre.

« Et toi, Stan, me dit DeVries, elle ne t'a parlé de rien ?

— Non.

— T'as rien remarqué la dernière fois que tu l'as vue ? Elle n'était pas nerveuse ou agitée ?

— Non. »

Il se gratta la nuque.

« On dirait bien que c'est notre tueur qui lui a réglé son compte, qu'est-ce que t'en penses ? Elle a été massacrée comme les autres. Reste à savoir si elle a subi des violences sexuelles… »

Le détective au cure-dent apparut sur le seuil de la porte. Il n'était pas très grand et plutôt bedonnant. Son complet aurait eu besoin d'un coup de fer.

« Je peux te parler deux minutes, Rog ?

— Qu'est-ce qu'il y a ? »

Je sortis de la chambre. Deux policiers en uniforme discutaient au sommet de l'escalier. L'un d'eux était appuyé contre la rampe, les bras croisés, très décontracté.

« Je me demande si c'est le tueur qui a fait ça.

— Si c'est lui, dit son collègue, c'est la première femme de petite vertu qu'il zigouille. Les autres étaient

toutes des femmes respectables, mais la Corriveau…
Dans le fond, ce n'est pas une grosse perte. Une pute,
qui buvait comme un trou…

— Et qui était rongée par les maladies vénériennes.

— Ouais. Personne ne va verser de larmes. »

Mes ongles s'enfoncèrent douloureusement dans
mes paumes.

« Je veux dire, ces filles-là savent les dangers
qu'elles courent en couchant avec n'importe qui, non ?

— Moi, je dis que le tueur nous a rendu service.

— Oui, t'as raison. Des salopes dans son genre, on
n'en a pas besoin.

— Exactement. »

Une main m'agrippa un coude.

« Suis-moi », me glissa à l'oreille DeVries.

On descendit l'escalier jusqu'au salon. Un policier
interrogeait la blonde maigrichonne dans un des
canapés. On poursuivit notre route jusque dehors. Il
faisait nuit noire. La rue Berger était déserte. Les
voitures de patrouille n'attiraient pas les gens dans ce
coin-ci, elles les faisaient fuir.

DeVries inspira profondément.

« Aaah ! expira-t-il. Ça fait du bien. On étouffait
dans cette chambre-là, pas vrai Stan ? »

Je ne dis rien. Il esquissa son petit sourire narquois.

« Écoute, je comprends comment tu te sens. Tu
penses que tu la comprenais et t'as l'impression que
t'étais le seul gars sur la Terre qui la traitait décemment.
Tu vas me dire que ça ne la ressusciterait pas d'arrêter
le gars qui lui a fait ça et de le pendre, mais ce serait
bien, tu ne trouves pas ? Penses-y. Pense une minute
aux familles des autres femmes qui se sont fait tuer.
C'est pire pour elles. T'as déjà été policier, tu sais
comment une mort comme celle-là vient tout cham-
barder dans une famille. Personne ne s'en remet jamais

complètement. Ces femmes-là, c'étaient des sœurs ou des filles, des mères. Il y a des gens qui comptaient sur elles, elles n'étaient pas seules au monde comme Fleurette. Leurs familles se fient à nous pour qu'on fasse notre job. Si on ne la fait pas, il va y avoir d'autres meurtres, d'autres familles vont être détruites… »

DeVries enroula un bras autour de mes épaules.

« T'as encore ta badge, hum ?

— Oui.

— Parfait. On va faire comme si t'avais pris ta retraite et que tu reprenais du service, O.K. ?

— O.K. »

Peut-être qu'il avait raison ou peut-être que je voulais juste qu'il se la ferme. Ç'avait été une longue soirée.

« On va travailler ensemble, comme dans le bon vieux temps, me glissa-t-il à l'oreille. À nous deux, on va l'avoir, cet écœurant-là. Néron ne connaît pas la *game* comme nous autres. Laisse faire mononcle Roger, il s'occupe de tout. »

CHAPITRE 5

C'était un matin comme les autres. Je me réveillai au son mélodieux du réveille-matin, pris mon courage à deux mains et sortis du lit, fis un brin de toilette et mangeai une bouchée. Tout était exactement pareil, sauf que j'étais certain d'avoir du travail ce jour-là et les jours suivants.

Après la routine matinale, je me rendis chez Emma et cognai à sa porte. J'avais mal dormi, on aurait dit qu'une fanfare jouait à l'intérieur de mon crâne. Quand la porte s'ouvrit, Emma était en robe de chambre et brossait ses cheveux, la tête inclinée sur un côté. Elle était debout depuis environ cinq minutes à en juger par son visage. Elle bâilla à s'en décrocher la mâchoire.

« C'est gentil de venir me chercher, mais vous êtes de bonne heure un peu.

— Je ne suis pas venu te chercher.

— Ah non ?

— Non. Je suis venu te dire que tu pouvais retourner te coucher. »

Elle haussa un sourcil inquisiteur.

On se rendit à la cuisine et, tandis que l'eau bouillait pour le café, je lui annonçai la bonne nouvelle. Elle croisa les bras et esquissa un petit sourire.

062 ━━━━━━━━━━━━━━━━━━━━━━ MAXIME HOUDE

« En fait, ce que vous me dites, c'est que je n'ai plus de travail, c'est ça ?

— Oui et non. Tu peux rester au bureau si tu veux.

— Pour faire quoi ?

— Justement, il n'y aurait rien à faire. Tiens. »

Je sortis de ma poche le chèque que j'avais libellé à son nom le matin même et le lui tendis. Ses yeux s'écarquillèrent.

« C'est ton salaire pour les quatre prochaines semaines, dis-je. Je t'en signerai un autre après.

— Je ne peux pas accepter ça.

— Prends-le, voyons.

— Non, c'est beaucoup trop, dit-elle en me redonnant le chèque. Comment allez-vous faire pour payer votre loyer ?

— Comment vas-tu faire pour payer le tien ?

— Ne vous inquiétez pas pour moi, je vais me trouver du travail ailleurs. Je suis une bonne secrétaire, vous me le dites tous les jours. Et puis je vais peut-être retourner chez mes parents, à la campagne, pour un bout de temps. Ma mère se plaint que je ne lui donne jamais de nouvelles, alors…

— Tu vas chanter le soir, dans les partys ?

— Ah ! doux Jésus, non.

— Allez, prends-le. C'est correct, j'ai un salaire régulier, maintenant.

— Ça me met mal à l'aise », dit Emma en grimaçant.

Je pliai le chèque en deux et le glissai dans la poche de sa robe de chambre.

« Tiens. On n'en parle plus ou je te donne la fessée, compris ? »

Je m'attendais à ce qu'elle dise que c'était une offre tentante ou quelque chose du genre, mais elle baissa la tête et ne dit pas un mot. Je lui pris le menton dans ma main et le relevai.

«Tu ne vas pas brailler?

— Non, non, dit-elle avec un sourire forcé.

— On va se revoir. On sortira ensemble prendre un verre comme l'autre soir.

— Pour que vous me poussiez dans les bras du premier maniaque venu? lança-t-elle. Non merci!

— Ah, là je te reconnais.»

Elle rebaissa la tête.

«Vous allez être parti longtemps?

— Je ne sais pas.

— Qu'est-ce qui vous prend de retourner à la Sûreté?

— Il n'y a pas de raison particulière, dis-je. Je te place un peu devant le fait accompli, je m'en excuse.

— Qu'est-ce que vous allez faire de votre bureau?

— Je le ferme. On rouvrira ailleurs. S'il y a des choses que tu veux récupérer…

— La plante dans la salle d'attente, dit Emma.

— Passe la chercher aujourd'hui. Moi, je vais aller à l'administration pour le bail.»

On but nos cafés. Emma me posa tellement de questions que je finis par lui dire pourquoi je retournais à la Sûreté. Elle m'envoya la main du seuil de la porte et lança qu'elle suivrait mes exploits dans les journaux.

J'étais donc de nouveau détective à la Sûreté. Ma première tâche fut de participer à l'enquête sur le meurtre de Fleurette. Elle avait subi des sévices sexuels, en fin de compte, et on la considérait comme la cinquième victime du tueur. Je participai aux interrogatoires des hommes qu'on avait interpellés le soir de son meurtre, puis observai le va-et-vient au bordel de la rue Berger. On dénombra une douzaine de clients réguliers. On concentra nos efforts sur eux, sans succès.

Néron et les détectives sous sa supervision eurent autant de chance avec les clients du bordel et les pistes relevées lors des meurtres de madame Gagnon et des autres n'aboutirent à rien, elles non plus.

Les autorités disposèrent du corps de Fleurette. À ce qu'on me dit, madame Beauchamp donna une petite contribution. Fleurette n'avait pas été une sainte, loin de là, mais elle méritait mieux qu'un cercueil en contreplaqué.

Sa mort finit par ouvrir les yeux des journalistes et l'affaire se trouva à la une des journaux. C'est Claude Poitras qui mit le feu aux poudres. Dans un de ses articles, il souligna toutes les similitudes entre le meurtre de Fleurette et les autres meurtres dont DeVries m'avait parlé : les victimes avaient été tuées chez elles, elles étaient mortes d'une mort violente, poignardées ou étranglées, elles avaient subi des sévices sexuels, leur logement avait été fouillé, des objets de valeur avaient été volés et on n'avait noté aucune trace d'effraction.

Un autre journaliste recueillit les propos d'un médecin qui étudiait les maladies mentales. Selon lui, les femmes avaient été tuées par le même homme, un robineux que les conditions de vie avaient réduit, ni plus ni moins, à l'état de bête. Il repérait ses victimes en errant dans la ville et les suivait jusque chez elles. Sa force surhumaine lui permettait de s'introduire dans leur logement et de les maîtriser avant qu'elles puissent crier au secours. Cet article n'apaisa en rien la tension qui gagnait la ville, même si c'était sans doute un tissu de mensonges. Le nom du médecin n'était même pas mentionné.

Comme l'enquête n'avançait pas, un troisième journaliste se demanda si la police travaillait vraiment à mettre fin à cette série de meurtres.

Quand DeVries prit connaissance de tout ça, il piqua une sainte colère et traita les journalistes de tous les noms. Il avait demandé aux policiers qui participaient à l'enquête de faire attention, de ne pas révéler de détails sur les meurtres mais, de toute évidence, quelqu'un s'était ouvert la trappe. Maintenant, n'importe quel malade ou même un mari jaloux pouvait commettre un meurtre et le maquiller pour qu'il ressemble à l'œuvre du tueur, ce qui compliquerait leur tâche, à DeVries et à ses hommes.

Peu de temps après, il accorda une entrevue dans laquelle il prit le blâme pour l'enquête qui piétinait. Je lus l'article et je faillis tomber en bas de ma chaise. Ce n'était pas du tout le genre de DeVries. C'était un homme orgueilleux, un bagarreur, et il donnait ni plus ni moins raison à ses détracteurs. Mais il ajouta que ses hommes avaient interrogé des centaines de témoins et des dizaines de suspects – des hommes qui avaient déjà commis des délits à caractère sexuel ou qui avaient été relâchés peu de temps avant le premier meurtre –, qu'ils avaient vérifié leur alibi, contrôlé toute l'information reçue par téléphone. Qu'est-ce qu'ils pouvaient faire de plus?

C'est dans ce climat de tension qu'on se rendit dans le quartier Sainte-Marie, un après-midi, à deux pas de la McDonald Tobacco. On pouvait voir, au-dessus des maisons, la grosse tour carrée avec les quatre horloges. Personne n'avait remarqué la voiture de patrouille rangée devant la maison. Il n'y avait qu'un vieux bonhomme, une casquette vissée sur le crâne, de l'autre côté de la rue, qui n'avait sans doute rien à faire.

« C'est en haut », dit l'agent qui montait la garde au pied de l'escalier.

On monta au logement en file indienne, DeVries, deux détectives et moi. Il faisait chaud et on pouvait sentir l'odeur du tabac qui flottait dans l'air. Je ne sais pas si j'aurais aimé la humer cinq ou six jours d'affilée. Quoique à la longue, les résidants du quartier ne s'apercevaient peut-être plus qu'elle existait.

« On ne peut pas la laisser là ! gémit un homme quelque part dans le logement. Ah ! Seigneur…

— Monsieur, dit une deuxième voix.

— Voulez-vous bien me dire qui a pu faire une chose pareille ? C'est pas humain !

— Calmez-vous, monsieur.

— Laissez-moi la recouvrir d'une couverture, au moins.

— On ne peut pas aller dans la salle de bain. »

Ils étaient dans le salon, un homme pas très grand à l'air souffreteux et le deuxième agent. L'agent tenait l'homme à bras-le-corps. Même s'il était plus jeune et plus costaud que lui, il avait toutes les misères du monde à le contenir. J'allai m'occuper de lui avec l'aide d'un des détectives. L'homme avait le regard d'un animal blessé, il ne savait plus ce qu'il faisait.

«Lâchez-moi, voyons ! dit-il en se démenant. Lâchez-moi. Je ne peux pas la laisser dans cet état-là ! »

DeVries se tourna vers l'agent.

«C'est un parent ?

— C'est le fils. Il était venu lui rendre visite. Quand il a trouvé le corps, il nous a appelés.

— Son nom ?

— Jacques Lemaire.

— Elle est dans la salle de bain ? demanda DeVries.

— Oui. Par là, au bout du passage. On dirait bien que c'est le tueur qui…

— Je ne peux pas la laisser comme ça ! reprit Jacques Lemaire. Laissez-moi au moins la recouvrir.

— Impossible, lui dit DeVries. On n'intervient pas sur la scène d'un crime.

—Elle est étendue sur le plancher ! » cria-t-il presque.

Une voix demanda soudain :

« Qu'est-ce qui se passe ? C'est qui, ce monsieur ? »

La voix appartenait à Néron. Il s'avançait dans le corridor qui menait au salon, les mains dans les poches de son trench, cinq ou six détectives sur les talons. Son apparition eu l'effet d'un tranquillisant sur Jacques Lemaire, qui se tut.

« C'est le fiston, l'informa DeVries. Reste ici avec lui, je vais aller voir la mère. Stan... »

Je lâchai monsieur Lemaire et emboîtai le pas à DeVries. Néron regardait Jacques Lemaire comme s'il voyait des hystériques tous les jours.

La porte de la salle de bain s'ouvrait sur un pied et, un peu plus haut, sur un bout de jambe décharnée qui disparaissait sous une étoffe bleue. Le pied avait beaucoup supporté sa propriétaire. Il était plat, le dessous du talon était couvert de corne. Les orteils étaient tous déformés et se terminaient par des ongles jaunâtres. L'ongle du gros orteil était retourné sur lui-même comme une serre d'aigle. La peau en dessous était d'une couleur verdâtre peu attirante. Plus haut encore, je vis une main osseuse et le cou. Une ceinture bleue disparaissait à moitié dans la chair.

Je ne laissai pas mon regard errer plus haut. J'entrai dans la salle de bain. La baignoire était à moitié vide. Je plongeai un doigt dans l'eau. Froide. Il y avait une paire de pantoufles près de la baignoire et une serviette sur la cuvette de la toilette.

« Hé, regarde ça », dit DeVries.

Je me retournai. Il était accroupi au-dessus de madame Lemaire, dos à moi.

« On dirait qu'elle a été assommée. Il y a une tache de sang séché derrière sa tête.

— Ou on l'a bousculée et elle est tombée, dis-je.

— Hm-hm.

— Si on l'a assommée, l'agresseur a dû entrer dans le logement par effraction. Elle allait prendre un bain. L'eau du robinet coulait peut-être à ce moment-là et elle ne l'a pas entendu. »

DeVries se releva et me fit face. J'entrevis le visage de madame Lemaire avant de river mon regard dans celui de DeVries. Elle me tirait une langue bleuâtre.

« Je vais demander qu'on examine les fenêtres et les serrures pour voir si elles ont été forcées.

— La porte n'était peut-être pas verrouillée, dis-je.

— Ou madame Lemaire le connaissait et elle l'a laissé entrer.

— Exactement.

— Tu penses à ce que je pense ? dit DeVries.

— Le fils ? »

Il fit signe que oui.

« Peut-être. »

On retourna au salon. Les détectives du service des homicides étaient arrivés. Jacques Lemaire était assis dans un fauteuil. Il se tenait la tête à deux mains, les coudes appuyés sur les genoux, oublié de tout le monde. DeVries donna ses ordres. Je reçus pour mission d'interroger les locataires du logement d'en dessous avec le détective Bigras, un homme joufflu à la petite moustache en brosse.

Les curieux avaient commencé à se rassembler sur le trottoir, de l'autre côté de la rue. On cogna à une porte et elle s'entrouvrit presque aussitôt, retenue par une chaînette. Deux yeux bruns ornés de petites rides nous examinèrent.

« Qu'est-ce qui se passe ? demanda une femme.

— On est de la police, dit Bigras. Il y a eu un meurtre dans le logement au-dessus.

— Un meurtre?

— Oui. On peut vous poser quelques questions?

— S'il le faut. Je savais bien qu'il se passait quelque chose», marmonna la femme en défaisant la chaînette.

Elle ouvrit la porte. Elle avait le visage passablement ridé, mais elle n'était pas si vieille que ça. Ses cheveux étaient collés à son crâne comme un casque.

«Ce ne sera pas long, dit Bigras. Votre nom?

— Yvette Durocher.

— Vous connaissiez la dame qui habite au-dessus de chez vous, madame Durocher?

— Oui, un peu, dit-elle. Je la voyais de temps en temps, vous comprenez, comme mes autres voisins.

— Vous avez vu quelqu'un rôder dans le coin?

— Oui, oui.

— On vous écoute.

— J'ai été réveillée par des bruits à deux heures et dix. J'étais fatiguée, vous comprenez. Je m'étais étendue sur mon lit vers deux heures pour faire un somme.

— Quel genre de bruit?» demandai-je.

Elle fixa ses yeux au-dessus de mon épaule, sur la foule, et pinça les lèvres.

«Laissez-les faire. C'était quel genre de bruit?

— Des bruits sourds, comme si on déplaçait des meubles ou comme si quelqu'un dansait.

— Et vous êtes certaine de l'heure? dit Bigras.

— Certaine. Je m'en rappelle parce que je pensais que j'avais dormi plus longtemps que dix minutes. Puis j'ai senti quelqu'un descendre l'escalier.

— Vous avez senti quelqu'un?

— Ma chambre est proche de l'escalier, expliqua madame Durocher. Je n'ai pas entendu les marches craquer, mais j'ai senti qu'il y avait quelqu'un. Vous comprenez?

— Oui, dis-je.

— Oui, dit Bigras en écho.

— Je me suis levée et j'ai regardé dehors. Il y avait un gars qui tournait en rond devant la maison. »

Je demandai à madame Durocher de quoi il avait l'air et elle nous décrivit quelqu'un qui ressemblait trop à Jacques Lemaire pour que ce ne soit pas lui.

« Ensuite ? dit Bigras.

— Je suis retournée me coucher. Après un temps, j'ai entendu du bruit à l'étage au-dessus, puis c'est tout.

— Il était quelle heure à ce moment-là ?

— Deux heures et demie.

— Vous habitez seule ici, madame Durocher ?

— Je suis seule en ce moment. Mon mari est à l'ouvrage.

— Bon, O.K., ce sera tout. Un policier viendra prendre votre déposition plus tard. »

On remonta au logement de madame Lemaire. Le spécialiste des empreintes, un homme que tout le monde appelait Tony et qui ressemblait à un prêtre qui aurait mis sa soutane au rancart, étalait sa poudre sur le cadre de la porte d'entrée. Dans le salon, des détectives fouillaient les effets personnels de la victime pour en savoir plus sur elle. L'un d'eux examinait son courrier. La discrétion n'était pas de mise.

DeVries était dans la chambre. On avait fouillé la pièce. Les tiroirs de la commode étaient ouverts, des vêtements étaient éparpillés par terre. Il y avait sur le lit un petit coffre, ouvert lui aussi, qui contenait quelques bijoux.

« *So ?* », me dit DeVries.

Je lui résumai les propos de madame Durocher.

« C'est Lemaire qui a fait tout ce vacarme-là, dit-il quand j'eus terminé.

— Tu lui as parlé ?

— Oui, tantôt. Il est arrivé ici à deux heures. Sa mère ne lui a pas ouvert. Il s'est dit qu'elle était peut-être sortie faire une commission et il est descendu pour l'attendre devant l'escalier. À deux heures et demie, il est remonté et il a recogné, plus fort cette fois-là, au cas où elle aurait été endormie. Pas de réponse. Il commençait à s'inquiéter, alors il est entré.

— La porte n'était pas verrouillée ? demandai-je.

— Oui. Il l'a défoncée. La serrure n'était pas très solide.

— On a volé quelque chose ? »

DeVries ajusta son feutre sur son crâne. On pouvait entendre le flash de l'appareil photo retentir dans la salle de bain.

« Lemaire pense que oui. Sa mère avait une statue de Jésus en bronze, elle n'est plus là. Il manquerait aussi une bague, mais il n'est pas certain. Bon. Pendant que les gars finissent ici, on va conduire Lemaire au poste du quartier. Il faut qu'on prenne sa déposition et j'ai encore une couple de questions à lui poser.

— Allons-y. »

DeVries donna encore des ordres, puis on escorta Lemaire dehors. Les curieux s'entassaient sur les trottoirs comme pour un défilé de la Saint-Jean-Baptiste. Ils nous suivirent du regard tandis qu'on marchait vers la voiture.

« Maudite bande de sangsues », grogna DeVries.

Jacques Lemaire marchait entre nous deux, la tête baissée. Il s'était fermé comme une huître.

Une fois arrivé au poste, on prit ses empreintes, puis DeVries réquisitionna un bureau pour qu'on puisse interroger Lemaire en paix. C'était un bureau comme on en trouve dans tous les postes de la ville, aussi spacieux qu'une boîte de sardines et contenant le strict minimum : une chaise pour le locataire et deux autres pour les visiteurs, avec un vieux bureau au milieu. Trois casiers métalliques vert olive s'alignaient contre un mur. Une odeur de mégots et de cendre froide saturait l'air comme un épais brouillard.

Jacques Lemaire s'écrasa dans une chaise comme si ses jambes ne pouvaient plus le soutenir et parla d'une voix terne. Sa mère ne travaillait pas comme tel. Elle retouchait parfois des robes pour une boutique de la rue Saint-Hubert, mais sa principale source de revenu était un héritage qu'elle avait reçu cinq ou six ans auparavant. Elle pigeait dedans chaque mois. Il n'y avait pas d'homme dans sa vie. Son mari était mort onze ans auparavant, ç'aurait été lui manquer de respect, et elle se disait trop vieille pour ça. C'était une femme à son affaire. Elle ne sortait jamais, sauf pour voir ses amies. En un mot, Jacques Lemaire ne nous fournit aucun indice sur l'identité possible du meurtrier.

Néron et les autres détectives qui étaient restés sur les lieux du crime arrivèrent plus tard. Ils avaient eu autant de succès en interrogeant les gens du voisinage. Les témoignages qu'ils avaient recueillis corroboraient les propos du fils quant à la vie tranquille de la mère. On ne l'entendait jamais et on ne la voyait pas souvent. On ne s'était jamais imaginé qu'elle mourrait de cette façon-là.

Lemaire quitta le bureau dans une sorte de brouillard et je me trouvai seul avec DeVries, qui alluma un de ces El Pietto qu'il affectionnait tant. Je lui demandai s'il croyait toujours que Lemaire avait fait le coup.

« Je ne sais plus quoi penser.

— Ce n'est pas un gars corpulent. Il peut sûrement se déplacer sans faire de bruit. C'était peut-être lui, la présence que madame Durocher a sentie dans l'escalier.

« — Mouais… Mais pourquoi serait-il retourné sur les lieux de son crime ? demanda DeVries. Ça ne tient pas debout.

— Non. À moins que madame Durocher ne se fasse des idées.

— C'est possible, ça aussi. On va vérifier où il se trouvait quand sa mère a été tuée.

— Il y a aussi l'héritage que reçoit madame Lemaire, dis-je. Le tueur l'a peut-être su entre les branches et il s'est rendu chez elle pour la voler, elle l'a surpris et il l'a assassinée. »

DeVries esquissa une moue, changea son cigare de côté dans sa bouche.

« Est-ce qu'un voleur irait jusqu'à violer sa victime pour faire passer son crime sur le dos du tueur ?

— Madame Lemaire n'a peut-être pas été violée.

— Ça, c'est Carl qui va nous le dire. »

Le médecin légiste nous reçut à la morgue de Montréal, dans l'antichambre d'une des salles d'autopsie. C'était une pièce dépouillée qui ressemblait au cabinet d'un médecin, les diplômes sur les murs en moins : un vieux bureau et trois chaises droites, une armoire contre un mur. Le légiste était assis derrière le bureau, le nez dans un dossier, quand on entra. Son crâne dégarni réfléchissait la lumière des néons du plafond.

« Salut, Carl », lança DeVries.

Le légiste leva la tête.

« Ah, c'est toi, Roger. Assis-toi, assis-toi.

— T'as fini avec madame Lemaire ?

— Oui, il y a une heure. Le fils est passé pour remplir le certificat de décès. »

Il ôta ses lunettes et se frotta les yeux du bout des doigts.

«T'as l'air fatigué, mon vieux, lui dit DeVries.

— La journée a été longue.

— Dans quel état était le fils? Il était plutôt agité chez sa maman, cet après-midi.

— Il s'était calmé, dit le légiste en remettant ses lunettes.

— Tu te souviens de Coveleski?

— L'affaire Perreault? me demanda le légiste.

— C'est ça.»

Il me sourit de son air timide. C'était un homme tout petit à la voix aussi douce que le regard. Les gens qui le croisaient sur le trottoir devaient le prendre pour un fleuriste. Ils n'auraient certainement pas imaginé qu'il gagnait sa vie en jouant dans des cadavres.

«C'est quoi, cette histoire-là? dit DeVries.

— Louis Perreault, dit le légiste. Stan m'avait envoyé son corps. Il avait été décapité et ses mains avaient été coupées pour qu'on ne puisse pas l'identifier.

— Et tu y es arrivé comment?

— Il a pris des radiographies du cadavre, dis-je. Perreault s'était fracturé le bras gauche dans sa jeunesse. Sa mère avait contacté la police pour signaler sa disparition et elle le savait, évidemment. Ç'a été un jeu d'enfant après ça.

— Il suffisait d'y penser, dit le légiste, modeste.

— Oui, bon, on n'est pas ici pour discuter du passé, dit DeVries. Parle-moi donc du cas qui nous intéresse.

— D'accord. Madame Lemaire est morte par strangulation. C'est la ceinture de sa robe de chambre qui a servi à l'étouffer. J'ai décelé un hématome à l'occiput, aussi. Le coup a été fulgurant, l'hématome est important. Elle ne les a pas vus venir, ni l'agresseur ni le coup.

— Sévices sexuels ?

— Hm-hm.

— Pourquoi est-ce qu'elle n'a pas crié ? Pourquoi les autres victimes n'ont pas crié ? Les sévices – c'est grave ?

— Elle a été violée, dit le légiste. Tu sais comme moi ce que ça veut dire.

— Le tueur ne l'a pas sodomisée ou quelque chose dans le genre ?

— Non. »

La porte qui communiquait avec la salle d'autopsie était ouverte. Tout était blanc dans la salle et il y avait de la vitre et du fer émaillé partout. La table d'autopsie se dressait au centre comme l'autel sacrificiel d'un temple aztèque. J'étais content que l'entretien ne s'y déroule pas. La blancheur et l'odeur des salles comme celle-là m'avaient toujours donné la chair de poule.

« D'après moi, reprit le légiste, elle était dans les pommes quand c'est arrivé.

— Tu veux dire qu'il l'aurait violée alors qu'elle était inconsciente ? dit DeVries d'un ton incrédule. C'est écœurant. »

Le légiste remonta les lunettes sur son nez, le visage impassible. Il en avait vu d'autres.

« Oui, mais ça expliquerait pourquoi elle n'a pas crié ou pourquoi elle ne s'est pas débattue. Dans les agressions sexuelles, la victime a souvent des bleus ou des éraflures sur le corps. Elle se défend, l'agresseur la frappe, il la jette par terre.

— T'as raison, acquiesça DeVries.

— Mais dans le cas qui nous intéresse, il n'y a rien. Je crois que le tueur l'a assommée, qu'il l'a violée, qu'il l'a étranglée, puis qu'il a pris la fuite.

— Ç'a du sens. Stan ? Qu'est-ce que t'en penses ?

— C'est un scénario plausible, dis-je. Le tueur s'introduit dans le logement – la serrure n'était pas solide, tu l'as vu toi-même – et il s'avance dans le passage. Les robinets de la baignoire sont peut-être ouverts à ce moment-là ou il ne fait pas de bruit, tout simplement. Il trouve madame Lemaire à la salle de bain et là…

— C'est ça. Elle est morte vers quelle heure ?

— Hier soir, entre dix heures et minuit, dit le légiste. Elle avait à peine commencé à digérer son souper. »

CHAPITRE 6

Deux jours après l'assassinat de madame Lemaire, tout le monde qui participait à l'enquête se réunit dans une grande salle du quartier général pour discuter de la situation. Il y avait DeVries et Néron et leurs hommes ; Noël Ouellet, médecin à Saint-Jean-de-Dieu et consultant auprès de la police ; les docteurs Parent et Delphis, aussi médecins à Saint-Jean, ainsi que le légiste. D'autres détectives de la brigade des homicides de la Sûreté municipale s'étaient joints à l'enquête entre-temps. Louis Boileau se trouvait parmi eux.

DeVries fut le premier à prendre la parole. On n'avait aucune idée de l'identité de l'assassin, mais si on trouvait un lien entre les victimes, il croyait qu'on y verrait plus clair. Les victimes se ressemblaient toutes, tout le monde était d'accord là-dessus. C'étaient des femmes d'un certain âge, à leur affaire. Elles étaient mariées ou elles menaient des vies tranquilles.

« Et la Corriveau, Rog ? demanda le détective Bigras. Qu'est-ce que t'en fais ?

— Elle ne ressemble pas aux autres victimes, c'est vrai.

— Il ne savait peut-être pas que c'était une pute, tout simplement, dit le détective au cure-dent. Ce n'était pas écrit sur son front.

— Même à ça, reprit Bigras, elle ne ressemblait pas aux autres. Elle vivait dans un taudis à côté du *red light*. Les autres n'habitaient pas Outremont, mais quand même…

— En fin de compte, les victimes ne se ressemblent pas tant que ça, quand on y pense.

— Qu'est-ce que tu veux dire, Fred ? demanda DeVries.

— Elles étaient à leur affaire, O.K., mais le tueur n'a pas pu les choisir à cause de ça. Ce n'est pas quelque chose qui saute aux yeux. Il faudrait qu'il les ait toutes connues pour savoir ça.

— Tu penses qu'on a affaire à plus d'un tueur ?

— À ce stade-ci, il ne faut pas écarter cette possibilité. Ça expliquerait pourquoi on n'a pas retrouvé d'empreintes identiques dans les logements des victimes. »

Néron prit alors la parole. Toutes les têtes se tournèrent dans sa direction.

« J'abonde dans le même sens que Castonguay. Les victimes menaient des vies similaires, c'est vrai. Mais, surtout, elles étaient seules au moment du meurtre et c'est peut-être pour ça que le tueur a agi. Une femme seule est une proie facile, c'est aussi simple que ça. Vous allez me dire qu'elles sont toutes mortes de façon atroce et c'est vrai, ça aussi. Deux victimes ont été poignardées, l'une avec une arme blanche, l'autre avec un tesson de bouteille, et les autres ont été étranglées à mains nues ou avec une ceinture qui faisait partie de leur habillement. Mais une arme blanche se cache facilement et la bouteille et les ceintures étaient déjà sur les lieux du crime. N'importe qui aurait pu se servir de ces objets-là pour commettre les meurtres.

— C'est une théorie intéressante, ça », dit DeVries.

Tous les yeux se rivèrent sur lui. Il tira une bouffée de son El Pietto et souffla la fumée par un coin de sa bouche.

«Avec ce qu'on a écrit dans les journaux, dit Néron, ça peut donner des idées à n'importe quel malade.

— À condition que les malades lisent les journaux.»

Des rires retentirent ici et là. Néron resta de marbre. DeVries sourit, fier de son coup. Il était assis à un bout de la table comme un roi présidant un banquet.

«Mais t'oublies un détail, Nécarré, reprit-il.

— Quoi donc?

— Les victimes ont été volées, leurs logements ont été fouillés.

— Et alors?

— Tu penses que c'est une coïncidence?

— Non, dit Néron, toujours impassible. Mais, de toute évidence, il ne faut pas être dans son état normal pour agresser les gens comme ça. Les tueurs agissent peut-être dans un moment de délire, ils saccagent tout le logement puis, quand ils reviennent à eux, décident de voler des objets pour brouiller les pistes.

— Six tueurs qui agissent de la même manière? Deux, je veux bien, trois, à la limite, O.K. Mais six? Je ne pense pas.»

DeVries se tourna vers le docteur Ouellet, un homme dans la cinquantaine au visage plaisant qui semblait contempler le monde d'un air moqueur. Il avait des cheveux à la Einstein. Il avait davantage l'air d'un patient souffrant de maladies mentales que d'un psychologue.

«Qu'est-ce que tu penses de tout ça, Noël?

— C'est difficile à dire. Habituellement, les délits sexuels sont commis sur des enfants par des gens de leur entourage, des parents. Et quand une femme subit des sévices c'est, en général, par quelqu'un qu'elle connaît aussi. Il peut s'agir d'un amoureux avec qui elle a rompu, par exemple.

— Il y a juste un tueur, d'après toi?

— Ce n'est pas impossible.

— Si c'est le cas, il faut qu'il y ait un lien entre les victimes, non?

— Je crois que vous faites fausse route sur ce point-là. »

DeVries fronça les sourcils. Néron ne quittait pas le docteur Ouellet des yeux.

« Comment ça?

— Je ne pense pas que le tueur cherche un genre de femme en particulier, expliqua le docteur. Il ne sait pas d'avance qu'il va tuer. En réalité, c'est quelqu'un de normal, qui a des activités normales. La plupart des pervers sexuels sont des gens normaux si l'on excepte leur folie génitale. Mais justement, c'est un pervers, un sadique. Il prend plaisir à voir souffrir les autres – ce qu'il a fait à madame Lemaire et aux autres victimes en est une bonne preuve. Quand il passe à l'acte, c'est parce qu'il ressent subitement le besoin de le faire et que son esprit est trop faible pour résister.

— Est-ce qu'il pourrait être fétichiste, aussi?

— Je ne pense pas. Les victimes n'avaient pas la même couleur de cheveux ou les mêmes mensurations. Il pourrait l'être, remarquez. Il pourrait avoir une fixation sur les souliers, par exemple, mais ça ne le conduirait pas au meurtre.

— T'as dit que c'est quelqu'un de normal…

— Oui.

— Après ce qu'il a fait à ses victimes, comment peux-tu dire une chose pareille? »

Ce fut au tour du docteur Antonin Parent de prendre la parole. Tête ronde, bouche molle, chauve excepté pour une couronne de cheveux qui lui ceignait le crâne. Ses sourcils en accent circonflexe lui donnaient un air peiné.

« Je vais répondre à cette question-là, dit-il timidement, si mon confrère le permet.

— Allez-y, dit gracieusement celui-ci.

— Un de nos anciens confrères a déjà avancé – le docteur Ouellet s'en souvient sûrement – que les délits génitaux provenaient, à la base, de l'exaltation de l'instinct sexuel. C'est une hypothèse intéressante. On possède tous cet instinct-là, voyez-vous, comme l'instinct de conservation. Son exaltation pourrait être d'origine constitutionnelle, donc provenir de la personne elle-même, de son caractère, ou bien découler d'une maladie mentale. Dans ce deuxième cas, la personne n'aurait pas toute sa tête, si vous voulez.

— De quoi souffrirait-elle? demanda Néron.

— De paranoïa, de démence précoce, d'épilepsie. Ce ne sont pas les possibilités qui manquent. »

DeVries haussa les mains d'un air découragé.

« Mais n'importe qui en ville pourrait être le tueur!

— Il ne faut pas exagérer, quand même, dit le docteur Ouellet de son air amusé. Le milieu joue un rôle important. Un homme qui vit dans la pauvreté, par exemple, qui souffre de maladie, peut se mettre à boire ou à se piquer pour oublier ses problèmes, Dieu sait que ce n'est pas rare de nos jours. Eh bien, cet homme-là, rendu à un certain degré d'intoxication, sera capable de tuer parce qu'il se sent menacé, parce qu'il entend des voix et, quand il reviendra à lui, il ne se souviendra de rien. Ça s'est déjà vu.

— Et l'hérédité joue un rôle là-dedans, elle aussi, ajouta le docteur Delphis, un homme au visage sérieux d'ecclésiastique. Un homme dont le père était violent avec les femmes peut l'être lui aussi. Ce n'est pas un fait scientifique, mais on l'a déjà observé.

— Je vois », dit DeVries en tapotant son El Pietto au-dessus du plancher.

J'écoutais tout ce beau monde parler, assis sur une petite chaise droite aussi douillette qu'un banc d'église, perdu dans mes pensées. C'était pire qu'un sermon. Louis n'était présent que physiquement, lui aussi. Mentalement, il se trouvait à des kilomètres et des kilomètres de la salle.

« Pour en revenir à ce que vous disiez tantôt, dit le docteur Ouellet, que n'importe qui pouvait être le tueur.

— Moui ? fit DeVries.

— C'est un point intéressant. Le tueur peut ressembler à n'importe qui, contrairement à ce qu'on a écrit dans le journal. Ce ne sera pas quelqu'un de débraillé, tout dépeigné, qui s'exprime en poussant des grognements. En fait, vous pourriez le croiser dans la rue sans vous en rendre compte.

— De quoi est-ce qu'il souffre, d'après toi ? Antonin a parlé de démence, d'épilepsie… »

Le docteur Ouellet sourit et brandit une main.

« Ce que vous me demandez là, c'est d'associer un type de crime à une maladie spécifique.

— *So ?* Ce n'est pas possible ?

— Un de mes collègues s'est déjà penché sur la question. Il avait étudié les patients souffrant de démence précoce internés à Bordeaux. Il avait remarqué que bon nombre d'entre eux possédaient un casier judiciaire avant d'être internés, que leurs victimes provenaient de leur entourage, et cetera.

— Qu'est-ce qu'ils avaient fait ?

— Ça dépendait du type de démence diagnostiqué. Le dément paranoïaque, par exemple, avait agressé physiquement des gens, il avait proféré des menaces, il avait essayé de se suicider. Le dément hébéphréno-catatonique, lui, avait commis des meurtres, des hold-up, des délits de grossière indécence. Mais pour en revenir à notre tueur, une chose est certaine : il est impossible de poser un diagnostic sans examen mental. Il souffre peut-être de démence précoce ou de folie périodique ou il présente peut-être différents symptômes qui n'ont jamais été réunis avant, qui sait ? »

DeVries se tourna vers le docteur Parent.

« Je suis d'accord avec mon confrère, dit ce dernier avec un sourire contrit. Il pourrait souffrir de démence ou de folie, c'est difficile à dire sans examen. Mais, à mon avis, sa condition est aggravée par l'alcool. Sa maladie mentale, quelle qu'elle soit, est à l'état de veille quand il est à jeun et c'est quand il est soûl qu'elle prend le dessus sur sa volonté et qu'il commet ses crimes.

— Bon », dit DeVries.

Il avait l'air déçu. Il changea de position sur sa chaise.

« Ce qu'on sait sur le tueur, dit-il à l'intention de l'assistance, c'est qu'il s'agit de quelqu'un de normal en surface. Il ressemble à n'importe qui qu'on peut croiser sur le trottoir. Il commet ses meurtres le soir ou le matin, si on se fie aux rapports d'autopsie. C'est pour ça que personne ne le soupçonne, il ne s'absente jamais de son travail. Qu'est-ce qu'il peut faire comme travail, justement ? On sait qu'il réussit à maîtriser rapidement ses victimes, elles n'ont jamais le temps de crier. Donc, ça pourrait être quelqu'un d'assez fort, un travailleur manuel peut-être, un épicier, un débardeur, un manutentionnaire dans un grand magasin…

— Tu oublies un détail, intervint Néron.

— Ah oui ? dit DeVries. Lequel ?

— Le tueur réussit parfois à se faire inviter dans le logement de ses victimes. Il n'y avait pas de traces d'effraction dans tous les cas. Il pourrait donc s'agir d'un vendeur ambulant, par exemple, ou d'un représentant. »

Les deux bonshommes échangèrent un long regard.

« Vendeur, représentant, débardeur, tout ça est possible, dit DeVries en écrasant son El Pietto entre ses dents. Bon. Voici ce qu'on va faire. Je veux des policiers habillés en civils dans les tramways qu'empruntaient les victimes ou dans les endroits qu'elles fréquentaient. Qu'ils observent les gens, leur visage. Et je veux qu'on interroge ou qu'on réinterroge tous les habitants des voisinages où les meurtres ont été commis. Ils se sont peut-être souvenu de quelque chose, d'un détail, on ne sait jamais. On ne va pas attendre que le tueur se jette dans nos bras, ça, sûrement pas. Tout le monde a compris ? »

Un murmure d'approbation parcourut l'assistance.

« Parfait. Je vais vous assigner vos tâches avec Néron. La réunion est finie, allez en paix. »

Les pattes des chaises grincèrent sur le linoléum, la salle se vida lentement. Louis était disparu quand je sortis dans le couloir. DeVries, lui, était là.

« Ça va ? Je te regardais tantôt, t'avais un drôle d'air.

— Ça va.

— Écoute, j'ai deux billets pour le match des Royaux, ce soir. Ça nous changerait les idées, qu'est-ce que t'en penses ? »

Cette suggestion me fit penser à Émile, à Emma, à mon bureau. Qu'est-ce que je foutais dans cette galère ?

« Je ne peux pas. Il faut que je m'occupe d'une affaire.

— Quelle affaire ?

— C'est personnel. »

Je passai devant l'immeuble Bell Telephone quelques minutes avant la fermeture des bureaux. Je me garai au bas de la côte et sortis de la voiture. Je m'appuyai contre l'aile de la Studebaker, allumai une Grads. De ma position, je pouvais observer à mon aise les portes d'entrée. Tandis que j'attendais qu'elles s'ouvrent, deux femmes descendirent la côte du Beaver Hall et marchèrent dans ma direction, leurs escarpins claquant à l'unisson sur le trottoir. Elles passèrent devant moi sans daigner me jeter un regard.

Les portes finirent par s'ouvrir. Je n'eus pas de difficulté à reconnaître Kathryn parmi la foule. Elle portait une robe qui flottait autour de ses chevilles et avait une veste en laine sur son bras.

Elle commença à monter la côte. Je jetai mon mégot et me glissai derrière le volant de la Studebaker. J'attendis un peu, puis démarrai. Kathryn s'approchait du sommet de la côte. J'appuyai sur l'accélérateur et la suivis en gardant toujours trois ou quatre voitures de distance entre nous. Arrivée à la rue Sainte-Catherine, elle tourna à gauche et marcha le long des façades des commerces. Je tournai aussi et glissai la Studebaker dans la première place de stationnement qui se présenta. Je poursuivrais la filature à pied.

Je dus me faufiler parmi les piétons qui se pressaient sur le trottoir pour rattraper Kathryn. Je la vis à la dernière minute qui entrait dans un petit restaurant. J'avais faim moi aussi, alors je traversai la rue et pénétrai dans un autre restaurant situé en biais. Il était de bonne heure, il n'y avait pratiquement personne. Je m'assis au comptoir. L'unique serveuse plaça un napperon et des ustensiles devant moi. Je commandai un club-sandwich et une pointe de la tarte aux pommes qui sommeillait sous une cloche, au bout du comptoir. La serveuse relaya ma commande à voix haute au cook.

Le poulet était sec et quant à la tarte, ça se passait de commentaires. J'essayais de déloger à l'aide d'un cure-dent un morceau de pelure coincé entre deux molaires quand Kathryn se pointa le nez dehors. Je laissai deux dix sous à côté de mon assiette et sortis à mon tour. Le soleil se couchait et il faisait un peu plus frais. Kathryn avait enfilé sa veste de laine.

Elle se dirigea vers l'arrêt du tramway. Je lui emboîtai le pas, de mon côté de la rue. Quand elle s'arrêta à l'arrêt, j'entrai dans une petite boutique située tout près. C'était un magasin d'antiquités ou de bric-à-brac. Un vieux monsieur dont la tête ressemblait à la tête déplumée d'un oiseau vint à ma rencontre. Il me dit qu'on pourrait négocier si quelque chose m'intéressait. Je lui dis merci et fis mine de m'intéresser aux babioles exposées dans la vitrine tout en surveillant Kathryn. Il n'y avait rien d'intéressant. Les trucs en vente étaient le genre de trucs que les gens rangent dans leur grenier parce qu'ils n'ont pas le courage de les jeter.

Le tramway finit par arriver. Kathryn grimpa à bord. Je quittai la boutique, retournai à ma voiture et rattrapai le tramway. Ce n'était pas bien difficile, il ne pouvait pas se faufiler dans des petites rues pour me semer. De chaque côté de Sainte-Catherine, les enseignes des cabarets, toutes plus colorées les unes que les autres, brillaient comme des phares pour guider les fêtards à leur port. Ça marchait, les trottoirs grouillaient de monde.

Quand Kathryn mit pied à terre, la lune avait pris la relève du soleil dans le ciel. Ç'avait été une longue promenade. Elle emprunta une rue sombre, flanquée de petites maisons. Je reconnaissais le coin, la maison de chambres où elle logeait se trouvait parmi elles. Des carrés jaunes brillaient ici et là.

J'attendis un instant. Quand le clac-clac de ses pas se fut estompé, je tournai dans la rue et roulai lentement jusqu'à la maison. Je me rangeai en bordure du trottoir, à quelques mètres de là, au moment où Kathryn passait la porte. Au bout d'un instant, une fenêtre s'alluma au deuxième étage et sa silhouette apparut quand elle baissa à moitié le store. Je coupai le contact. Vers dix heures, la lampe dans la chambre s'éteignit. Kathryn ne verrait pas son administrateur ce soir-là. Je remis le contact, fis demi-tour et rentrai chez moi.

Je fixai le plafond une partie de la nuit. Mon club-sandwich me donnait des maux d'estomac.

CHAPITRE 7

Marie Janssen était allongée sur le ventre, sur le tapis du salon. Ses bras étaient placés le long de son corps, les paumes vers le plafond. Son visage était tourné vers nous et un œil nous fixait sans nous voir à travers des mèches de cheveux blonds. Sa bouche, écrasée contre le plancher, s'entrouvrait sur sa langue rose et quelques dents. Elle portait une jupe droite, des bas de nylon noirs. Elle avait perdu un soulier. C'est tout.

Le photographe prit des clichés du corps sous tous les angles, puis DeVries et le médecin légiste se penchèrent dessus et le retournèrent doucement sur le dos. Le flash de l'appareil photo crépita de nouveau. Je parcourus la pièce du regard pendant ce temps. Les meubles étaient délabrés et il n'y en avait pas beaucoup. Le strict minimum. Pas de cadres ni de photos aux murs. Ç'aurait été une pièce morose même si la mort n'y avait pas plané.

«Crisse, elle est bien jeune, grogna DeVries.

— Début vingtaine, je dirais, dit le légiste. Regarde ça, sur le sein gauche.

— C'est quoi?

— Une blessure. La peau a été entaillée.

— Une morsure ?

— On dirait bien. »

Je jetai un œil rapide au corps. La blessure était de la taille d'un trente sous. La peau avait été arrachée d'un coup sec, comme lorsqu'on mord dans une pomme.

« La mort remonte à quand ? »

Le légiste souleva un des bras. Le poignet se plia doucement.

« Ça fait un bout de temps. La rigidité cadavérique a commencé à s'installer.

— Elle est morte de quoi ? »

Il saisit le menton, fit lentement tourner la tête à droite, puis à gauche.

« Pas de coups à la tête. Strangulation, je dirais. Il y a des rougeurs assez prononcées dans son cou.

— Elle a été violée ?

— Ça, c'est l'autopsie qui va nous le dire.

— O.K., dit DeVries en se levant. Tu peux l'emmener. »

Le légiste se leva à son tour.

« Je traite son cas en priorité ?

— Qu'est-ce que t'en penses ?

— O.K. Passe à la morgue vers huit heures, je devrais avoir fini.

— Parfait. »

Néron entra dans le salon, droit comme un chêne, les mains dans les poches de son trench. Il examina le corps d'un œil désintéressé, puis leva la tête vers DeVries.

« Viens voir, dans la chambre.

— J'arrive. »

DeVries salua le légiste d'un hochement de tête et suivit Néron. Je leur emboîtai le pas.

La chambre comprenait un lit, une coiffeuse et une commode, dans un coin. Les tiroirs de la coiffeuse et de la commode étaient ouverts. On avait fouillé l'intérieur. Il y avait des bibelots et d'autres babioles ici et là. Le couvre-lit était froissé et un chemisier, le col déchiré, gisait par terre à côté du lit. Le soulier qui manquait à l'appel était là aussi.

« On dirait que l'agression a eu lieu ici, dit DeVries.

— Oui, on dirait bien, dit Néron. Un des gars a trouvé un soutien-gorge de l'autre côté du lit.

— Dans ce cas-là, qu'est-ce qu'elle faisait dans le salon ?

— Elle a peut-être réussi à s'échapper, le tueur l'a rattrapée là et il l'a achevée.

— Elle devait crier au meurtre, dit DeVries, songeur.

— Il faudra demander aux voisins s'ils ont entendu quelque chose.

— Bonne idée. Passe le message aux gars. »

DeVries sortit de sa poche un bonbon à la menthe et le déballa.

« On va aller interroger la colocataire, me dit-il. Elle doit être fatiguée d'attendre. »

Prochain arrêt : la cuisine, où nous attendait une autre jeune femme, assise à table. Ses cheveux noirs encadraient son visage et le faisaient paraître encore plus pâle qu'il ne l'était vraiment. Quand on entra, elle tripotait son collier en fixant le vide devant elle sous le regard d'un policier en uniforme.

DeVries dit au policier de débarrasser et il s'assit devant la jeune femme. Elle posa ses yeux bruns sur lui, puis sur moi. Elle ne semblait pas rassurée.

« C'est toi qui as découvert le corps ? lui demanda DeVries.

— Oui.

— On aimerait te poser quelques questions, d'accord ? »

La fille hocha la tête sans lâcher son collier.

«Comment tu t'appelles?

— Coralie Lajoie.

— T'habitais avec Marie depuis longtemps?

— Six mois à peu près.

— C'était une amie d'enfance, quelqu'un pour partager le loyer?…

— Une amie, dit Coralie Lajoie. Mais pas d'enfance.

— Vous travailliez à la même place?

— Non. Marie travaillait pour un de ses oncles, moi, je travaille chez Dupuis et Frères. Je suis vendeuse. C'est elle qui m'avait demandé d'emménager avec elle. Elle ne faisait pas assez d'argent pour payer le loyer toute seul.

— Sa famille n'aurait pas pu l'aider? demanda DeVries.

— Elle ne s'entendait pas bien avec son père. Elle avait coupé tous les ponts avec sa famille.

— Pourquoi?

— Ils s'étaient chicanés, dit Coralie Lajoie. Marie m'a déjà dit qu'il n'aimait pas Hugh. C'était peut-être des idées qu'elle se faisait, remarquez.»

Elle tripotait toujours nerveusement son collier. Elle allait le briser si elle n'arrêtait pas.

«C'est qui ça, Hugh? demanda DeVries.

— Hugh Jennings. Son ami de cœur.

— Ça allait bien entre eux?

— Ce n'est pas lui qui l'a tuée, si c'est ça que vous croyez, dit Coralie Lajoie.

— Pourquoi pas?

— Ils étaient fiancés. Le mariage était prévu pour l'an prochain. Hugh aurait fini ses études en commerce d'ici là et son père allait lui confier une de ses épiceries. Son avenir était assuré. C'est pour ça que j'ai de la misère à croire que le père de Marie ne l'aimait pas.»

Je jetai un œil dans le salon par une porte. Les croque-morts attachaient le corps de Marie Janssen, enroulé dans une couverture blanche, sur le brancard. Prostituée ou fille sans histoire – la mort ramenait tout le monde au même niveau.

« Ils s'étaient peut-être chicanés, suggéra DeVries.

— Non. Marie me parlait d'eux, des fois, de leur relation. Elle ne m'a pas parlé d'une chicane.

— On va vérifier où il a passé l'après-midi. Marie n'avait pas changé dernièrement ?

— Ben, je la trouvais nerveuse ces temps-ci, admit Coralie Lajoie.

— Qu'est-ce qui n'allait pas ?

— C'est à cause de ce qu'elle avait lu dans les journaux sur le tueur. Elle avait fait poser une deuxième barrure à la porte et elle n'ouvrait pas à n'importe qui.

— Et ce matin ? dit DeVries. Elle était comment ?

— Bougonneuse, comme tous les matins. Elle ne m'avait pas dit un mot quand je suis partie à huit heures. »

Des jointures cognèrent au chambranle de la porte. C'était le détective Castonguay.

« Merci de ton aide, dit DeVries à Coralie Lajoie. Un policier va s'occuper de ta déposition. »

Il se leva et rejoignit Castonguay dans le salon. Les croque-morts étaient partis. Tony, le spécialiste des empreintes, et les détectives avaient pris leur place.

« On a presque fini d'interroger les locataires de l'immeuble, dit Castonguay.

— *So ?* dit DeVries.

— La femme qui habite le logement en dessous m'a raconté une histoire intéressante. Un gars s'est pointé chez elle pour voir sa salle de bain, supposément, et il lui a fait des avances.

— Elle a réagi comment ?

— Elle lui a dit que son mari dormait dans la chambre. Ce n'était pas vrai, mais le gars l'a crue, il a dit qu'il s'était trompé de logement et il est parti.

— Il faut que je voie cette femme-là. »

On descendit d'un étage. Le plafond était bas, les murs ternes. Il manquait des chiffres aux portes. Les affaires sordides se déroulent rarement dans des immeubles gais, frais peinturés. Les détectives interrogeaient les locataires sur le pas des portes. Les gens ne faisaient même plus confiance à la police.

« C'est ici », dit Castonguay quand on fut arrivés devant la porte numéro huit.

DeVries cogna et la porte s'ouvrit sur une femme solide aux hanches larges. Ses cheveux étaient réunis en un chignon qui menaçait de s'écrouler. Elle se tenait le corps raide, aux aguets, comme si on était des dignitaires. Une fillette pendue à sa robe nous observait, une poupée à la main.

DeVries se nomma et dit : « On m'a dit que vous aviez eu un visiteur ce matin, madame…

— Surprenant, dit la femme.

— Madame Surprenant. Vous pourriez le décrire ?

— Pas très grand, les cheveux frisés, dit-elle. Il avait des sourcils très épais. Il portait une chemise à carreaux.

— Il était quelle heure ?

— Oh, huit heures-huit heures et demie.

— Et il voulait voir votre salle de bain, dit DeVries.

— Oui. Il m'a dit que le concierge l'envoyait pour voir si elle n'avait pas besoin d'un coup de pinceau. »

DeVries se tourna vers Castonguay, qui secoua la tête.

« Le concierge n'a envoyé personne.

— Continuez, madame Surprenant.

— Avant que je puisse dire quoi que ce soit, continua-t-elle, il est entré. Il est allé tout droit à la salle de bain comme s'il connaissait la place.

—Et c'est là qu'il vous a fait des avances, dit DeVries.

—Oui, c'est-à-dire que… Il n'était pas très cohérent. Il a dit qu'il voulait qu'on aille voir la chambre et il n'arrêtait pas de me regarder d'une façon bizarre… Il ne m'a jamais regardé dans les yeux, vous voyez ce que je veux dire ? Quand j'ai compris ce qu'il voulait vraiment, je lui ai dit d'arrêter, que mon mari dormait dans la chambre à côté.

—Ce qui n'était pas vrai.

—Non, il était au travail. Vous auriez dû lui voir la face… Il est parti tout de suite. »

DeVries hocha pensivement la tête. La fillette s'ennuyait. Elle tourna les talons et s'en alla.

« Avez-vous entendu des bruits inhabituels dans le logement au-dessus, cet après-midi ?

—Non, rien d'inhabituel.

—Des cris ?

—Des cris ? répéta madame Surprenant. Non.

—Bon. Vous pourriez reconnaître votre visiteur si je vous le montrais en photo ?

—Euh… Oui, je pense, dit-elle, hésitante.

—Voulez-vous m'accompagner au quartier général ? »

Elle ferma un peu la porte et se cacha à moitié derrière. Répondre à quelques questions, c'était une chose, collaborer à l'enquête, c'en était une autre.

« Je ne peux pas, dit-elle. Il faut que je surveille la petite.

—Après souper, alors ?

—Eh bien, je ne sais pas si mon mari… Et puis il faut que je donne le bain à la petite.

—Ce ne sera pas long, madame Surprenant, insista DeVries. Vous pourriez nous être d'un grand secours. »

Elle hésita encore un moment.

« Bon, dit-elle finalement, si vous le pensez.

— Parfait. Une voiture de patrouille viendra vous chercher à sept heures. D'accord ?

— D'accord », soupira-t-elle.

Et elle referma sa porte. On se mit en route vers la sortie.

« Tu crois que c'est notre tueur qui l'a zigouillée ? demanda Castonguay à DeVries.

— Il y a des bonnes chances, non ?

— Oui, la chambre a été fouillée, il n'y avait pas de traces d'effraction…

— Ça pourrait être Jennings, le tueur, dit DeVries.

— Tu penses ?

— Elle a laissé entrer son agresseur, et sa colocataire dit qu'elle n'ouvrait pas à n'importe qui.

— Ça n'allait pas bien entre eux ?

— Selon la coloc, tout allait pour le mieux. Mais Janssen ne lui disait pas tout. Ce n'était pas les deux meilleures amies du monde, d'après moi. Vérifie l'alibi de Jennings. Et avertis la famille pour l'identification. »

On était arrivés dans le hall. Le fourgon de la morgue avait attiré des curieux et des journalistes. Ils encerclaient les deux croque-morts sur le trottoir. Les photographes tenaient leur appareil à bout de bras, au-dessus des têtes, les flashs crépitaient à l'unisson. Il y avait des gens, sur les balcons de l'autre côté de la rue, qui observaient la scène. Il n'y avait qu'un policier pour aider les croque-mort et il était aussi efficace qu'un maître nageur hydrophobe.

« O.K., les gars, dit DeVries à l'intention des photographes. Ça suffit comme ça. C'est assez. »

Il s'immergea dans la foule et, avec l'aide de Castonguay, ouvrit le chemin aux croque-morts en jouant des coudes. Je les suivis. La mer de spectateurs se refermait derrière nous après notre passage.

Un autre flash éclaboussa le brancard de lumière – un de trop au goût de DeVries.

« Hé ! qu'est-ce que je viens de dire ? » cria-t-il au photographe.

Il agrippa l'appareil photo et essaya de le lui ôter des mains. Le photographe, un petit maigrichon au visage de fouine, tint bon. Lui et DeVries échangèrent des gros mots. Les flashs retentirent de plus belle.

DeVries leva le poing derrière son oreille pour frapper le photographe. Peut-être voulait-il juste lui faire peur ? Quoi qu'il en soit, Castonguay fut bousculé par-derrière au même moment et le coude de DeVries s'écrasa directement sur son nez. Sous le choc, Castonguay perdit son feutre, qui lui décolla du crâne comme un bouchon de champagne. Il poussa un juron et se cacha le visage dans les mains.

Puis un hurlement retentit.

La foule se dispersa quelque peu et le cadavre de Marie Janssen apparut, étendu sur le pavé, à moitié enroulé dans le drap blanc. En se chamaillant, DeVries et le photographe avaient bousculé un des croquemorts, qui avait lâché prise.

Les gens observaient le spectacle sans savoir s'ils devaient rire ou pleurer. Moi, je ne fis ni l'un ni l'autre.

Madame Surprenant, vêtue d'une jolie robe et d'un chapeau assorti, se pointa au quartier général à sept heures et demie. Elle sembla impressionnée par les lieux, même s'il n'y avait rien d'impressionnant. Le quartier général ne ressemblait en rien au palais de Buckingham. C'était un immeuble comme les autres, avec des couloirs au linoléum poussiéreux et aux murs jaunis par la fumée de milliers de cigarettes. Les bureaux contenaient le mobilier habituel – bureau, chaises et classeurs. Il n'y avait jamais assez de chaises, ce qui fait qu'au moins un visiteur devait rester debout. Le tout paraissait vieux et décrépit parce que les locataires ne faisaient attention ni à leurs locaux ni à leur matériel.

DeVries la conduisit à son bureau, l'invita à s'asseoir et lui fit les recommandations habituelles, de prendre son temps, de se détendre, et elle ouvrit le premier dossier. La fiche dactyloscopique et les photos d'un homme au visage anonyme apparurent, de face, du profil gauche, du profil droit. Madame Surprenant effeuilla lentement les photos, fit signe que non, referma le dossier et passa au suivant. Il y en avait toute une pile sur le bureau. DeVries devait les garder à portée de la main, au cas où. C'étaient tous des pervers sexuels.

Entre-temps, Castonguay revint de sa mission. Son nez ressemblait à une tomate. Hugh Jennings avait un alibi indestructible. Il avait passé la journée en classe. Seize étudiants et un professeur l'avaient vu. Il avait fondu en larmes en apprenant la nouvelle. Même chose pour monsieur Janssen, qui s'était chargé d'identifier le corps de sa fille. Il allait sûrement s'en vouloir jusqu'à la fin de ses jours de ne pas s'être réconcilié avec elle.

Soudain, le téléphone sur le bureau de DeVries sonna. Madame Surprenant se raidit et porta la main à son cou. DeVries tendit la sienne vers le combiné.

«DeVries. Ah, Carl. *So?* Oui… Ouais… Tu ne peux pas m'expliquer au téléphone? Bon. J'arrive.»

Il raccrocha.

«Le légiste? demanda Castonguay.

— Hm-hm. Il a fini l'autopsie et il a quelque chose à me montrer. Reste ici avec madame Surprenant, Stan et moi, on va à la morgue.

— O.K.»

Le légiste nous attendait dans l'antichambre, le nez dans son rapport. Il nous conduisit à côté, dans la pièce éclairée aux néons. Le corps était allongé sur la table, recouvert d'un drap blanc. Le légiste rejeta le drap sans cérémonie et Marie Janssen apparut de la tête aux épaules. Son visage était si blanc sous la lumière que ça faisait mal aux yeux. Ses lèvres et ses paupières étaient bleues. Mes jambes s'activèrent d'elles-mêmes et je reculai d'un pas.

« Elle a été étranglée, comme je le pensais, dit le légiste. Les ecchymoses sont apparues sur le cou. Regardez, on les voit bien. Le tueur a serré si fort qu'il lui a brisé le larynx. Les cartilages sont broyés. Elle devait être dans les pommes à ce moment-là. L'afflux de sang au cerveau devait être coupé.

— L'heure de la mort ? demanda DeVries.

— Entre sept et neuf ce matin.

— Sa coloc l'a vue à huit heures.

— Entre huit et neuf, dans ce cas-là, dit le légiste en remontant ses lunettes sur son nez. Difficile d'être plus précis.

— Sévices sexuels ?

— Oh oui. C'est l'œuvre de notre tueur, les gars.

— Hum », grogna DeVries, ennuyé.

Il fixait le visage de Marie Janssen comme s'il était dans la lune.

« Qu'est-ce que t'avais de spécial à me montrer ?

— Ceci. »

Le légiste tira le drap plus bas. Il leva le bras gauche, dégaina un stylo de la poche de son sarrau et montra des meurtrissures près de l'aisselle, dans le pli du bras.

« C'est quoi, ça ? demanda DeVries.

— Des marques de doigts.

— *So ?* C'est peut-être arrivé quand le tueur essayait de la maîtriser.

— Il y a des marques identiques à l'aisselle droite, dit le légiste. L'agresseur l'a empoignée par là, il a forcé et ses doigts ont pénétré dans la chair.

— Pourquoi il l'aurait agrippée par là ?»

DeVries fronça les sourcils. Il ne comprenait pas vite.

«Il a déplacé le corps, dis-je.

— Hein ?

— C'est ce que je pense aussi, dit le légiste. On voit ce genre de blessures-là aux poignets ou aux chevilles des corps qui ont été déplacés. Habituellement, il y a des éraflures ou des brûlures ailleurs sur le corps, selon la surface sur laquelle était le corps. Dans ce cas-ci, il n'y en a pas, le corps était sur un tapis et on l'a déplacé sur une distance assez courte.

— Donc... commença DeVries de son air hébété.

— Donc, il l'a tuée dans la chambre, dis-je, puis il l'a traînée jusque dans le salon.

— Voilà, dit le légiste.

— Voyons, ça n'a pas de sens ! s'exclama DeVries. Pourquoi il aurait fait ça ?»

Le téléphone dans le bureau sonna. Le légiste remonta le drap sur le corps et alla décrocher.

«C'est pour toi, Rog», cria-t-il.

DeVries alla répondre. C'était Castonguay. Madame Surprenant avait reconnu le faux peintre. Il s'appelait Raymond Perlozzo, il habitait le Plateau.

On se mit tout de suite en route. Selon ce que raconta DeVries en chemin, Perlozzo avait séjourné à Saint-Jean-de-Dieu deux années plus tôt, en quarante-cinq.

«Tu le connais bien, on dirait, lui fis-je remarquer.

— Oui, on a eu affaire à lui une couple de fois.

— Qu'est-ce qu'il a comme antécédents ?

— Il s'est déjà pris pour un agent de la circulation, il a volé des articles dans des magasins, il a montré son zizi à une petite fille de son quartier.

— C'est pour ça qu'il a été envoyé à Saint-Jean ?

— Mouais, répondit DeVries. C'est qu'il perd la boule des fois et il ne sait plus ce qu'il fait. Ce n'est pas de sa faute, il est né comme ça.

— Faudra vérifier s'il a laissé des empreintes chez Marie Janssen.

— Ce serait un début. »

On roula en silence un moment. Le soleil se couchait sans se presser. Certains conducteurs avaient allumé leurs phares.

« Tu sais, cette enquête-ci... reprit DeVries.

— Hum ?

— Je n'ai jamais vu ça. Ça dure depuis des semaines et on vient tout juste de trouver notre première piste. On est dépassés par les événements et pas à peu près. Mais le pire, c'est qu'on arrive toujours sur les lieux du crime quand tout est fini, quand le meurtre a été commis.

— On arrive rarement avant.

— Oui, mais tous ces corps-là qui traînent partout… Ça ne paraît pas bien.

— Tu devrais laisser faire les apparences.

— On ne peut pas. Pas dans ce cas-ci. Notre travail est scruté à la loupe. »

Il se racla la gorge et se massa le maxillaire inférieur.

« Dans quoi je me suis embarqué », marmonna-t-il.

Je le laissai avec ses pensées et me préoccupai des miennes.

Perlozzo habitait un petit duplex dans une rue sombre. De l'extérieur, on s'imaginait facilement l'intérieur : pièces tout en long, couloirs sombres, planchers qui craquent sous les pas. On était loin des cabanes cossues du boulevard Saint-Laurent situées à deux pas de là. Il y avait de la lumière.

« On dirait qu'il est là, fit DeVries en garant la voiture. Il va peut-être essayer de se pousser. Va sonner, moi, je vais surveiller la porte de derrière. »

Il descendit. J'attendis un moment, puis descendis à mon tour et allai enfoncer la sonnette. C'était une soirée chaude. Toutes les fenêtres étaient ouvertes. Quelqu'un, quelque part, écoutait une radio à plein régime. Quelqu'un d'autre lui cria de baisser le volume. Le propriétaire de la radio répliqua de venir le baisser lui-même pour voir. Charmant coin.

Des clac-clac de pas résonnèrent faiblement dans la rue, puis ils prirent de l'intensité et, finalement, s'arrêtèrent dans mon dos. Je me retournai. Un homme se tenait au pied de l'escalier qui menait à la porte de Perlozzo. Il n'était pas très grand. Dans la pénombre, ses cheveux frisés et ses sourcils touffus le faisaient ressembler à l'une de ces créatures qu'on fait passer pour un loup-garou dans les *freak-shows*.

On se dévisagea un moment. Ce ne pouvait être que Perlozzo. Je sortis mon insigne. Ça l'effraya et il ne fit ni une ni deux, il virevolta et prit ses jambes à son cou. Le sac en papier brun qu'il tenait à la main s'écrasa sur le trottoir. Un bruit de verre brisé parvint à mes oreilles.

« Qu'est-ce que t'attends ? cria DeVries qui s'approchait au trot du duplex. Vas-y ! Je prends la voiture ! »

Je dévalai l'escalier et commençai à marteler le trottoir de mes souliers. Perlozzo était rapide. Quand j'eus atteint le coin de la rue, il filait déjà de l'autre côté, il n'était plus qu'une silhouette dans la brunante. Je laissai passer une voiture, traversai à moitié la rue.

Une autre voiture approchait en sens inverse. Je bondis devant elle – son pare-chocs effleura le rebord de mon pantalon – et continuai ma course sous des coups de klaxon rageurs.

Un homme déambulait sur le trottoir. Il marchait en direction de Perlozzo, ils allaient se rentrer dedans. L'homme aurait pu lui bloquer le chemin, il était assez corpulent pour ça.

«Hé! arrêtez-le!» criai-je.

L'homme s'arrêta, fit un pas de côté et nous regarda passer avec des yeux hébétés.

Perlozzo bifurqua dans une ruelle. Je le suivis sous les regards des locataires assis sur les balcons et dans les cours. Un chien bondit au bout de sa laisse en jappant. J'atteignis le bout de la ruelle en quelques secondes. Perlozzo avait déjà traversé la rue, il s'éloignait dans l'autre ruelle. Je commençais à en avoir ras-le-bol. Je traversai la rue à mon tour, sans regarder.

Une lumière blanche m'aveugla, des crissements de pneus me crevèrent les tympans.

Je plongeai. Le pavé me sauta au visage. Je tendis les bras pour amortir ma chute, roulai sur le dos et me relevai aussi vite que je le pus et repris ma course. Le conducteur de la voiture me hurla quelque chose que je ne saisis pas. Je ne m'arrêtai pas pour lui demander de répéter, ce ne devait pas être bien gentil.

On traversa une autre ruelle. Je réussissais à gagner du terrain même si à chaque souffle un poignard me transperçait la poitrine et que mon genou droit élançait douloureusement. Je m'en foutais, j'aurais continué sur une seule jambe. J'avais failli y laisser ma peau – deux fois.

Perlozzo jeta un regard par-dessus son épaule et vit que je le rattrapais. C'est là qu'il commit une erreur. En arrivant au bout de la ruelle, il tenta de se faufiler entre deux voitures pour changer de côté de rue, mais il s'accrocha dans un des pare-chocs et perdit pied. C'est tout ce qu'il me fallait. Je lui mis la main au collet et le redressai sur ses pattes. Il commença à crier, à se débattre. Il allait ameuter tout le quartier. Où était passé DeVries ? La sueur ruisselait sous mes bras et au bas de mon dos.

J'agrippai Perlozzo par le chignon et l'écrasai contre le coffre d'une voiture en lui tordant le bras droit dans le dos.

« Aaaah ! cria-t-il comme un perdu. Aaaah ! lâche-moi… »

Je continuai de lui tordre le bras, à ce petit enfant de chienne, je voulais entendre craquer son épaule.

Un moteur gronda derrière moi, une portière s'ouvrit.

« Tu l'as eu ? » demanda inutilement DeVries.

Je poussai Perlozzo vers la voiture.

« Qu'est-ce qui se passe ? gémissait ce denier en continuant de se débattre. Qu'est-ce que…

— Ta gueule » dit DeVries.

Sa main s'écrasa contre la joue de Perlozzo avec un claquement sec. Puis il l'agrippa par le col de sa chemise et se mit à le secouer comme un pommier. Je repris mes sens comme si c'était moi qu'on avait giflé. Qu'est-ce qu'on faisait là ? Une piétonne s'était arrêtée et nous observait en se posant la même question.

Je séparai les deux hommes.

Une fois au quartier général, je m'arrêtai aux toilettes et examinai mon genou droit. Il était tout écorché. Mon pantalon était déchiré. Je nettoyai ma blessure et m'aspergeai la figure d'eau glacée. Mon visage ruisselant était verdâtre dans le miroir au-dessus du lavabo. Je ne me sentais pas bien. Je me séchai et me

rendis au bureau de DeVries. Il avait déjà commencé
à interroger Perlozzo. Castonguay se tenait debout
derrière celui-ci, les bras croisés. Néron, une épaule
appuyée contre un des classeurs, fixait Perlozzo comme
un aigle fixe sa proie.

« Où est-ce que t'étais, ce matin ?

— Ce matin ?

— Oui.

— J'étais au travail.

— Où ça ?

— Pou… Pourquoi vous m'avez amené ici ? demanda Perlozzo. Je n'ai rien fait. »

Il jeta des regards rapides autour de lui.

« Où est-ce que tu travailles ? lui demanda Néron.

— Hé, c'est moi qui l'interroge, lui rappela DeVries.
Envoye, toi, réponds.

— Il y a un dépanneur pas loin d'où je reste, dit
Perlozzo. Monsieur Boudreau me laisse placer le stock
sur les tablettes. Des fois je passe le balai…

— Et t'es rentré ce matin, tu dis.

— Oui.

— Tu mens, Raymond.

— Que… Quoi ? bégaya Perlozzo. Mais… Pourquoi
vous me posez ces questions-là ?

— Tu n'étais pas à ton dépanneur, t'étais à des
milles de là, rue Papineau.

— Quoi ? Ce n'est pas vrai.

— C'est bizarre, on m'a dit le contraire, dit DeVries.

— Comment ça ?

— T'es rentré dans le logement d'une femme,
Raymond. Elle t'a reconnu. »

Perlozzo ouvrit la bouche pour dire quelque chose,
mais rien ne sortit. Il baissa la tête. Sans le quitter des
yeux, Néron lui demanda d'une voix autoritaire :

« Qu'est-ce que t'as à dire ? »

DeVries lui jeta un regard de côté, les lèvres pincées.

« Je me suis trompé de place, dit Perlozzo d'une voix faible. Je… J'allais voir un ami.

— Un ami ?

— Oui, puisque je vous le dis…

— Tu te fais passer pour un peintre quand tu rends visite à des amis, toi ? »

Silence.

« Il y a une fille qui s'est fait violer et étrangler dans un immeuble de la rue Papineau, ce matin, reprit DeVries en haussant le ton. Et toi, t'étais dans cet immeuble-là, tu t'es fait passer pour un peintre pour entrer chez une femme, tu lui as fait des avances… »

Perlozzo releva la tête. Il avait les yeux grands comme des enjoliveurs.

« Ce n'est pas moi ! cria-t-il.

— Ah non ?

— Non !

— Qu'est-ce qui me dit qu'après avoir quitté la femme tu n'es pas monté chez la fille, que tu n'as pas répété ton petit numéro et que tu ne l'as pas tuée, hein ?

— Mais ce n'est pas moi, je vous dis, gémit Perlozzo, ce n'est pas moi… »

Il gigotait sur sa chaise. Castonguay posa une main sur son épaule. Il arrêta de gigoter, serra les poings et se boucha les yeux avec.

« J'allais voir un ami, je vous l'ai dit, sanglota-t-il. Je… Je ne sais pas ce qui s'est passé. Je me suis perdu dans l'immeuble. C'est un grand immeuble. Je me suis trompé d'étage et j'ai… j'ai cogné à la mauvaise porte. Je n'ai pas touché à cette fille-là, je ne l'ai jamais vue ! Il faut que vous me croyiez…

— Pourquoi t'as essayé de te sauver si tu n'as rien à te reprocher, hein ?

— J'ai eu peur ! »

Perlozzo pleurait à chaudes larmes, maintenant. DeVries l'observa une seconde et esquissa une moue de dégoût.

«Amène-le, dit-il à Castonguay.

— On n'a rien contre lui pour l'instant, intervint Néron.

— Ça, il ne le sait pas.»

Castonguay agrippa Perlozzo par un bras, le mit sur ses pattes et l'entraîna hors du bureau.

DeVries se cala dans sa chaise et se passa la main dans les cheveux. Ils semblaient plus clairsemés qu'avant. Je m'assis devant lui, sur la chaise de Perlozzo. Mon genou brûlait.

«Donc Marie Janssen s'est fait violer et étrangler, dit Néron.

— C'est ça, dit DeVries en sortant un El Pietto. Et le tueur a déplacé son corps.»

J'expliquai à Néron ce que DeVries voulait dire par là.

«Pourquoi il a fait ça? me demanda-t-il.

— C'est la question que tout le monde se pose.

— Perlozzo a essayé de se pousser, me dit DeVries. Ce n'est pas un aveu de culpabilité, ça?

— Pas nécessairement. Il a un passé chargé, il a vu que j'étais de la police… Il a pu tuer Marie Janssen, d'après toi?

— Je ne sais pas, admit DeVries en haussant les épaules. D'après ce que je sais de lui, non, mais son état s'est peut-être détérioré depuis qu'il est sorti de Saint-Jean.

— Faudrait demander l'opinion des spécialistes, suggéra Néron.

— Bonne idée, ça, Nécarré.»

DeVries tendit la main vers son téléphone.

«Tu ne trouves pas qu'il date, ton jeu de mots?

— Non, moi, je le trouve encore drôle – Nécarré »,
dit DeVries avec son sourire baveux.

Il réussit à joindre le docteur Ouellet lui-même. Ils
discutèrent un moment, puis DeVries raccrocha et
remit l'El Pietto à sa place dans sa bouche.

« Et puis ? s'enquit Néron.

— On va transférer Perlozzo là-bas demain matin.
Ils vont procéder à un nouvel examen mental. Ils vont
aussi nous montrer son dossier d'internement.

— Il a de la famille ? demandai-je.

— Sa mère et son frère sont encore vivants. On a
l'adresse de la mère. Je vais envoyer Castonguay
l'avertir, il en profitera pour lui poser une couple de
questions.

— Elle va être contente d'apprendre la nouvelle.

— Elle n'a rien dit la première fois que Perlozzo a
été interné. C'est comme s'il n'existait plus pour elle.
Accompagne Castonguay si tu veux. »

Je consultai ma montre. Dix heures passé. Il était
tard pour appeler Emma et je n'avais pas envie de
rentrer chez moi.

« J'y vais.

— O.K. Moi, je vais réinterroger Perlozzo.

— Tu ne serais pas mieux d'attendre qu'il se calme
un peu ?

— Il faut battre le fer pendant qu'il est chaud,
comme on dit, songea tout haut DeVries.

— Je ne pense pas qu'il soit si chaud que ça.

— Je ne suis pas pressé de rentrer. Colette sentait
qu'une crise s'en venait ce matin et quand elle fait une
crise, ce n'est pas vivable.

— Moi, je reste, dit Néron. Je veux être présent
pendant l'interrogatoire.

— Ça, je m'en doutais », marmonna DeVries.

Je quittai le bureau, les laissant dans un silence
glacial.

Madame Perlozzo était une femme remplie d'amertume et d'alcool. Elle nous reçut dans une cuisine
éclairée par une ampoule nue vissée au plafond. Un
chat noir tacheté de blanc se frottait la tête contre les
pattes de table et de chaises en ronronnant. Il était si
maigre qu'on pouvait lui compter les côtes.

Castonguay annonça à madame Perlozzo qu'on
avait interpellé son fils et qu'il passerait des examens
à Saint-Jean-de-Dieu. Elle ne réagit pas. Elle resta
assise à table, penchée sur son verre. Ses cheveux gris
cachaient son visage. Elle répondit d'une voix terne à
nos questions, on avait peine à l'entendre. Elle ne nous
apprit rien. DeVries avait raison, son fils n'existait
plus pour elle. Puis son poing s'écrasa contre la table
– le chat me fila entre les jambes – et elle nous traita
de tous les noms. Mais elle n'était pas en colère parce
qu'on avait arrêté son fils, elle était en colère parce
que la vie l'avait maltraitée et que l'arrestation de son
fils était un autre malheur qui lui tombait dessus.

On la laissa ruminer en paix et on retourna au
quartier général pour que je puisse reprendre ma voiture. En rentrant chez moi, je fis un détour par la
maison de chambres où logeait Kathryn. Sa fenêtre
n'était pas éclairée. Je me sentais comme un naufragé.

CHAPITRE 8

Perlozzo était fatigué et anxieux. Il n'avait pas fermé l'œil de la nuit. Ça se voyait dans son visage et dans son comportement. Il ne tenait pas en place, comme un bébé dans une chaise haute. DeVries lui expliqua ce qui allait se passer, mais il ne sembla pas l'entendre. Le transfert s'effectua en ambulance ; DeVries en avait fait venir une expressément pour ça.

On suivit l'ambulance jusqu'à Saint-Jean. Le Sanatorium Bourget, avec sa façade tout en long et ses grandes colonnes de temple grec, paraissait austère contre le ciel bleu. Les autres pavillons en arrière-plan bloquaient l'horizon, le paysage n'était que brique grise. À notre arrivée, on emmena Perlozzo à l'étage où l'on recevait les nouveaux patients tandis que nous nous dirigions vers le bureau du docteur Ouellet.

La pièce comprenait un bureau modeste et quelques chaises, une bibliothèque garnie de livres volumineux. Tout était propre et chaque chose, à sa place. Le docteur Ouellet était un homme ordonné. Les diplômes accrochés au mur derrière le bureau ne laissaient planer aucun doute sur ses compétences. De sa fenêtre, on pouvait voir le château d'eau s'élever vers le ciel et la Promenade des religieuses. La promenade était déserte.

Après les salutations d'usage, tout le monde s'assit. Le docteur Ouellet ouvrit la chemise devant lui.

« Bon, eh bien, j'ai examiné le dossier de Perlozzo comme vous me l'avez demandé. D'après nos examens, c'est un simple d'esprit, un innocent, si vous préférez. C'est comme si son cerveau avait cessé de se développer à douze ans. Il souffre d'épilepsie. Chez beaucoup d'épileptiques, on a remarqué que le père ou le grand-père avait un problème d'alcoolisme. Pour Perlozzo, c'était le père. L'alcool est responsable de sa mort, d'ailleurs. Il travaillait dans la construction et il a fait une chute alors qu'il était soûl. C'est Perlozzo lui-même qui nous l'a appris.

— Le père était épileptique ? demanda DeVries.

— Je n'en ai aucune idée, je ne l'ai jamais examiné, dit le docteur. Pour en revenir à Perlozzo, c'est sa condition d'épileptique qui est intéressante. L'arrêt de son développement intellectuel est vraisemblablement dû à cette maladie. Son alcoolisme aussi. Il buvait comme une éponge quand il est entré ici la première fois. Il y a beaucoup d'épileptiques qui boivent. Ils essaient de noyer leurs démons dans l'alcool. Voilà. »

Il referma la chemise. DeVries se mouilla les lèvres d'un coup de langue.

« D'après toi, Perlozzo pourrait-il commettre un meurtre quand il fait une crise ?

— Il y a des épileptiques qui sont capables d'actes de violence, mais c'est sous l'influence de l'alcool qu'ils agissent, la plupart du temps. Qu'est-ce qu'il a dit quand vous l'avez interrogé ?

— Il a dit qu'il rendait visite à un ami, répondit DeVries. Je pense qu'il mentait.

— Il ne connaissait personne dans l'immeuble ?

— On est en train de vérifier.

— Avait-il l'air désorienté ou…

— Non.

— Il était terrorisé, dis-je.

— Il n'était pas dans son état normal quand il a été vu dans l'immeuble, ajouta DeVries. Il s'est fait passer pour un peintre auprès d'une des locataires et il lui a fait des avances, ni plus ni moins. La femme a dit qu'il était incohérent. Est-ce possible que l'agression l'ait plongé dans cet état-là?»

Le docteur Ouellet posa les coudes sur son bureau et joignit les doigts sous son nez.

«C'est possible. Il avait bu?

— La femme ne nous a rien dit là-dessus.

— Il aurait pu agresser la femme alors que l'alcool l'avait plongé dans une sorte de stupeur, puis il serait revenu à lui, confus, désorienté, ce qui expliquerait son comportement. Mais pour vous dire la vérité, messieurs, je ne crois pas qu'il soit coupable du meurtre dont vous venez de parler.

— Ah non? dit DeVries.

— Non. Quand il est sorti d'ici, il ne présentait aucun signe de démence ou de fureur.

— C'est pour ça qu'il avait été relâché? demandai-je.

— Oui. Il n'était pas dangereux. Il n'avait commis que des vols à l'étalage, un attentat à la pudeur.

— Il a pu le devenir, avec le temps? dit DeVries. Son état s'est peut-être détérioré.»

Le docteur Ouellet se cala dans sa chaise.

«Ça, on le verra avec les examens.

— O.K. Tu passeras un coup de fil à Saint-Michel-Archange, ordonna DeVries en faisant mine de se lever. Je veux que des médecins de là-bas l'examinent.

— Ce ne sera pas nécessaire.»

DeVries fixa le docteur en haussant un sourcil.

«Qu'est-ce qu'il y a? demanda le docteur.

— J'ai dit que je voulais l'opinion des médecins de Québec.

— Je ne suis pas sourd.

— Alors, tu vas appeler à Québec?

— Non.

— C'est moi qui mène l'enquête, au cas où tu l'aurais oublié, dit DeVries d'un ton sec.

— Je n'ai pas oublié.

— Bon. Appelle.

— J'ai dit que ce n'était pas nécessaire, rétorqua le docteur Ouellet. L'êtes-vous, sourd, vous? Les médecins d'ici sont très compétents et leur opinion sera aussi bonne que celle des médecins de Saint-Michel-Archange. J'en connais plus que vous en psychiatrie, ne me dites pas quoi faire ou ne pas faire.»

Les deux hommes se fixèrent, DeVries, les narines blanches, le docteur, les oreilles rouges. DeVries n'avait rien à répliquer.

«O.K., O.K., grogna-t-il en se levant. Pas besoin de monter sur tes grands chevaux. Fais comme tu veux, mais fais vite.

— Je ferai aussi vite que je le peux.»

Là-dessus, le docteur Ouellet se replongea dans le dossier devant lui et DeVries marcha d'un pas raide vers la porte. Dommage que Néron n'ait pas été là.

Les examens durèrent trois jours. Pendant ce temps-là, on interrogea l'entourage de Perlozzo. À force de harceler sa mère, elle finit par nous parler. Elle n'était pas surprise que son fils soit de nouveau à Saint-Jean, « il n'est pas correct dans la tête », nous dit-elle. À la mort du père, il avait quitté l'école pour rapporter un salaire à la maison, mais il était incapable d'occuper un emploi. Il était si bête qu'il ne pouvait pas exécuter la plus simple des tâches. Ce n'était qu'un bon à rien, selon elle. Quand on lui demanda ce qu'elle entendait par « il n'est pas correct dans la tête », elle nous envoya promener. Elle aurait eu besoin d'un examen mental elle aussi. Le frère de Perlozzo, lui, demeura introuvable.

On retourna à l'immeuble où habitait Marie Janssen et on parla à tous les locataires. Personne ne connaissait Perlozzo, il n'avait pas d'ami là. On interrogea aussi le propriétaire du dépanneur où Perlozzo travaillait, monsieur Boudreau. Son commerce était situé sur un coin de rue. Des affiches de Kik Cola et de Player's dans les fenêtres le plongeaient dans un demi-jour. Quand Castonguay lui apprit la raison de notre visite, il nous conduisit au débarras à l'arrière du magasin et s'écrasa sur des caisses vides.

« Raymond, suspect dans une affaire de meurtre, dit-il en fixant le vide devant lui.

— Ç'a l'air de vous surprendre, dit Castonguay.

— Ben oui, ça me surprend !

— Vous le connaissez bien ? demandai-je.

— Ben, c'est-à-dire que je le connais, lui. Je sais qu'il habite pas très loin d'ici. Il vit seul, il n'est pas marié. Mais je ne connais pas sa famille.

— Vous saviez qu'il est épileptique ? »

Monsieur Boudreau haussa les sourcils.

« Hein ? Épileptique ? Non, je ne le savais pas.

— Et son alcoolisme ?

— Ah, ça oui, par exemple. J'ai entendu dire qu'il buvait, vous comprenez, et comme il s'absente des fois, je me suis dit que c'était vrai, qu'il devait boire.

— Il est déjà arrivé soûl au travail ? demanda Castonguay.

— Non, dit monsieur Boudreau en secouant la tête.

— Il s'absente, des fois ?

— Oui. Ou il arrive en retard.

— Mardi passé, il est arrivé en retard ? »

Marie Janssen avait été tuée ce jour-là.

Monsieur Boudreau fouilla sa mémoire en grattant le dessus de son crâne d'œuf.

« Mardi passé… Non. Non, il n'est pas rentré du tout.

— Vous n'êtes pas sévère comme patron, lui fis-je remarquer.

— Perlozzo n'est pas vraiment mon employé.

— Ah non ?

— Non. Je le laisse passer le balai, mettre des bouteilles dans le frigo. Ça lui donne l'impression de travailler. Il aime ça.

— Il aime ça ? répéta Castonguay.

— Oui, il prend ça au sérieux, vous comprenez ? Il aligne les bouteilles bien comme il faut, il passe le balai partout, dans les recoins.

— Vous le payez ?

— Bah ! je lui donne un peu d'argent, mais c'est rien, c'est juste pour dire. Je le laisse se servir à la fontaine de bière d'épinette. Ça, il aime ben ça.

— Vous avez remarqué qu'il est différent ? » demandai-je.

Monsieur Boudreau se tapota la tempe en souriant. Il avait les dents comme le clavier d'un piano : une noire, une blanche, une noire, une blanche…

« Qu'il est bizarre ici, en haut, vous voulez dire ?

— C'est ça.

— Oui, j'ai remarqué. Tout le monde l'a remarqué. Ce n'est pas quelqu'un comme les autres, ça c'est sûr. Il a accroché une pancarte à la clôture de sa cour pour dire aux chats de ne pas rentrer.

— Hein ? fit Castonguay, étonné.

— Oui. Il construit des forts de neige avec les enfants, l'hiver, il joue au base-ball avec eux autres.

Valait mieux l
etite crise. Je pri

Quand les ex
Ouellet convoqu
la salle des délib
blait à une salle :
et ses chaises
dessus de la tab
le plafond – s
un buffet dans
par des livres.
La garde-n
voix rocailleu
L'alcoolisme
depuis son p
crise au cou
tremens. Il a
dans sa cellu
et à se déba
lui donner
était assez
d'anémie,
d'estomac
étaient pr
généralist
evait ces
rrhose
lumé, c
DeVr
aise, e
nand
No
— M
Ma

Ils le traitent de fou, mais ça ne le dérange pas. Il rit. Ce n'est pas un mauvais diable. Il ne ferait pas de mal à une mouche, si vous voulez mon avis. C'est pour ça que j'ai de la misère à croire qu'il a tué une fille.»

Après ce que je venais d'entendre, j'avais moi aussi de la misère à le croire.

Le meurtre de Marie Janssen fut mentionné dans les journaux, évidemment. Claude Poitras souligna son âge, vingt et un ans, et ajouta que le tueur visait maintenant des femmes de tous les âges (les autres victimes étaient dans la quarantaine ou la cinquantaine). DeVries répliqua en déclarant que la police avait arrêté un suspect en parlant de Perlozzo mais, à ce stade-ci, c'était loin d'être un suspect : on n'avait pas relevé ses empreintes chez Marie Janssen et son examen mental n'était pas terminé.

Quand Néron prit connaissance de sa déclaration, il n'en crut pas ses petites oreilles pointues.

« Comment peux-tu dire que Perlozzo est un suspect ?

— Mais c'est un suspect, dit DeVries.

— Ses empreintes…

— Il avait peut-être mis des gants.

— Des gants ? répéta Néron. On n'a pas trouvé de gants sur les lieux du crime.

— Il s'en est peut-être débarrassé.

— Tu crois qu'il a prémédité son geste ?»

DeVries repoussa sa chaise d'un coup de reins et se planta devant la fenêtre, dos à nous. Son histoire de gants ne tenait pas debout et il le savait, il n'en avait jamais été question pendant l'enquête.

« Tu aurais dû attendre les résultats des examens, lui dit Néron d'un ton plein de reproches.

— Je n'avais pas le choix.

« — Ça veut dire quoi, ça ?

— Tout le monde est contre nous, sacrament ! l...
DeVries en nous faisant face. Les habitants, les o...
de journalistes… Cette affaire-là est une vraie b...
diction pour eux autres : des meurtres, du sang,...
enquête qui n'avance pas, c'est parfait, ils ont de...
vendre leur maudit torchon ! »

DeVries avait donné raison aux journalistes plu...
et voilà qu'il se laissait déranger par l'opinion publ...
Et moi qui croyais le connaître.

« Tu as menti, lui dit Néron.

— Comment ça, j'ai menti ? répliqua-t-il, incré...
Qu'est-ce que tu me chantes-là ?

— Tu as menti aux gens, tu leur as donné de...
espoirs.

— *So* ? De quelle planète tu viens, Nécarré ?

— Tu m'appelles Nécarré une autre fois et...
casse la gueule, dit Néron en serrant les poings.

— Tu sais comme moi qu'ils vivent pour la p...
cité, les journaux, continua DeVries comme s'il n...
pas entendu. Si je ne leur avais pas dit, pour Perl...
ils auraient inventé des faits pour s'assurer de ve...
Je leur ai donné Perlozzo pour les calmer.

— C'est très ingénieux…

— Ferme-la.

— Non, je ne la fermerai pas, dit Néron. Ce q...

— Ferme-la, j'ai dit ! » cria DeVries.

Il s'approcha de Néron, colla le bout de son...
contre le sien ou presque.

« Depuis le début de l'enquête, tu remets en que...
ce que je dis, t'essaies de me faire mal paraître.
j'en ai plein le cul, de ton attitude, O.K. ? Plein le...
On a un malade mental qui viole et qui tue des b...
femmes, sacrament, et toi, tu t'inquiètes parce qu...
conté une menterie aux journaux ? Ce n'est pas...

11...

...s autres, il va falloir que tu te...
un moment donné. Et puis, qu...
...si j'ai menti, hein ? Pour qui...
...enses plus catholique que le p...
...cide dans cette affaire-là, n'ou...
...moi qui mène. T'es ici juste po...

...es dents. Les muscles de son cou...
...me des câbles. Il était plus résistant...
...pour supporter l'haleine de DeVries.
...DeVries, dit-il en pointant son index...
...e l'autre.

...n, hein ?

...ois bien important, mais t'es qu'un...
...d'autres dans un gros village. »

...lua une claque sur la main.

...camp.

...rti, gros porc. »

...talons et quitta le bureau. DeVries...
...re lui.

...capable de l'endurer, celui-là...
...me faire la morale comme ça ?...
...r moi.

...y a de drôle ? demanda-t-il d...

...ris, d'abord ? »

...n'en rendais pas compte...
...ec Néron – ça me rap...

...c'est ça ?

...d de personne.

...bord, cracha De...

...paire, tous les d...
...penses… »

tuer...

— Ben oui.

— Eh bien, les examens mentaux ne nous ont rien appris de nouveau, dit le docteur. Perlozzo souffre de débilité. Ce n'est pas une condition qui peut s'aggraver comme tel. Il peut s'y greffer une phobie ou une manie, mais ce n'est pas le cas de Perlozzo. Il vit dans son propre monde. »

Le docteur Noël, surintendant médical, se joignit à la conversation. Il ressemblait à une vedette de cinéma qui portait bien ses quarante ans.

« Je n'avais jamais examiné ce patient avant et, pour moi, le diagnostic de débilité ne fait pas de doute. L'arrêt de son développement intellectuel peut être dû à l'épilepsie ou à un traumatisme, mais il a bel et bien eu lieu. Perlozzo est comme un enfant. Je l'ai fait écrire, c'est la norme quand on examine les patients. Je lui ai demandé de signer son nom, puis je lui ai dicté de petites phrases. Il a fait ce que je lui disais au début, mais il s'est fatigué de l'exercice, comme un enfant se fatigue d'un jeu, et il est devenu agité. Il s'est mis à écrire de la musique au lieu des mots que je lui dictais, à regarder partout autour de lui et à babiller.

— Il faisait peut-être semblant, dit DeVries.

— Vous voulez dire qu'il simulait sa condition ?

— Pourquoi pas ? »

Le docteur Ouellet esquissa une moue. Au bout de la table, Néron écoutait parler tout ce beau monde sans bouger. On aurait pu se demander s'il respirait.

« Je ne pense pas. Vous avez constaté vous-même que beaucoup de gens ont été témoins de son comportement bizarre.

— Moi, dit le docteur Noël, je crois qu'il y a une certaine simulation de sa part.

— Qu'est-ce que tu veux dire, doc ? » s'enquit DeVries.

Le docteur ajusta son nœud de cravate d'un air agacé. Ce n'était pas un homme imbu de lui-même mais, après tout, il avait reçu une décoration du Roi en tant que membre de la société médico-psychologique de Paris. Pas DeVries.

« Les gens de son entourage l'aiment bien, il les fait rire. À leurs yeux, il n'est pas dangereux. Perlozzo le sait, ça, il n'a pas perdu toute sa raison. C'est possible qu'il invente des numéros pour garder son auditoire, si je puis dire. Mais de là à affirmer qu'il simule de A à Z et que, dans le fond, c'est un individu normal ou encore un génie du mal, il y a une marge.

— Selon toi, il n'a pas tué Marie Janssen.

— Ça, on ne peut pas le déclarer avec certitude. Il n'y a rien de certain dans notre monde. Mais on a observé que cette catégorie de gens-là, les faibles d'esprit, ne pouvaient pas commettre des actes de violence comme celui qu'a subi Marie Janssen ou préméditer un crime. Ils n'ont pas la force ni le courage de le faire. Ce n'est pas impossible qu'il l'ait tuée, comprenez-moi bien. Mais il faudrait des preuves évidentes que c'est lui le tueur. »

DeVries jeta un œil vers Néron et se tourna vers le docteur Ouellet, qui hocha la tête.

« Je suis d'accord avec mon collègue.

— Oui, mais t'as dit que des épileptiques en boisson pouvaient commettre des actes de violence.

— C'est vrai. Mais j'ai lu le rapport du médecin légiste. Il indique que la victime a été mordue au sein gauche.

— *So ?*

— Les épileptiques s'acharnent parfois sur leur victime, ils peuvent les battre à mort, mais cette morsure a quelque chose de précis. Elle a été faite par quelqu'un d'enragé, d'aveuglé par la colère, pas par quelqu'un de soûl. Et je crois que ce quelqu'un-là est le tueur que vous recherchez.

— C'est ce que je crois, moi aussi, dit le docteur Noël.

— Bon. Qu'est-ce qui va arriver à Perlozzo?

— On va le garder ici. Pour combien de temps? Difficile à dire. Il faut d'abord qu'il se refasse une santé. On va ensuite le traiter avec des médicaments. Il y a aussi l'hydrothérapie qu'on peut envisager. On verra. Il y a peut-être encore de l'espoir pour lui.»

Le retour au quartier général se déroula dans le silence. DeVries regarda par la fenêtre les mâchoires serrées. Perlozzo était hors de cause. Il n'avait pas pu tuer Marie Janssen, selon les experts, et DeVries n'avait aucune preuve pour les contredire. Il n'était pas fâché par la tournure des événements, il savait que les chances que Perlozzo soit coupable étaient minces. Il était plutôt fâché parce qu'il s'était fait rabrouer devant Néron.

Ce soir-là, je surveillai encore Kathryn. Elle sortit de l'immeuble Bell Telephone peu après cinq heures, gravit la côte du Beaver Hall et entra dans le même restaurant de la rue Sainte-Catherine. Elle devait prendre tous ses repas à ce restaurant-là, elle n'avait sûrement pas les moyens de se payer quelque chose de mieux. J'entrai moi aussi dans le même restaurant que l'autre fois. La serveuse au comptoir me demanda comment ça allait. On était déjà amis, elle et moi. Je pris soin d'éviter le club-sandwich et me passai de dessert.

Kathryn sortit au bout d'une demi-heure et monta dans le tramway qui la conduisait à deux pas de chez elle. Quand elle fut rentrée, je passai devant la maison, me stationnai à quelques voitures de là et me tournai sur la banquette pour observer la porte. Kathryn réapparut sous le porche vers sept heures-sept heures et quart. Elle consulta sa montre, s'assit dans les marches et croisa les bras sur ses genoux. Elle s'était changée. Elle portait un pantalon et un chemisier au lieu du tailleur qu'elle avait plus tôt.

J'attendis. Attendre était une partie de mon travail de détective qui ne me manquait pas vraiment.

La porte-moustiquaire s'ouvrit et une femme sortit sur le perron. Kathryn leva la tête vers elle, elles échangèrent quelques mots, puis la femme descendit l'escalier et s'éloigna. Kathryn la suivit du regard un instant, puis consulta de nouveau sa montre. Ça ne me laissait présager rien de bon.

À sept heures et demie tapant, une voiture tourna le coin et s'immobilisa en douceur devant la maison. Kathryn se leva et se dirigea vers elle. Je ne distinguais pas très bien la personne au volant. Elle portait un feutre, c'est tout ce que je pouvais voir. L'administrateur. C'était lui. Il conduisait une belle voiture, je devais lui donner ça, une Buick McLaughlin noire, le modèle fin des années trente. Les bandes blanches sur les pneus semblaient avoir été frottées juste avant qu'il tourne le coin.

Une fois Kathryn à bord, la Buick s'ébranla. Je la laissai prendre un peu d'avance et démarrai à mon tour. Qui était cet homme ? Kathryn l'avait connu au travail, elle ne devait pas savoir grand-chose sur lui. S'il avait son âge, pourquoi n'était-il pas marié ?

Ce ne fut pas facile de le suivre, il avait le pied pesant. Il faillit me semer une couple de fois, mais je réussis toujours à le rattraper. Finalement, il s'arrêta au Corona, rue Notre-Dame. Je passai devant au moment où Kathryn et son cavalier entraient. Je garai la Studebaker dans une petite rue transversale et revins devant le cinéma. L'éclairage à l'intérieur illuminait la verrière en façade ; elle me rappelait la rosace de la nef de l'église à laquelle mes parents m'emmenaient tous les dimanches matin quand j'étais enfant. Une enseigne sous la marquise indiquait le titre des films au programme. Je ne les remarquai pas en passant dessous.

J'entrai à mon tour et parcourus le hall du regard. Une dizaine de spectateurs faisaient la file devant la billetterie en bois. Il y avait aussi de petits groupes de gens ici et là. Aucun signe de Kathryn ni de son administrateur. Ils devaient déjà être assis dans la salle. J'achetai un billet et marchai vers la porte en arche menant à la salle. Je m'arrêtai sur le seuil. Malgré l'éclairage tamisé, je parvins à les repérer. Ils étaient assis dans la rangée du milieu, à quelques bancs du rideau de scène. J'allai m'asseoir dans la rangée de gauche, le long du mur, sous un pilastre coiffé d'un chapiteau corinthien.

L'intensité des lumières baissa deux minutes plus tard et le rideau de scène se leva. La salle était à moitié pleine ou à moitié vide. Le traditionnel couple d'amoureux était installé devant moi. À la fin du générique, ils ne se possédaient plus et ils commencèrent à s'embrasser à pleine bouche. Ils étaient jeunes, ils n'avaient pas de soucis, chacun reviendrait la semaine suivante accompagné de quelqu'un d'autre. Si j'avais pu changer de siège sans risquer d'attirer l'attention de Kathryn, je l'aurais fait.

Le film était une comédie musicale avec beaucoup de paillettes et de froufrous, mais peu de substance. Hollywood les produisait à la chaîne, elles se ressemblaient toutes. Quoi qu'il en soit, les âneries qu'on voyait défiler à l'écran amusaient beaucoup le cavalier de Kathryn. Il tournait sans cesse la tête vers elle, la bouche fendue jusqu'aux oreilles. Il portait des lunettes et la lumière se reflétait sur les verres quand il bougeait la tête. Kathryn riait, elle aussi. Elle regardait son cavalier et lui renvoyait ses sourires.

Ils ne restèrent pas pour le deuxième film, Dieu merci. Ils s'exilèrent vers la sortie. Je me calai sur mon siège, rabaissai mon feutre sur mes yeux. Ils passèrent à cinq-six bancs de moi et disparurent par la porte en arche. J'attendis une minute ou deux, puis quittai la salle à mon tour. Ils n'étaient pas dans le hall. Je continuai mon chemin jusque dehors. Il faisait nuit noire. Les voitures filaient à la queue leu leu dans Notre-Dame, tous phares allumés.

Je repérai Kathryn et son cavalier au coin de la rue, qui montaient dans la Buick. Je retournai à la Studebaker et le chassé-croisé recommença de plus belle. On aboutit finalement à la maison de chambres. La Buick s'immobilisa devant la maison, le moteur cessa de ronronner, les phares s'éteignirent. Je m'arrêtai à quelques mètres derrière, de l'autre côté de la rue, et coupai le contact. Je pouvais voir dans l'habitacle par la lunette arrière. Mais il faisait sombre, et je distinguais à peine leur silhouette.

Sa silhouette à lui glissa vers Kathryn comme un serpent et tendit un bras derrière la banquette. Il ne se passa rien pendant une bonne minute. Qu'est-ce qu'ils attendaient ? Je n'étais pas encore au tapis. Puis la portière du passager s'ouvrit, Kathryn descendit. La portière se referma, Kathryn se pencha dans la voiture par la fenêtre. Elle échangea encore quelques mots avec son cavalier. Elle rit. Puis elle suivit sans se presser le sentier qui menait à la maison. Une fois sous le porche, elle envoya la main à l'administrateur. La Buick démarra en douceur et fut avalée par les ténèbres au bout de la rue.

Je n'avais plus rien à faire là. Je démarrai à mon tour. En route pour mon chez-moi, j'entrevis mon visage dans le rétroviseur. Il souriait.

J'allais affronter ma douleur sans une goutte d'alcool, sans analgésique, sans rien. Je n'allais surtout pas pleurer, ça non. Quand on vous a battu et qu'on vous a laissé pour mort, mais que vous savez que vous n'allez pas mourir, plus rien ne vous effraie. On aurait pu m'enlever les amygdales à froid sur la table de cuisine avec un couteau à pain, je n'aurais pas versé une larme. J'allais affronter ma douleur comme un vrai dur. Une faible femme ne pouvait pas me faire mal. J'avais perdu, c'était aussi simple que ça. J'avais toujours remis notre rencontre à plus tard, et voilà ce qui était arrivé. *Qui va à la chasse perd sa place*, c'est ce que dit le proverbe, n'est-ce pas? Mais qui inventait ce genre de proverbe-là? Qui est-ce que ça intéressait? Pas moi, en tout cas. Non, j'étais un dur, vous vous souvenez? Je ne m'intéressais pas à ce genre de chose-là. J'étais un détective privé, je pouvais boire comme un trou et marcher sur un fil de fer imaginaire, je lisais les pages sportives et j'avais toujours la réplique à tout. Rien ne pouvait m'ébranler. Non, monsieur.

J'allai me regarder dans le miroir de la pharmacie, au-dessus du lavabo de la salle de bain. C'était le même visage que je voyais chaque matin en me rasant. Je le connaissais bien. Salut, salut, comment est-ce qu'il va? Le nez était droit et mince, la bouche ressemblait à cent autres bouches. La moustache entre les deux était parsemée de poils blancs. Le front semblait occuper tout le haut du visage. Les yeux n'étaient que deux fentes ombreuses. Il y avait quelques rides ici et là. Ce n'était plus le visage du garçon de dix-huit ans qui s'était amouraché de la fille d'un fermier, qui se moquait du lendemain, qui se croyait invincible, c'était le visage d'un homme de quarante-trois ans qui avait fait fuir son épouse, qui avait peur de ce que l'avenir lui réservait, qui était plus que mortel. Ce visage-là me répugnait – ce qu'était devenu son propriétaire me répugnait. Je serrai le poing droit et l'écrasai contre l'image. Elle ne se brisa pas. Des éclairs de douleur irradièrent dans mon poing. Et alors ? J'étais un dur. Je frappai une deuxième fois. Cette fois-là, l'image se fractionna en plusieurs morceaux. Elle ressemblait à un tableau de Picasso, maintenant. L'œil gauche était plus haut que le droit, la bouche était croche. Une oreille manquait à l'appel. Elle était tombée dans le lavabo.

Le locataire du logement d'à côté cogna contre le mur, boum, boum. Je lui criai ben oui, ben oui, je fais des petites rénovations. J'avais toujours la réplique à tout. Mes jointures saignaient, j'enroulai une serviette autour. J'aurais voulu amener Kathryn vivre au bout du monde avec moi. Juste nous deux. Repartir à zéro dans un endroit où personne ne me connaissait. Mais ça ne marcherait jamais. C'était de moi-même que je voulais me sauver et ça, c'était impossible. Je serais toujours Stanislas Coveleski. Habituellement, les hommes de mon âge sont mariés. Ils ont un bon emploi, une maison, une famille. J'avais tout ça, moi, il n'y a pas si longtemps. J'étais détective à la Sûreté, j'habitais un beau logement, j'avais une femme à mon bras – ma main me faisait souffrir – et puis j'avais tout jeté par la fenêtre comme si j'avais développé une allergie soudaine au bonheur. Ce devait être ça, une allergie. Et maintenant, qu'est-ce que j'avais ? Un métier pas très recommandable, un logement minable, sept ans de malheur en perspective (ah, ah, ah) et personne pour se soucier de moi.

J'étais une de ces personnes en maudit contre l'univers parce qu'elles vivent une vie misérable parce qu'elles sont trop lâches pour se prendre en main. Déjà. Je progressais rapidement. Demain et après-demain et après-après-demain, j'allais tomber endormi sur le divan du salon, après le souper. J'allais vieillir seul avec moi-même. Je penserais à la vie que j'avais menée avec Kathryn, je penserais à elle, mais je ferais comme si ça ne me dérangeait pas. Ou peut-être que je passerais un coup de fil à Louis. Dring, dring. Allô, Louis? Stan. On sort, ce soir? On pourrait prendre un verre en se racontant nos malheurs, puis partir une bagarre au fond d'une ruelle avec deux autres ivrognes et se retrouver à l'hôpital, le nez en sang. Qu'est-ce que t'en penses?

CHAPITRE 9

Cécile Jetté était allongée dans son lit, sur le dos, les couvertures remontées jusqu'au menton. Les rideaux bloquaient la lumière de l'extérieur et plongeaient la pièce dans un demi-jour. Seul un rayon de lumière filtrait entre les rideaux et tombait sur le lit et sur son visage. Ses yeux étaient fermés, ses traits, détendus. On aurait dit qu'elle dormait. Mais quand on rejeta les couvertures, on vit tout de suite qu'elle ne dormait pas.

Un bas de nylon était noué autour de son cou. Sa robe de nuit, un vêtement orné de dentelle blanche, était remontée sur ses cuisses. La bretelle gauche avait été arrachée, dénudant l'épaule. Ce qui différenciait cette femme des autres victimes, c'était la position dans laquelle on l'avait laissée. On avait ramené les bras le long de son corps et réuni ses jambes, elle ne gisait pas sur le plancher, désarticulée comme un pantin. Elle semblait avoir été agressée dans son sommeil, sans s'en rendre compte. La chambre avait été fouillée. Le mobilier n'était pas récent et la peinture pas fraîche, loin de là. Une autre victime qui ne l'avait pas eue facile. Elle ne méritait pas pour autant le sort qu'on lui avait réservé. Personne ne méritait un tel sort.

Le médecin légiste vint constater le décès et y alla de quelques remarques préliminaires. DeVries l'écouta en hochant la tête quand ça s'imposait. Puis les deux croque-morts entrèrent dans la chambre et préparèrent le brancard et le corps pour le transport. Tous se déplaçaient comme des automates, impassibles. Les détectives passèrent le logement au peigne fin et interrogèrent les locataires de l'immeuble sous la supervision de Néron.

Tony, le spécialiste des empreintes qui ressemblait à un prêtre sans sa soutane, commença son travail dans le salon et étala sa poudre sur quelques meubles. DeVries examina les résultats à l'aide d'une loupe. Au premier coup d'œil, il y en avait beaucoup – trop au goût de DeVries.

« C'est un vrai fouillis, marmonna-t-il. Je pense qu'on est aussi bien de laisser faire. »

Tony tourna la tête vers lui, haussa les sourcils.

« Tu veux que j'arrête ?

— Oui. Il y en a trop. C'est pas la peine. »

Celle-là, j'étais incapable de la laisser passer.

« On ne peut pas faire ça.

— Tu veux que Tony passe la journée ici ? me dit DeVries en empochant la loupe.

— S'il le faut, oui. C'est son travail.

— Ça ne donnerait rien. Le tueur n'est pas fiché.

— Ça, c'est ce que tu penses, dis-je.

— Si on saupoudre tout le logement, protesta DeVries, il va falloir comparer toutes les empreintes relevées aux empreintes des gens qui ont rendu visite à Cécile Jetté au cours des derniers jours, des dernières semaines. Il va falloir retrouver tout ce monde-là. Ça va prendre du temps et des hommes.

— Oui, mais si le tueur est fiché…

— Il ne l'est pas », coupa DeVries.

Le spécialiste des empreintes nous observait, les sourcils toujours haussés.

«Tu n'as aucune preuve de ça, repris-je.

— C'est mon instinct qui me le dit.

— Il se trompe peut-être, ton instinct. Le seul moyen de s'assurer qu'il n'est pas dans l'erreur, c'est de relever les empreintes. Qui sait? Tu vas peut-être découvrir celles d'un des pervers de ta pile de dossiers.»

DeVries n'aimait pas la tournure que prenait la conversation.

«Tu ne comprends pas, Stan, dit-il d'une voix tendue. Des hommes, il m'en manque déjà, et du temps…

— Trouves-en, des hommes.

— Oh! c'est facile à dire, ça. Réfléchis une minute. Les hommes que je vais employer pour retrouver les visiteurs de Cécile Jetté ne travailleront pas sur les autres meurtres pendant ce temps-là. Ces dossiers-là ne sont pas réglés, il faut continuer à les fouiller. Remballe ton matériel, Tony.

— Attends», dis-je.

Tony nous regarda tour à tour avec un air de chien égaré.

«Relever les empreintes sur la scène d'un crime, c'est élémentaire. Il faut suivre la procédure.

— La procédure, répéta DeVries, sarcastique. On croirait entendre Nécarré.

— Je me demande ce qu'il dirait de tout ça…

— Je me fous de ce qu'il peut dire ou penser, lui, O.K.? répliqua DeVries d'une voix tranchante. C'est moi qui décide et j'ai décidé qu'on ne s'occuperait pas des empreintes ce coup-ci. On a une meilleure chance de coincer ce malade-là en procédant à des interrogatoires et, pour ça, j'ai besoin de tout mon monde, O.K.? Tony, remballe ton matériel.»

Tony se tourna vers moi et m'interrogea du regard. Je ne dis rien. Il n'y avait rien à dire. C'est DeVries qui décidait. Quoi que je fasse, quoi que je dise, il me ressortirait cet argument-là.

J'allai dans la chambre pour essayer d'en savoir un peu plus sur Cécile Jetté. Le lit était vide, les croque-morts avaient emporté le corps. Elle aimait la lecture, une étagère dans un coin débordait de livres. Les auteurs se nommaient Baudelaire, Rimbaud, Aragon. J'avais déjà entendu le nom de ce dernier quelque part. Ça me rappela de mauvais souvenirs, alors je m'assis au bord du lit et ouvris le tiroir de la table de nuit. Il contenait le genre de choses qu'on s'attend à trouver dans le tiroir d'une table de nuit, en plus d'une photo et d'une dizaine de feuilles.

Sur la photo, on voyait la victime accoudée à une balustrade en compagnie d'un homme. Elle souriait à peine, lui pas du tout. Il avait l'air préoccupé. Le vent ébouriffait leurs cheveux à tous les deux. La victime ressemblait à n'importe laquelle de ces femmes dans la quarantaine qu'on croise chaque jour sur le trottoir. L'homme paraissait plus âgé qu'elle. Ses lunettes à monture d'écaille le vieillissaient peut-être un peu. Elles lui donnaient des airs de professeur. Les immeubles du centre-ville se dressaient derrière eux comme une forêt de béton. La photo avait dû être prise au belvédère du mont Royal.

Je jetai un œil au verso de la photo. Pas de date ni d'indication, rien.

« C'est qui ? demanda DeVries, qui était entré dans la chambre sans que je m'en rende compte.

— La victime.

— Oui, mais le gars ?

— Comment veux-tu que je le sache ?

— Un membre de la famille ?

— Peut-être, dis-je. Quoiqu'ils ne se ressemblent pas beaucoup.

— C'est vrai. »

Je passai aux feuilles. Elles étaient recouvertes d'une écriture espacée. Encore des poèmes. Les mots étaient parfois brouillés comme si la main de l'auteur avait été saisie de tremblements soudains. Ce n'était pas l'écriture d'une femme.

Je parcourus le premier des yeux, *La petite église*.

> *Quand fut-elle érigée ?*
> *Il y a de ça longtemps.*
> *Plusieurs ont pleuré*
> *De joie en la voyant.*
>
> *Elle vit nos ancêtres*
> *Naître, souffrir et mourir.*
> *Son bois, venu de hêtres*
> *En garde de nombreux souvenirs.*
>
> *De toutes les intempéries*
> *Comme un solide roc*
> *Elle s'est ri,*
> *Tremblant parfois sous le choc.*
>
> *Comme il en passa*
> *Des gens sur ses planchers.*
> *Toujours sur eux elle veilla*
> *Lors de graves difficultés.*
>
> *Elle en vit pleurer*
> *Des gens malheureux.*
> *Elle fit tout pour consoler*
> *Ceux que la vie favorise peu.*
>
> *Des gens heureux aussi il en déambula*
> *Dans ses allées étroites.*
> *Elle ne les revit plus*
> *Car aujourd'hui, ils boitent.*

Ce n'était pas mal. C'était simple, sans fioriture. Mais qu'est-ce que je connaissais à la poésie ? L'homme de la photo en était-il l'auteur ? J'en lus un autre, *Le voyage*.

> *Petite inconnue ma vie tu as traversée,*
> *Dans l'herbe de mon espérance tu as flâné.*
> *De moi tu t'es grisée pour ensuite t'en rire*
> *Ton souvenir ne me quittera jamais.*

« Dans l'herbe de mon espérance tu as flâné »... Je continuai :

> *Dans l'air parfumé nous avons dansé,*
> *De vin nous nous sommes soûlés pour ensuite*
> *Au plaisir de notre peau humide et chaude*
> *S'abandonner et subir les délices.*

Je sautai à la dernière strophe :

> *Au retour je ne t'ai plus vue près de moi.*
> *À ce carrefour de la vie, je t'ai croisée*
> *Une loque humaine une bête tu étais*
> *Alors j'ai compris que tu n'étais qu'une prostituée.*

C'était une bonne fin, un peu comme un punch à la fin d'une blague. Je passai à un autre poème. Il n'avait pas de titre, celui-là.

> *Il me faudra beaucoup de nuits pour oublier*
> *Tes grands yeux noirs et bruns de fée*
> *Tu es en moi plus que la vie*
> *Et je refuse qu'entre toi et moi ce soit fini*
>
> *Il me faudra beaucoup de nuits pour oublier*
> *Ces longs moments où toi et moi*
> *Nous restions là sans mot dire*
> *Que l'on se sera tant aimés*
>
> *Il me faudra beaucoup de nuits pour oublier*
> *Ces heures entières où nous comptions les étoiles*
> *Et étions émerveillés de voir les amants oublier*
> *De prendre des éternités de patience pour tisser*
> *   leur toile.*
>
> *Il me faudra beaucoup de nuits pour oublier*
> *Ces habitudes de toucher ton visage de joie inondé*
> *Dans des sentiers de...*

« Hé, regarde ça », dit DeVries en interrompant ma lecture.

Il contourna le lit et brandit une chaînette devant mes yeux. Une croix se balançait au bout. Elle n'était pas grosse, mais on distinguait bien Jésus-Christ notre Sauveur. Il était plaqué or, la croix, elle, plaquée argent.

« Je l'ai trouvée sur le plancher, de l'autre côté du lit.

— Elle l'avait peut-être échappée, dis-je.

— La chaîne est cassée. Elle s'est peut-être brisée pendant qu'ils se chamaillaient.

— Sa chemise de nuit est déchirée…

— Exact, dit DeVries.

— Le tueur aurait placé le corps comme on l'a trouvé ? »

DeVries esquissa une moue.

« Pourquoi pas ? Il a bien traîné le corps de la petite Janssen de la chambre au salon. Dis donc, qu'est-ce qui t'est arrivé à la main ? »

J'avais pansé mes coupures avec des Band-Aid.

« J'ai cassé un miroir avec.

— Ah oui ? »

Il pensait que je blaguais.

Le détective Castonguay apparut dans l'embrasure de la porte.

« J'ai mis la main sur le concierge, Rog.

— J'arrive », dit DeVries.

Il glissa la chaîne dans sa poche de veston et quitta la chambre. Je pris les poèmes et la photo et le rejoignis. Le concierge était un de ces personnages qui tirent le diable par la queue – un autre. Il avait la bedaine d'une femme enceinte de six mois, ses cheveux étaient de la couleur d'une vieille vadrouille.

DeVries ne le jugea pas assez important pour le vouvoyer.

« C'est toi qui as découvert le corps ?

— Oui, c'est moi.

— Qu'est-ce que tu faisais ici?

— Je voulais réparer le robinet de l'évier dans la cuisine, dit le concierge. Il coulait – il coule encore, d'ailleurs.

— Continue.

— J'ai cogné, puis comme madame Jetté n'ouvrait pas, je suis entré. J'ai un double de la clé. Je me disais qu'elle devait être sortie, mais quand je suis passé devant sa chambre et que je l'ai vue dans son lit… J'ai ben vu qu'il y avait quelque chose qui clochait, alors je vous ai appelés.»

Le concierge baissa les yeux.

«C'est dommage, c'était une femme bien gentille, dit-il d'une voix pleine de regret. Une soie. Elle disait bonjour à tout le monde, on ne l'entendait jamais – une soie, je vous dis. Vous pouvez demander aux autres locataires.

— Tu sais ce qu'elle faisait dans la vie? demanda DeVries.

— Non. Elle payait toujours son loyer à temps. Moi, dans ce temps-là, je ne pose pas de questions.

— Quand l'as-tu vue vivante pour la dernière fois?

— Hier après-midi, dans le hall, dit le concierge. Elle revenait de faire des commissions, elle avait un sac dans chaque main.

— Il était quelle heure?

— Oh, une heure-une heure et quart, quelque part par là.

— Tu n'avais rien remarqué de particulier chez elle ces derniers temps?»

Le concierge fronça les sourcils.

«Pas de va-et-vient dans son appartement ou dans l'immeuble? suggéra DeVries.

— Non. On ne l'entendait jamais, je vous dis.

— Dans l'immeuble ?

— Rien, dit le concierge. Le train-train habituel.

— Elle fréquentait quelqu'un ?

— Non. C'était une vieille fille. Les hommes ne l'intéressaient pas.

— T'as déjà vu celui-là ? » demanda DeVries.

Je levai la photo de Cécile Jetté et de l'homme devant les yeux du concierge. Il secoua la tête.

« Non. C'est qui ?

— On se pose justement la même question. »

En début de soirée, on n'avait toujours pas trouvé la réponse. Personne dans l'immeuble n'avait vu l'homme de la photo. Une vieille femme qui passait ses journées à sa fenêtre connaissait tout des allées et venues des locataires de l'immeuble, sauf des allées et venues de Cécile Jetté. On espérait que madame Georges Carrière, la sœur de la victime, nous serait d'un plus grand secours. C'est elle qui procéderait à l'identification.

Le légiste avait encore son sarrau sur le dos quand on arriva à la morgue. Il se lavait les mains à l'évier dans la pièce blanche. Le corps de Cécile Jetté, recouvert d'un drap, trônait au centre.

« Je n'ai pas commencé mon rapport, dit-il.

— Raconte-moi ce que t'as trouvé, dit DeVries en suçotant un de ses bonbons à la menthe. Je n'aime pas ton style, *anyway*. Trop de mots de dix lettres. »

Le légiste ferma les robinets et agrippa une serviette.

« Il n'y a pas grand-chose que tu ne saches déjà, dit-il en se séchant les mains. Elle est morte ce matin, assez tôt. Entre sept et neuf. Sévices sexuels. Je pense qu'il a réussi – le tueur, je veux dire – qu'il a réussi à l'immobiliser et qu'il l'a violée. Elle a perdu connaissance pendant l'acte et il l'a étranglée, puis il a placé son corps dans la position où on l'a trouvé.

« — Et qu'est-ce qu'il y a de nouveau ? demanda DeVries.

— Il lui a attaché le bas autour du cou à la fin.

— Tu veux dire qu'elle était déjà morte ?

— Oui, affirma le légiste. Regarde. »

Il rejeta jusqu'aux épaules le drap qui recouvrait Cécile Jetté. J'y jetai un œil rapide le temps de voir des ecchymoses mauves dans son cou. Il y avait aussi de petites lésions rouges en forme de demi-lune. Des traces d'ongles.

« Ce sont des mains humaines qui l'ont tuée », dit DeVries.

Son sens de la déduction m'épaterait toujours.

« Le bas a été serré avec force, dit le légiste, mais pas assez pour causer l'asphyxie.

— Certain ?

— Certain.

— Pourquoi il a fait ça ? Je ne comprends pas ce gars-là.

— Il n'y a rien à comprendre, c'est un malade.

— Il ne s'agit peut-être pas de notre tueur, pensa tout haut DeVries. Quelqu'un d'autre a pu l'agresser, puis il lui a noué le bas autour du cou pour que ça ressemble à l'œuvre du tueur.

— Tu as un candidat en tête ? lui demandai-je.

— Le gars de la photo. Ce n'est pas net net, sa relation avec la victime. »

La sonnerie du bureau retentit.

Le légiste alla voir qui c'était. Il revint au bout d'un instant, suivi d'un homme et d'une femme. On aurait dit la vieille photo d'un couple de paysans qui venait de prendre vie. Dès que la femme entra dans la pièce, elle riva les yeux sur le visage de Cécile Jetté et devint aussi blanche que la défunte.

« C'est madame Carrière », précisa le légiste.

Personne ne bougea, comme si Cécile Jetté dormait et qu'on avait peur de la réveiller.

«C'est euh… C'est votre sœur?» demanda finalement DeVries.

Monsieur Carrière passa un bras réconfortant autour des épaules de son épouse. Elle ne dit pas un mot. Mais les larmes qui voilèrent ses yeux et les tremblements qui secouèrent ses lèvres suffirent amplement comme réponse.

Le légiste remonta le drap sur le visage de Cécile Jetté.

« On aimerait vous poser quelques questions à propos de votre sœur, madame Carrière, dit DeVries en se perchant sur un coin du bureau. D'accord?»

Madame Carrière, assise devant lui, renifla et hocha la tête. Elle avait cessé de pleurer quelques instants plus tôt, mais gardait un mouchoir serré dans son poing au cas où les écluses s'ouvriraient de nouveau.

«Quand l'avez-vous vue pour la dernière fois?

— La semaine passée, dit madame Carrière. On a dîné ensemble en ville, chez Eaton.

— De quoi avez-vous parlé?

— Oh, de tout et de rien.

— Elle vous a semblé nerveuse, soucieuse? dit DeVries.

— Hum?»

Elle tamponnait ses yeux bouffis et n'avait pas compris la question. Son mari, assis à sa droite, lui tapota la main. Son regard se posait tour à tour sur son épouse puis sur DeVries, comme s'il suivait un échange au tennis.

«Elle vous a semblé nerveuse, soucieuse? demanda encore DeVries.

— Elle avait peur…

— Peur ?

— Oui. Du… du tueur, dit madame Carrière d'une voix hésitante. Elle m'a dit qu'elle n'osait plus sortir le soir et qu'elle n'ouvrait plus à des inconnus.

— On est sur sa piste, dit DeVries comme pour s'excuser. Elle fréquentait quelqu'un ?»

Madame Carrière hocha la tête, renifla bruyamment.

«Qui ?

— Un… Un homme.

— Lui ? dit-il en montrant la photo.

— Oui.

— Ça durait depuis quand ?

— Je… je ne sais pas.

— Elle vous a dit autre chose ? Qu'elle voulait le quitter, par exemple ?

— Non, dit madame Carrière d'une voix tremblotante.

— Vous savez son nom ?»

Elle répondit par une sorte de couinement et les écluses s'ouvrirent. Ses sanglots et ses hoquets me hérissaient.

«Vous ne savez pas son nom ?

— Non…

— Elle a parlé de sa relation avec quelqu'un d'autre ? Une amie, peut-être ?

— Bon, ça suffit, intervint soudain monsieur Carrière.

— Juste une minute, dit DeVries. Vous êtes certaine qu'elle ne s'est pas confiée à quelqu'un d'autre ?

— Non, elle ne le sait pas !

— Monsieur Carrière, s'il vous plaît. Je sais que c'est difficile… »

Monsieur Carrière bondit sur ses pieds.

« Comment pouvez-vous dire une chose pareille ? Elle était très proche de sa sœur. Vous devriez avoir honte de la mitrailler de questions comme ça !

— Je fais mon travail, c'est tout.

— Ah oui ? Si vous faisiez plus d'efforts, Cécile serait sûrement encore vivante.

— C'est injuste ce que vous dites là, monsieur Carrière, dit DeVries avec un calme étonnant.

— C'est la vérité ! répliqua-t-il. C'est le tueur dont on parle dans les journaux qui l'a tuée, n'est-ce pas ? Ça lui fait combien de victimes, maintenant ? Cinq, six, sept ? Pourquoi est-il toujours en liberté ?

— Écoutez, il est important qu'on parle à son amant.

— Ça peut attendre.

— Si c'est lui qui l'a tuée, mieux vaut le découvrir au plus vite avant qu'il décampe.

— C'est un suspect ? dit monsieur Carrière.

— On aimerait lui parler. »

Madame Carrière pleurait à chaudes larmes, le visage enfoui dans son mouchoir. Je n'en pouvais plus, je voulais qu'elle nous réponde, qu'est-ce qu'il y avait de si difficile là-dedans ?

« Madame Carrière ? » dis-je en me penchant sur elle.

Elle leva la tête, les yeux baignés de larmes. Un filet de morve pendait de sa narine droite.

« Votre sœur s'est-elle confiée à quelqu'un d'autre ?

— N… non, bégaya-t-elle. Elle… Elle…

— Qu'est-ce que vous faites-là ? éructa son mari. J'ai dit que c'était assez !

— Laissez-la finir, dis-je. Madame Carrière ?

— Elle ne voulait pas que… que personne sache.

— Certaine ? »

Monsieur Carrière contourna son épouse, m'agrippa par un bras et me força à reculer.

« Ça suffit comme ça ! Vous n'avez aucune décence.

— Donne-moi la croix », dis-je à DeVries.

Il glissa la main dans sa poche et me la donna sans discuter. Je me défis de l'étreinte de monsieur Carrière et me penchai encore une fois sur son épouse, tandis que DeVries le retenait, lui.

« Vous avez déjà vu ce bijou-là ?

— Non.

— Vous êtes sûre ?

— Ça suffit ! lança de nouveau monsieur Carrière derrière moi.

— Madame Carrière ? dis-je.

— Je… je suis sûre, gémit-elle.

— Votre sœur ne l'avait pas reçue de votre grand-mère ou d'une parente éloignée ?

— Non, je… je ne l'ai jamais vue…

— Bon. Merci. »

Tout de suite après, monsieur Carrière entraîna son épouse vers la porte. Il cria par-dessus son épaule qu'on en entendrait parler, qu'il allait porter plainte. DeVries ferma la porte derrière eux et expira bruyamment.

« Je ne suis pas fâché qu'il soit parti, lui. »

Il s'écrasa dans la chaise derrière le bureau.

« Avec tout ça, on ne sait toujours pas qui est l'homme de la photo. Je n'arrive pas à croire que personne dans l'entourage de Cécile Jetté sache qui il est.

— Il va peut-être se pointer aux funérailles.

— Oui, ou il va peut-être donner signe de vie en lisant le journal demain. Je vais quand même placer deux gars devant l'immeuble de Cécile Jetté, au cas où. Dis donc, ajouta DeVries en fronçant les sourcils, tu n'y es pas allé un peu fort tantôt ?

— On a eu ce qu'on voulait, dis-je pour essayer de me déculpabiliser. Et la croix ?

— Tu penses qu'on devrait la montrer à quelques bijoutiers pour voir s'ils la reconnaissent ?

— C'est peut-être une pièce rare.

— Moi, je n'en ai jamais vue de pareille, en tout cas. Tu sais ce que je pense ?

— Qu'elle appartient au tueur et qu'il l'a perdue en assassinant Cécile Jetté?

— En plein ça, dit DeVries d'un ton convaincu.

— C'est possible. Mais peut-être que madame Carrière ne l'avait jamais remarquée, c'est tout. Tu reconnaîtrais tous les bijoux de ta femme, toi?

— Non, c'est vrai, marmonna-t-il.

— Ou peut-être que l'homme de la photo la lui avait donnée en cadeau et qu'elle la portait juste quand elle le voyait.»

Il hocha la tête.

«Peut-être. Il faut vraiment qu'on retrouve ce gars-là.»

CHAPITRE 10

La Buick surgit au coin de la rue à sept heures et s'arrêta en douce devant la maison. Le conducteur klaxonna deux coups. Kathryn apparut sous le porche. Elle monta, la Buick reprit la route. Ils devaient aller au cinéma comme l'autre soir. Ils devaient sortir tous les trois ou quatre jours – peut-être plus souvent que ça. Je ne pouvais monter la garde chaque soir. Ils allaient bavarder, rire ensemble. Ça, c'était dur à avaler – Kathryn riant en compagnie d'un autre homme. C'était pire que du sirop contre la toux. J'avais cru qu'elle ne riait qu'avec moi.

Ils n'allaient pas au cinéma, ils allaient dans un club prendre un verre. Je ne les suivis pas à l'intérieur, ça n'aurait rien fait de bon pour mon moral. Je roulai un moment tel un touriste égaré. Je n'avais plus d'oreilles pour m'écouter. La personne à qui j'avais l'habitude de parler était partie pour un monde qui ne pouvait qu'être meilleur que celui-ci.

Je m'arrêtai finalement sur Saint-Laurent, dans le genre de club où les serveuses connaissent les clients par leur petit nom. Le plafond était bas, l'éclairage pisseux. Le patron semblait avoir recruté ses serveuses en plein *red light*. L'une d'elles n'avait pas de dents.

Les clients se comptaient sur les doigts d'une main. Rien d'étonnant, c'était un trou. J'avais décidé de m'y arrêter expressément pour ça. Les choses ne pouvaient que s'améliorer quand je sortirais de là. Y prendre quelques verres et repartir serait une bonne thérapie. J'aurais été trop à l'aise chez moi, je me serais noyé dans un verre.

Je m'assis au fond de la salle, allumai une Grads et demandai un whisky sur glace, qu'on vint déposer sur ma table dans un verre à peine propre. Je le bus lentement en écoutant les conversations des clients autour de moi. Il y avait deux couples assis à quelques tables de la mienne. L'un des mâles était un gros jambon dont la bedaine reposait sur de grosses cuisses moulées dans de la flanelle grise. Je ne le connaissais pas, mais je le détestai dès que mon regard eut la malchance de se poser dessus. Il parlait et riait plus fort que tout le monde. Je semblais être le seul client que ça dérangeait. Les gros épais qui parlent fort sont aussi répandus dans les clubs que les fourmis dans les pique-niques.

La fille assise à côté de lui n'était guère plus brillante. Elle riait chaque fois qu'il s'ouvrait la trappe, alors que l'autre couple se contentait de sourire poliment. Elle avait le teint pâle, trop pâle. Elle s'était fait des lèvres pulpeuses à l'aide de cinq ou six tubes de rouge à lèvres. Elle avait trop bu. Ses yeux étaient vitreux, des taches rouges étaient apparues sur ses joues. Elle avait l'air d'un clown. Elle riait quand je posai les yeux sur elle la première fois. Elle s'était fait arracher les dents de sagesse et avait mangé un hamburger et une frite et bu un lait frappé aux fraises pour souper.

Elle trouverait ça moins drôle tout à l'heure, quand le gros gras l'amènerait sur le mont Royal ou à un autre endroit discret afin de pouvoir la peloter à son aise. Elle sentirait ses gros doigts brutaux sur ses seins et son haleine parfumée au gin, son odeur âcre de sueur lui fouetteraient les narines. Elle protesterait, en vain. Le gros épais y avait droit, après tout, c'était sa récompense pour l'avoir sortie. Bien fait pour elle.

Mon verre était vide. La serveuse édentée passait dans mon coin, je lui fis signe. Elle se déhancha jusqu'au bar et relaya ma commande au barman. Il y avait un type en bras de chemise, la cravate en bataille, accoudé au zinc. Un autre verre et il serait assez soûl pour s'attaquer, sans aucune raison, à Joe Louis. Il passa un bras autour de la taille de la serveuse et colla sa joue contre sa hanche. Elle lui sourit. Était-ce d'un air farouche ? C'était difficile à dire vu qu'elle n'avait pas de dents.

Elle se défit de son étreinte et m'apporta mon verre. Le gros épais et la fille éclatèrent de rire. Quel genre de vie le gars au bar menait-il ? Il avait l'air assez jeune, fin de la vingtaine, début de la trentaine. Marié, sûrement. Quatre, cinq enfants, peut-être six. Je ne sais pas si je l'enviais. Sa femme ne devait plus ressembler en rien à la fille qu'il avait épousée. Elle devait maintenant avoir l'air d'une glacière. Elle lui tomberait dessus dès son arrivée tout à l'heure : «Où est-ce que t'étais passé ? À la taverne encore, c'est ça ? T'es un bon-à-rien, tu bois tout notre argent» et d'autres petits mots doux dans le genre. Il répliquerait, le ton monterait et les p'tits se mettraient à brailler, wouin, wouin, wouin. J'aurais peut-être dû le lui payer, cet autre verre.

J'étais donc assis là en compagnie de mon whisky sur glace, je ne dérangeais personne, quand une voix m'interpella : «Stan ! Tu parles d'un hasard… »

C'était Claude Poitras, du *Montréal-Matin*. Sous sa moustache broussailleuse, sa bouche me souriait, révélant des dents de lapin en manque de dentifrice. Une blonde s'accrochait à son bras – littéralement : elle était si soûle qu'elle avait de la misère à se tenir debout. C'était une fausse blonde. En y regardant de plus près, on voyait les repousses noires de ses cheveux. Ses seins semblaient sur le point de jaillir de son décolleté, ils défiaient la gravité. Un soutien-gorge spécial, sans doute. Ça faisait aussi artificiel qu'une rhinoplastie effectuée par un chirurgien à moitié aveugle.

Claude Poitras laissa faire les présentations.

« Comment ça va, mon vieux ?

— Ça ira mieux dans une heure.

— Hé, j'ai entendu dire que t'étais retourné à la Sûreté pour enquêter sur le tueur.

— Tu as bien entendu.

— T'as pas un scoop pour ton vieux chum ?

— Non. Dégage.

— Ah, envoye donc, dit Claude Poitras, tu sais sûrement quelque chose de défendu.

— Si c'est défendu, c'est qu'il y a une raison, non ?

— C'est ben vrai, dit-il en ricanant. Toujours le mot pour rire, hein, Stan ? »

Je ne dis rien. Je fixai mon verre en me demandant ce que sa femme dirait si elle le voyait en si charmante compagnie. J'en vins à la conclusion que je m'en foutais.

« Envoye, insista-t-il. Je t'ai aidé une fois, moi. T'étais dans un cul-de-sac, tu t'en souviens ? J'ai fait marcher mes contacts pour toi – sans frais.

— Maintenant tu collectes, c'est ça ?

— Non, mais un service en attire un autre, comme on dit. Vous avez des pistes, quelque chose ?

— Tu n'as rien de mieux à faire ?

— Si tu parles de Doris, dit-il indiquant à l'horreur à son bras, elle n'est pas payée à l'heure, t'en fais pas. »

Il ricana encore. Doris l'imita. Elle était bien dressée. Allait-il lui donner un sucre en guise de récompense?

« Non, je veux dire : tu n'as rien de mieux à faire que de m'importuner?

— T'importuner? répéta-t-il.

— C'est un mot. Tu vérifieras dans ton dictionnaire.

— Vous avez rien?

— Je n'aime pas me répéter.

— Voyons, ça se peut pas. Vous devez ben avoir quelque chose. »

Je décollai les yeux de mon verre. Il avait de petits yeux noirs, un long nez. En plus de la moustache et des dents, il avait l'air d'un rat. Un rat gluant.

« Tu n'as pas compris ce que j'ai dit? "Dégage", c'est assez clair pourtant. Quoique ton vocabulaire a l'air aussi étendu que le vocabulaire d'un homme préhistorique. Va-t'en, fais de l'air, déguerpis. Voilà. Tu comprends maintenant, Cro-Magnon? Fais un quart de tour et marche vers la porte, au fond là-bas. Pour marcher, t'avances le pied droit, puis le gauche, puis encore le droit et encore le gauche, et ainsi de suite. Tu penses pouvoir y arriver ou tu as besoin d'une petite démonstration?

— Pas besoin de prendre ce ton-là, dit hautainement Claude Poitras. J'ai compris, je m'en vais.

— C'est ça, retourne dans ta caverne.

— Je vais m'en souvenir. »

Il entraîna la fausse blonde vers la porte. En montant les marches, elle perdit pied et il l'aida à reprendre son équilibre. Elle n'avait pas la classe qu'avait Fleurette – pas le dixième.

Le gros épais éclata encore de rire. J'étais pire que lui, j'étais pire que tous les gens dans la salle. Je sirotai mon whisky et un goût bilieux m'emplit la bouche. C'était la gorgée de trop. Déjà. Je n'enverrais pas mes problèmes par le fond ce soir-là. Difficile de dire si c'était une bonne ou une mauvaise chose.

Je réglai ma facture. Pendant que je roulais vers chez moi, le paysage de l'autre côté du parebrise devint flou, tout embrouillé, comme si la pluie tombait. Il ne pleuvait pas.

CHAPITRE 11

Les funérailles de Cécile Jetté eurent lieu trois jours après la découverte de son corps, ce qui nous donna le temps de faire notre travail. Selon les frères et sœurs de la défunte (ses parents n'étaient plus de ce monde), c'était une femme sérieuse, à son affaire ; elle partageait ce trait de caractère avec les autres victimes. Elle travaillait dans une petite librairie située à deux pas de Saint-Denis, la librairie Au Fil des Mots. L'homme de la photo ne leur disait rien. Ils semblèrent surpris et heureux de voir qu'elle avait fréquenté quelqu'un. Elle n'avait jamais eu d'homme dans sa vie, elle était bien vieille fille, comme l'avait dit le concierge. Le propriétaire de la librairie, lui, avait déjà vu l'inconnu, qui venait voir régulièrement la victime au travail, mais il n'avait aucune idée de son identité. C'étaient de bons amis, selon lui.

De leur côté, Néron et des détectives essayèrent de retrouver le propriétaire de la croix. On ne fondait pas trop d'espoirs sur cette piste-là, elle avait pu être achetée n'importe où en province ou même à l'extérieur du pays. Comme de fait, les bijoutiers qui l'examinèrent n'en avaient jamais vu de semblable. Tout ce qu'ils nous apprirent, c'est qu'elle avait dû coûter cher.

Les journalistes avaient encore de quoi se mettre sous la dent et ils en profitèrent. Ils ne rataient jamais une occasion, ils étaient voraces. Cette fois-ci, c'est le chef de police en personne, Albert Langlois, qui fut le plat de résistance. Pourquoi l'enquête n'avançait-elle pas ? Le tueur avait fait six victimes. Les autorités étaient-elles dépassées par les événements ? La situation était-elle encore plus grave qu'on ne le laissait croire ? Cachait-on la vérité au public ? En réponse à ces questions, Albert Langlois s'épongea le front avec un mouchoir et réitéra sa confiance en DeVries et ses hommes.

Même J.-O. Asselin, le président du Comité exécutif de la ville, n'échappa pas aux journalistes. C'était lui et ses conseillers qui avaient nommé Langlois à son poste. Ne devait-il pas le débarquer de là et le remplacer par quelqu'un de compétent ? Les gens voulaient des résultats. Asselin exprima aussi sa confiance envers le chef de police Langlois. Il était convaincu que ses hommes faisaient tout leur possible pour mettre fin à cette série de meurtres et qu'ils réussiraient bientôt. Même Monsieur le maire évoqua sa confiance envers le chef de police. Les élections municipales étaient prévues pour décembre et le bon vieux Camillien ne voulait pas se mettre Asselin à dos.

C'était beau de les voir tous se témoigner leur confiance, tandis que le tueur courait toujours.

Le jour de l'enterrement, au cimetière du Mont-Royal, le ciel était chargé de gros nuages menaçants, comme dans les films. Je me plaçai avec DeVries à quelques pierres tombales du terrain des Jetté et on guetta l'arrivée de l'homme de la photo. Le curé refermait sa bible quand l'homme sortit de derrière un ange en pierre. Il fit un pas vers les gens vêtus de noir, puis s'arrêta. Il resta un moment immobile comme l'ange en pierre, puis recula d'un pas et se cacha derrière.

On se dirigea vers lui en nous faufilant entre les pierres tombales. C'était un homme de taille moyenne au dos voûté. Il portait un veston en tweed et un pantalon en flanelle grise tout fripés. Il n'était ni peigné ni rasé. On aurait dit un banquier qui venait de se retrouver à la rue. Il nous regarda nous approcher. Ses yeux derrière les lunettes étaient vitreux et pochés. L'odeur de l'alcool lui collait à la peau comme de la mauvaise eau de Cologne.

« Vous êtes de la police ? dit-il d'une voix pâteuse.

— Oui, répondit DeVries.

— Vous voulez m'interroger, j'imagine ?

— On a quelques questions à te poser, oui. »

L'homme baissa la tête, poussa un grognement ennuyé. DeVries lui agrippa un coude.

« On y va.

— Je n'ai pas l'intention de me sauver, vous savez. »

DeVries le lâcha et on emprunta un sentier de gravier qu'il y avait tout près. Au bout de quelques pas, l'homme s'arrêta et jeta un regard vers les gens attroupés autour du cercueil. Puis il reprit sa marche.

Il s'appelait Raymond Chalmers. Cinquante-deux ans. Domicilié sur le boulevard Saint-Laurent, dans le coin fortuné du Plateau. Comptable à la Catelli ltée, le seul manufacturier de pâtes alimentaires au Canada. Marié, aucun enfant.

« Vous voulez savoir comment je l'ai connue, c'est ça ? nous demanda-t-il.

— On ne t'a pas emmené ici pour prendre le thé, dit DeVries.

— Je vais tout vous dire, pas besoin de me braquer une lampe dans les yeux et de me mitrailler de questions. Je l'ai rencontrée à la librairie Au Fil des Mots.

Elle travaillait là, vous l'avez sûrement appris pendant votre enquête. J'étais un habitué de la place. J'y passais des après-midi entiers à feuilleter des livres.

— Et votre travail ? lui fis-je remarquer.

— Je prenais de longs dîners. Je ne vais pas y retourner, maintenant. Si j'y remettais les pieds, ce serait comme profaner un sépulcre. Leur section de poésie est bien garnie : Baudelaire, Rimbaud, Lamartine. Ils ont aussi des auteurs moins connus, comme Isidore Ducasse, le comte de Lautréamont. C'était un gars un peu fou, vous savez. Il a écrit des choses… *Anyway*, elle était là quand je suis arrivé un midi. Ce devait être sa première journée, je ne l'avais jamais vue avant. Je voulais jeter un œil aux *Fleurs du mal*. Je savais où il était placé, je l'avais déjà feuilleté avant, mais je lui ai demandé de m'aider quand même. Elle avait l'air fine. Et elle n'avait rien à faire, elle déplaçait des livres sur une tablette et les remettait à la même place. Dites-moi, j'ai le droit de passer un coup de fil, non ?

— Tu veux appeler ton avocat, j'imagine ? dit DeVries.

— Non, ma femme. Elle doit s'inquiéter. Je lui ai dit que j'allais acheter le journal. »

Il sortit un Zippo blanc et un paquet de Player's de sa poche de veston et alluma une cigarette. Ses mains tremblaient. Les vapeurs de l'alcool commençaient à se dissiper.

« Elle m'a montré où se trouvait *les Fleurs du mal*, continua-t-il. On a bavardé un peu. Elle m'a demandé si j'aimais la poésie, je lui ai dit que Baudelaire était mon auteur favori, et cetera. J'ai mentionné que *les Fleurs du mal* avait valu un procès à Baudelaire et elle m'a dit qu'elle le savait. Ça m'a étonné. Il faut connaître la poésie pour être au courant de ce genre de détails. Elle s'y connaissait – à vrai dire, elle en savait presque autant que moi. Parfois, je déclamais des vers et elle les finissait à ma place. On a surtout parlé de Baudelaire ce jour-là. On a discuté d'autres auteurs les jours suivants, de leur vie, de leur style, de ce qu'on aimait chez eux et de ce qu'on n'aimait pas. On avait les mêmes goûts.

— Vous avez l'air intimes là-dessus », dit De Vries en sortant la photo du dossier devant lui.

Chalmers baissa les yeux sur la photo une seconde.

« C'était à la montagne. C'est la seule fois où on est sortis ensemble. D'habitude, on se voyait à la librairie ou dans un petit restaurant pas loin de là. Elle avait apporté son appareil photo pour commémorer l'événement et elle a demandé à un badaud de nous prendre.

— Ça remonte à quand ? demandai-je.

— Au printemps de cette année.

— Vous avez couché ensemble ? » dit De Vries en prenant un El Pietto dans sa poche de chemise.

Chalmers esquissa un sourire.

« Ah, je me doutais bien que vous me jetteriez cette question-là à la figure…

— C'est oui ou c'est non ?

— Vous n'avez rien compris à ce que j'ai dit, hein ? rétorqua Chalmers d'un ton agressif. J'aimais sa compagnie. J'aimais discuter poésie avec elle.

— Tu la trouvais de ton goût, non ? répliqua De Vries. C'est toi qui l'as approchée. T'as dit qu'elle avait l'air fine.

— "Il me faudra beaucoup de nuits pour oublier / Tes grands yeux noirs et bruns de fée"… »

Chalmers gloussa et glissa sa cigarette entre ses lèvres. De Vries esquissa une moue agacée.

« C'est de ton Baudelaire, ça ?

— Non, c'est d'un poète inconnu…

— Réponds à la question.

— Qu'est-ce que ça changerait ? Vous connaissez déjà la réponse, on dirait.

— Joue pas avec mes nerfs, Chalmers, grogna DeVries.

— Je ne l'ai jamais touchée, dit-il d'un ton grave. Je n'aurais jamais pu. Il y avait quelque chose de… de fragile chez elle. C'était une femme qui souffrait, je sentais qu'il y avait quelque chose qui n'allait pas. Vous ne me croyez sûrement pas, mais je m'en moque. Vous ne pouvez pas me croire, vous ne la connaissiez pas.

— Et ta femme dans tout ça ?

— Elle n'était pas au courant, bien sûr. Elle est très malade, vous savez. Il y a une dame qui s'occupe d'elle à la maison. Elle est garde-malade et cuisinière en même temps. Elle dort dans la chambre d'amis. Moi, je couche dans mon bureau. Il faut toujours que la chambre soit humide, ça aide mon épouse à mieux respirer. Je trouve ça insupportable, c'est moi qui étouffe.

— Ça n'a pas l'air de filer, dit DeVries.

— Elle est sur ses derniers milles, je pense. Si elle m'entendait… Je parle d'elle comme si c'était un tracteur.

— Elle a quel âge ? »

Chalmers repoussa sa chaise comme pour s'éloigner de la photo et de ses souvenirs et croisa les jambes.

« Soixante-dix ans. Je sais, je sais, vous vous demandez : "Pourquoi il a marié une femme de dix-huit ans son aînée ?" Eh bien, je vais vous le dire. Elle avait de l'argent – enfin, son père avait de l'argent et, quand il est mort, elle a hérité du magot. Moi, je détestais mon job de comptable. J'ai toujours détesté ça. Je trouve absurde la valeur qu'on donne aux chiffres dans le monde des affaires. Prenez un montant de cinquante mille dollars, par exemple. Qu'est-ce qui lui donne autant de valeur? Cinq zéros, le nombre qui représente une valeur nulle. Et il suffit d'effacer le cinq et le montant n'existe plus. Absurde, vous ne trouvez pas?»

Il tapota sa cigarette au-dessus d'un cendrier. DeVries, écrasé sur sa chaise, le fixait à travers les volutes de son El Pietto comme s'il était vert et que des antennes lui poussaient sur la tête.

« Eh oui, messieurs, continua Chalmers d'un ton sarcastique, j'ai épousé ma femme pour son argent. J'ai lâché la comptabilité et j'ai écrit un recueil de poésie, *Nihilisme de pensées*. Plutôt pompeux comme titre, vous ne trouvez pas ? C'est ma femme qui l'a trouvé. C'est elle qui a tout payé aussi. Mais personne n'en a voulu, alors je suis retourné à mes virgules et à mes zéros. C'était un rêve et les rêves ne peuvent pas se réaliser, sinon ce ne seraient pas des rêves.

— Vous avez continué à écrire quand même, dis-je.

— Vous avez trouvé certains de mes poèmes chez Cécile, c'est ça? dit-il en esquissant un sourire. Elle m'a demandé si j'en avais écrit, je lui ai dit que oui, il y avait longtemps. Elle m'a encouragé à recommencer. Elle était ma plus grande admiratrice.

— Revenons à nos moutons, si tu veux, dit DeVries en se redressant. On a une enquête à mener, nous.

— Bien sûr, allez-y.

— Elle est morte il y a deux jours, entre sept heures et neuf heures du matin.

— Hum! fit Chalmers. Ça pose un problème...

— Qu'est-ce que tu veux dire?

— Eh bien, je ne suis pas rentré au travail ce matin-là. J'avais la gueule de bois. J'ai émergé des brumes de l'alcool et de mon bureau vers onze heures seulement. Vous pourriez dire que je suis sorti de chez moi en douce, que j'ai assassiné Cécile, puis que je suis rentré ni vu ni connu, non?»

DeVries ne la trouvait pas drôle.

« On va se renseigner sur toi auprès de ton entourage et de tes collègues de travail.

— Faites donc.

— Oh, on va le faire.

— Cependant, dit Chalmers qui semblait regretter sa fanfaronnade, j'aimerais que vous laissiez mon épouse en dehors de tout ça. À cause de sa santé, vous comprenez.

— Elle va y passer elle aussi, grogna DeVries. C'est toi qui as donné ça à Cécile ? »

Il sortit la croix. Chalmers l'examina une seconde et détourna la tête.

« Je ne lui aurais jamais donné quelque chose d'aussi laid.

— Tu l'as déjà vue la porter ?

— Non.

— Certain ? dit DeVries. Regarde-la comme il faut.

— Pas besoin. Elle ne portait pas de bijoux à part une petite montre, si petite que Cécile devait se coller le nez sur le cadran pour voir les aiguilles.

— Si c'était à elle, tu la reconnaîtrais ?

— Je ne sais pas, soupira Chalmers en écrasant son mégot. En avez-vous encore pour longtemps ? »

On aurait dit un gamin qu'une balade en voiture ennuyait.

« C'est important qu'on sache si la croix lui appartenait ou non, dit DeVries.

— Eh ben, je ne sais pas. Je ne pense pas. Content ? Bon. C'était bien agréable, messieurs, mais il faut que j'y aille. »

Avant qu'on puisse ajouter quoi que ce soit, il s'était levé et se dirigeait vers la porte.

« Ne t'éloigne pas trop, hein ? » lança DeVries.

Il répondit d'un signe de la main et franchit le seuil. Le clac-clac de ses pas s'éloigna dans le couloir.

« *So* ? Qu'est-ce que tu penses de notre poète tragi-comique ? me demanda DeVries en tétant son El Pietto.

— Je le trouve plus tragique que comique.

— T'as remarqué la façon dont il parlait de Cécile Jetté ? Qu'il ne pouvait pas la toucher, qu'il y avait quelque chose de fragile chez elle ?

— Oui, et alors ?

— Ça m'a paru malsain.

— Malsain ?

— Hm-hm. Il me semble que c'est le genre de choses que dirait un malade après avoir fait une grosse bêtise. Je n'avais jamais entendu un gars parler d'une femme en ces termes-là. Toi ?

— Moi non plus », dis-je.

J'avais toutefois senti une certaine sensibilité chez Kathryn lors de nos premières sorties et je n'étais pas un malade pour autant. Je me levai et ouvris la fenêtre. On se serait cru dans un bain turc.

« Tu penses qu'il a tué Cécile Jetté ?

— C'est un bon candidat, non ? dit DeVries. Penses-y une minute. Il n'aime pas son travail, il n'est pas heureux en ménage et il boit. Peut-être que Cécile Jetté venait de lui annoncer qu'elle ne voulait plus le voir et il a craqué.

— Pourquoi elle aurait refusé de le voir ? Elle aimait parler de poésie avec lui.

— Ça, c'est lui qui le dit.

— Le propriétaire de la librairie les a souvent vus ensemble. Tu ne vas pas refaire le même coup qu'avec Perlozzo ? Néron ne s'en remettrait pas, cette fois-ci.

— Peut-être que ça le ferait déguerpir, cet enfant de chienne-là, grogna DeVries. *Anyway*, t'as vu comment il a – Chalmers, je veux dire – comment il a réagi quand je lui ai montré la croix ? Il voulait s'en aller d'ici au plus sacrant.

— Faut se mettre à sa place. On l'a arrêté le jour des obsèques de Cécile Jetté.

— T'admets qu'il se passait quelque chose entre eux ?»

On tournait en rond.

«Vaudrait mieux se renseigner sur Chalmers avant de continuer, qu'est-ce que t'en penses ?

— Bonne idée. Et je vais le faire surveiller.»

Il tendit la main vers le téléphone sur son bureau.

L'édifice de la Catelli, un immeuble carré aussi inspirant qu'un mur blanc, se dressait dans la rue de Bellechasse, au coin de Henri-Julien. Le directeur nous reçut dès le lendemain dans son bureau. C'était un jeune homme *clean-cut* qui paraissait jeune, justement, pour occuper un poste de direction. Il nous confirma ce que Chalmers lui-même nous avait dit, qu'il prenait un coup solide et qu'il s'absentait souvent de son poste. Une fois, il avait même disparu une semaine entière.

« Pourquoi tu ne le fous pas dehors ? demanda DeVries.

— Parce qu'il réussit toujours à faire son travail. Je ne sais pas comment il s'y prend, mais il réussit. Nos livres sont à jour, tout balance.»

Quand DeVries lui demanda son opinion sur Chalmers, le directeur répondit que Chalmers était du genre rêveur.

« Il est comme un adolescent, mais il a un petit côté mélancolique en plus. Vous savez, quand on fait un choix dans la vie, qu'on décide entre A, B et C, on ne sait pas ce qui serait arrivé si on avait choisi B ou C au lieu de A. Chalmers, lui, pense tout le temps à B et à C. Il n'est pas heureux, ça, c'est certain. Je crois qu'il ne pourra jamais l'être. Certaines personnes ne sont pas prédisposées au bonheur. Chalmers est de ces personnes-là. Mais moi, tant qu'il fait son travail…»

Le jour du meurtre de Cécile Jetté, il était rentré l'après-midi seulement. Il n'avait pas l'air agité, il avait l'air de souffrir d'une bonne gueule de bois. En partant à cinq heures, le directeur était passé devant son bureau. La porte était entrouverte et il avait vu Chalmers le nez dans ses livres.

Puis ce fut au tour de la secrétaire du directeur. Elle ne voyait pas Chalmers d'un bon œil; elle ne semblait voir personne d'un bon œil. La semaine où il avait disparu, il l'avait passée en compagnie de sa secrétaire à lui, une fille dans la vingtaine, «une vraie tête de linotte», selon elle. Ils avaient passé la semaine en boisson tous les deux, Chalmers lui avait dit, le vin triste, qu'il voulait quitter sa femme mais qu'il ne pouvait pas parce qu'elle était malade et qu'elle l'avait toujours supporté.

«Comment se fait-il que vous soyez au courant de tout ça? demanda DeVries.

— Tout finit par se savoir dans un bureau, dit-elle en tripotant les fausses perles de son collier.

— On peut dire deux mots à la fille?

— Elle ne travaille plus ici. On l'a mise à la porte. Une bonne décision, si vous voulez mon avis.»

À la demande de DeVries, la secrétaire du directeur nous donna l'adresse de la tête de linotte. Elle avait déménagé. On obtint une nouvelle adresse, qui nous conduisit à un nouveau cul-de-sac. On réussit à discuter avec trois de ses anciens employeurs. On n'apprit rien, si ce n'est qu'elle était incapable de garder un emploi.

Que l'histoire fût vraie ou fausse, elle comportait un fond de vérité. Chalmers buvait, il n'était pas heureux. Il avait trouvé un peu de réconfort auprès de Cécile

Jetté, et vice-versa. Contrairement aux femmes de son âge, elle était célibataire, elle n'avait pas d'enfants. C'est dur pour le moral quand on est seul de son groupe ou presque. Chalmers n'avait pas d'alibi, mais la nature de sa relation avec la victime tendait à le disculper.

DeVries n'en était pas convaincu. Il le convoqua au quartier général et l'amena dans une des salles d'interrogatoire, histoire de l'intimider. C'était une salle identique à la salle où j'avais rencontré DeVries la première fois : deux chaises avec une table au milieu et une lampe suspendue au-dessus qui assurait mal l'éclairage. Néron était présent cette fois-là, il avait insisté pour être là. Entre-temps, on avait essayé de retrouver le livre de Chalmers, *Nihilisme de pensées*, sans succès, même avec l'aide du propriétaire de la librairie Au Fil des Mots.

« J'ai lu de tes poèmes, lui dit DeVries d'entrée de jeu. Bravo, t'as beaucoup de talent.

— Venant d'un connaisseur comme vous, ça me touche.

— Celui qui commence par "Il me faudra beaucoup de nuits"…

— Oui ?

— C'est de Cécile qu'il s'agit, n'est-ce pas ?

— Si vous voulez, répondit Chalmers.

— C'est oui ou c'est non ?

— Vous avez sûrement déjà vécu une peine d'amour, sergent ou commissaire, quel que soit votre titre ?

— Capitaine. Et qu'est-ce que ç'a à voir ?

— Pour écrire ce poème-là, je me suis mis dans la peau d'un gars que sa blonde a laissé. Je voulais décrire ce qu'il ressentait. Pour comprendre ses états d'âme, il faut lire entre les lignes. Le gars qui a vécu une rupture et qui lit le poème, il comprend de quoi je parle, vous saisissez ?

— Mouais, marmonna DeVries. Mais ça ne répond pas à ma question.

— J'y ai déjà répondu, mais vous ne me croyez pas. »

Chalmers alluma une Player's sans se presser, pas intimidé pour deux sous. Il était rasé, peigné. Derrière les lunettes à monture d'écaille, les yeux pétillaient.

« Mets-toi à ma place une minute, Chalmers…

— Non, merci. »

DeVries expira bruyamment. Néron, dans son coin, ne quittait pas les deux hommes des yeux, les bras croisés sur sa poitrine.

« Écoute, tu la voyais souvent, cette femme-là. Vous vous fréquentiez, ni plus ni moins. Tu la trouvais de ton goût, elle se sentait seule… Hum ? fit DeVries en haussant un sourcil.

— Oui, et alors ? Où voulez-vous en venir ?

— Disons que c'est devenu sérieux entre vous deux. Ç'a duré un temps, puis elle en a eu assez de toi et elle t'a planté là. T'as mal encaissé la nouvelle. Un soir que t'étais en boisson, tu es allé la voir pour t'expliquer. La dispute a éclaté. T'as perdu les pédales et tu l'as tuée. Les gens en boisson entendent parfois des voix, ils ne savent plus ce qu'ils font.

— C'est possible. Je suis d'accord avec vous.

— C'est un aveu, ça ? dit Néron.

— Mais non, pas du tout, dit Chalmers d'un ton ennuyé en lui jetant un regard. Vous avez dit de me mettre à votre place. Si je le faisais, je m'imaginerais le même scénario. Mais ce n'est pas ce qui est arrivé.

— Tu n'as pas d'alibi.

— C'est vrai.

— Ce n'est rien pour aider ta cause.

— Je sais, mais qu'est-ce que vous voulez que je vous dise ? »

Chalmers tira une bouffée de sa Player's.

« Qu'est-ce que tu sais des autres meurtres ? reprit DeVries.

— Quels autres meurtres ?

— Il y a un malade en ville qui viole et qui tue des bonnes femmes depuis plus de deux mois. Ne me dis pas que tu n'es pas au courant ?

— Ah, ces meurtres-là…

— On considère Cécile Jetté comme une de ses victimes.

— Eh bien, ce que je sais, dit Chalmers, je l'ai appris en lisant les journaux.

— C'est une affaire qui t'intéresse ?

— Pas particulièrement. Mais on parle juste de ça, alors… »

Chalmers tapota sa cigarette au-dessus du cendrier.

« Vous sautez vite aux conclusions, vous savez.

— Ça veut dire quoi, ça ?

— Vous pensez qu'en plus de Cécile j'ai tué toutes ces bonnes femmes-là, comme vous dites si élégamment.

— Eh bien, disons que l'idée m'a effleuré l'esprit, avoua DeVries. Mets-toi à ma place, je…

— Je vous ai déjà dit que je n'étais pas intéressé, coupa Chalmers. Ça ferait votre affaire, quand même.

— Quoi ?

— J'imagine que vous avez un patron à qui vous devez rendre des comptes, comme tout le monde, capitaine, dit-il en examinant le plafond. Le tueur se balade dans la nature depuis des mois, votre patron ne doit pas être très heureux de votre travail. Si j'étais un suspect, il retrouverait un peu de sa bonne humeur. C'est pour ça que vous vous acharnez sur moi, vous essayez de me faire avouer des choses que je n'ai pas faites. »

DeVries devint blanc comme un linge. Rapide comme l'éclair, il repoussa sa chaise et tendit la main par-dessus la table. Clac. La cigarette entre les lèvres de Chalmers tomba sur le linoléum.

Néron fondit sur DeVries.

« T'es fou ? gueula-t-il en lui agrippant le bras.

— Lâche-moi, toi. »

Il secoua son bras. Néron le lâcha.

« Tu te penses ben fin, hein ? siffla DeVries entre ses dents à Chalmers. T'as toujours la réplique à tout. Mais tu vas te contenter de répondre aux questions à partir de maintenant, sinon les choses vont être beaucoup moins agréables. »

Chalmers, impassible, fixait le visage de DeVries.

« Tentative d'intimidation. Très original. »

DeVries poussa un grognement et lui tourna le dos.

« Tu ne devrais pas parler comme ça, dit Néron à Chalmers. Ça ne t'aide pas.

— Je m'en moque…

— Tu devrais te défendre au lieu de t'en moquer. Parce que si tu n'es pas coupable, nous, on perd notre temps avec toi et on n'a pas de temps à perdre.

— Est-ce que je savais, moi, que Cécile se ferait tuer tel jour, à telle heure ? répliqua Chalmers d'un ton exaspéré. Avoir su, je me serais arrangé pour être vu par des dizaines de personnes, mais je ne savais pas, bon. Je pense que vous me devez une cigarette.

— Laisse faire la cigarette. On reprend depuis le début. »

Chalmers esquissa un sourire, détourna la tête.

« Quand le jury décidera de mon sort, j'espère qu'il considérera le fait que j'ai été coopératif. »

J'en eus soudain jusque-là – de son petit numéro, de tout le reste. Je l'agrippai par un bras, le mis sur ses pieds et l'épinglai contre le mur. Il ne réagit pas. Je vis du coin de l'œil Néron faire un pas vers moi. DeVries lui bloqua le chemin.

« Tentative d'intimidation, tu dis ? C'était rien, ça. Je vais te montrer ce que c'est, moi. T'esquives nos questions, alors je vais y répondre pour toi, et c'est ça qu'on va mettre dans notre rapport, O.K. ? DeVries avait raison, tu la trouvais de ton goût, Cécile. Tu l'as suivie jusque chez elle une fois pour voir où elle habitait. Le matin du meurtre, t'es monté la voir, mais elle n'a pas voulu se donner à toi, t'es rien qu'un vieux fini. Alors tu te l'es tapée de force, puis tu l'as tuée pour qu'elle ne vienne pas bavasser ici et t'as maquillé ton crime pour le faire passer sur le dos du tueur. On parle de viol et de meurtre avec préméditation. Circonstances atténuantes : aucune. Tu vas finir la corde au cou, mon vieux. »

Chalmers me fixait un peu de côté, les yeux écarquillés, plus surpris qu'apeuré. J'étais aussi surpris que lui.

DeVries intervint.

« Stan, Stan… »

Il nous sépara. Chalmers se rassit, l'air triste. Ma gorge était sèche, mon déjeuner me chatouillait les molaires. Néron me mitraillait des yeux, sa bouche n'était plus qu'un trait rosâtre dans son visage.

DeVries posa les mains à plat sur la table et se pencha vers Chalmers.

« J'essaie de te piéger, hein ? Eh ben, je vais t'en tendre un piège, moi. On va voir si tu vas tomber dedans. Qu'est-ce que tu sais du meurtre de Marie Janssen ?

— Marie Janssen… ?

— Elle a été tuée la semaine passée. Envoye, parle. »

Chalmers porta la main à son front. Elle tremblait.

« Ah, oui. Eh bien, elle euh… elle était jeune, il me semble. Vingt, vingt-deux, c'est ça ? Elle vivait avec une amie. Elle était fiancée, le mariage était pour bientôt. Très pathétique. Tous les journaux ont mis l'accent là-dessus. Elle a été retrouvée dans son salon, étranglée, mais elle a été tuée dans sa chambre. Son logement avait été fouillé comme celui des autres victimes, je pense… »

DeVries hocha lentement la tête et se redressa.

« Pas mal. Sacre ton camp, maintenant.

— Je… je peux partir ?

— Envoye, vas-y. Précipite-toi à la maison pour voir si ta femme ne manque de rien. »

Chalmers repoussa sa chaise, se leva à moitié.

« Qu'est-ce que t'attends ? jappa DeVries. Qu'on te reconduise à ta voiture ?

— D'accord, d'accord, je m'en vais. Je ne m'éloigne pas trop, au cas où vous auriez encore besoin de moi ?

— T'apprends vite. »

Il quitta la pièce. DeVries ferma la porte derrière lui et se tourna vers moi, la main sur la poignée.

« Il est tombé dans le piège. On n'a pas dit dans les journaux que le corps de la petite Janssen avait été déplacé.

— Tu en es sûr ?

— Sûr et certain.

— Il y a peut-être eu une fuite, remarqua Néron.

— Peut-être… »

DeVries se frotta pensivement le menton entre le pouce et l'index.

« Disons qu'il a tué Cécile Jetté, O.K. ? Comment il a fait pour la séduire ? Il l'a abordée dans la librairie, il lui a parlé de poésie. Il a joué les poètes manqués pour qu'elle le prenne en pitié.

— Tu penses qu'il a tout inventé ? dis-je.

— Pourquoi pas ? C'est un bon acteur, non ? Et on n'a pas retrouvé son livre de poèmes.

— Il est peut-être disparu de la circulation.

— Mouais… Le petit numéro qu'il a fait à Cécile Jetté, il aurait pu le faire aux autres victimes. Il y a des femmes qui trouvent ça touchant, un homme qui braille, ça réveille leur instinct maternel. Et ce serait un bon moyen de les mettre en confiance, il aurait l'air parfaitement inoffensif.

— Ça suppose qu'il a approché ses victimes avant de passer à l'acte, dit Néron, qu'il a prémédité son geste. Ce n'est pas ce que le docteur Ouellet a dit lors de la réunion. Il a dit que le tueur avait soudainement l'envie de tuer et qu'il n'était pas capable de s'en empêcher.

— Il boit, dit DeVries. L'autre docteur de Saint-Jean a dit que le tueur agissait quand il était en boisson.

— Et alors ? Il pense à les tuer, puis il boit pour le faire ? Ça ne tient pas debout, ton histoire. Et puis pense à madame Lemaire une minute. Pour la mettre en confiance, comme tu dis, il aurait fallu qu'il la fréquente. Or, rappelle-toi ce que son fils a dit – elle ne voyait personne. »

DeVries posa les poings sur ses hanches et pointa son menton vers Néron comme le canon d'un revolver.

« Pourquoi tu le défends, Nécarré ?

— Je ne le défends pas. On n'a absolument rien pour l'accuser du meurtre de Cécile Jetté. On ne sait même pas s'il a déjà mis les pieds chez elle, tu n'as pas voulu relever les empreintes.

— Tu ne vas pas t'y mettre toi aussi ? dit DeVries en me jetant un regard de côté. *Anyway*, je ne pense pas que le tueur soit fiché.

— Il n'y avait pas de risque à courir, répliqua Néron.

— Qui mène l'enquête, hum ?

— C'est toi. »

DeVries se picossa la poitrine de son index.

« Exact. Moi.

— Tu ne la mèneras pas longtemps si tu ne suis pas la procédure et si toi et tes acolytes, vous jouez aux gros bras.

— Ah ! t'aimerais ça qu'on me relève de mes fonctions, hein ? C'est tout ce que t'attends, t'en rêves la nuit. Mais ça n'arrivera pas, c'est le grand boss qui m'a nommé.

— Le grand boss ? dit Néron d'un ton sarcastique. À t'entendre, je commence à croire que Chalmers a raison.

— Ça veut dire quoi, ça ?

— Oh, tu le sais, ce que ça veut dire…

— Que ça ferait mon affaire que Chalmers soit un suspect, c'est ça ? Je le savais que t'étais un bel écœurant, Nécarré. Je pense que Chalmers est un suspect, moi, c'est tout. C'est mon instinct qui me le dit.

— Ton instinct ?

— Ouais ! beugla DeVries.

— C'est très sûr, ça, ton instinct… Réveille ! On n'a rien pour l'incriminer. Tu le vois, toi, violer et tuer une femme ?

— Ah, il ne faut pas se fier aux apparences, tu le sais bien », dit DeVries d'un ton ennuyé.

J'avais le sentiment d'assister à une querelle entre époux. Je fis un pas vers la porte. Chalmers pouvait bien se balancer au bout d'une corde, il se foutait de tout, de toute façon. Ça changerait quoi ?

« Stan ! lança DeVries. Où est-ce que tu vas ?

— Chez moi.

— Mais… Chalmers ?

— Je vais vous laisser décider de son sort. »

Je leur jetai un dernier regard. Néron semblait toujours souffrir d'un mal de dent. DeVries, lui, me dévisageait, les paumes tournées vers l'avant comme le Christ.

« Je ne te comprends plus, Stan », bredouilla-t-il.

J'avais trop envie de rire pour répliquer.

Mon téléphone sonna à deux heures cet après-midi-là et, pour une rare fois, j'étais là pour décrocher. C'était Emma. Elle voulait qu'on se rencontre, on avait beaucoup de choses à se raconter, selon elle. Elle semblait de bonne humeur. On échangea quelques mots, puis elle proposa qu'on se rejoigne au Café Saint-Michel à neuf heures pour en échanger d'autres. Bonne idée, lui dis-je. Ça me changerait les idées. J'allais même aider les choses pour m'en assurer.

Je fis un brin de toilette avant le souper et je me regardai dans le miroir. C'était vrai que ma moustache ne me rajeunissait pas. Elle était parsemée de poils gris. En plus de ceux que j'avais aux tempes, ça en faisait beaucoup. Alors je la coupai et examinai le nouveau moi. C'était concluant. J'avais maintenant l'air d'avoir quarante-trois ans au lieu de quarante-cinq.

Rien n'avait changé depuis ma dernière visite. La salle était bruyante, enfumée, et tout le monde s'amusait. Les buveurs s'alignaient au bar comme des chevaux à un abreuvoir. Les couples sur la piste dansaient au son du même orchestre. Emma était assise à une table. Je me faufilai jusqu'à elle.

« Comme ça, dit-elle après les salutations d'usage, on ne donne plus de nouvelles à ses amis ?

— J'étais occupé. Comment t'as fait pour avoir une table ?

— Je suis arrivée de bonne heure.

— Cinq heures ?

— Trois.

— Tu es toute en beauté, ce soir.

— Bah ! voyons… »

Elle sourit, baissa les yeux. Elle portait une robe qui dénudait ses épaules d'ivoire et ses cheveux, séparés par une raie blanche, tombaient symétriquement de chaque côté de son visage.

« Vous avez coupé votre moustache, me fit-elle remarquer.

— Oui, tout à l'heure.

— Pourquoi ? Ça vous allait bien.

— Pour faire changement.

— Vous avez l'air fatigué. Dormez-vous assez ? Mangez-vous des fruits, des légumes ?

— Est-ce que le tabac est un légume ?

— Hum, fit Emma, pensive. Non, je ne crois pas.

— C'est vert, ça pousse en feuilles.

— Oui, mais en mangeriez-vous avec de la vinaigrette ?

— Bon point. »

Une serveuse passa à côté de nous, un plateau rempli de verres à la main. Je l'arrêtai.

« Qu'est-ce que tu prends ? demandai-je à Emma.

— Une grenadine avec une goutte de vodka.

— Un whisky sur glace pour moi. Un double. »

La serveuse hocha la tête et poursuivit son chemin.

« Un double ? me dit Emma.

— Hm-hm.

— Je ne sais pas si je peux vous porter sur mon dos.

— Tu me traîneras derrière toi, dis-je.

— Comment va l'enquête ? Ça avance ?

— Ça avance.

— Oh ! c'est vague, ça, comme réponse, dit Emma en haussant les sourcils.

— C'est exprès. Motus et bouche cousue, tu comprends ?

— Quand même, vous pouvez me donner des détails. Vous avez des pistes, des suspects ?

— Tu ne lis pas les journaux ?

— Oui, tous les jours, comme tout le monde. Mais les journalistes fabulent, des fois, vous le savez comme moi.

— On croirait entendre DeVries…

— C'est le policier qui est chargé de l'enquête, ça, non ?

— Moui.

— On mentionne souvent son nom, lui. »

Elle avait raison, on mentionnait souvent son nom. Je ne sais pas s'il aimait ça. L'enquête piétinait.

« J'ai vu sa photo quand il se chamaillait avec le photographe du *Montréal-Matin*, dit Emma. Je pense que vous êtes là, à droite, un peu en retrait. Vous l'avez vue ?

— Non.

— Portiez-vous votre complet beige, ce jour-là ?

— Je ne me rappelle pas. Comment va la plante verte ? demandai-je pour changer de sujet.

— Je n'ai pas pu la sauver.

— Elle est morte ?

— J'en ai bien peur, oui, soupira Emma. C'est le déménagement. Elle n'a pas survécu au choc.

— Dommage. Les funérailles ?

— Très touchantes. Le croque-mort l'avait bien arrangée, on aurait dit qu'elle était encore vivante.

— Tu t'es trouvé un emploi ?

— Oui, je travaille dans un cabinet d'avocats. Je vous l'avais bien dit que je me trouverais du travail ailleurs.

— Et voilà. T'as maintenant un péché d'orgueil à confesser.

— Bah ! je n'en suis pas à un péché près… »

La serveuse revint avec nos verres. Je pris une bonne rasade du mien et sentis la chaleur réconfortante du whisky au creux de mon estomac.

« Tu travailles fort ? continuai-je.

— Une vraie petite abeille. J'accueille les clients, je réponds au téléphone, je tape des lettres.

— Tu faisais la même chose pour moi.

— Oui, mais ils ont beaucoup de clients, eux, dit Emma.

— Ah, ah, ah.

— C'est vrai! Le téléphone n'arrête pas de sonner. J'avais oublié à quel point c'est un bruit désagréable, la sonnerie du téléphone.

— Tu es allée voir tes parents?

— Non, je n'ai pas eu le temps.

— Tu n'as pas eu le temps ou tu n'as pas pris le temps?

— Je n'ai pas eu le temps, je vous le jure, dit-elle. J'ai commencé deux jours après que vous m'avez mise à la porte.

— Je ne t'ai pas mise à la porte, Emma.

— Je sais, je sais.

— Si j'avais su, je n'aurais pas fermé. »

Si j'avais su, je ne me serais pas embarqué dans cette histoire-là, point final. Je m'enfilai une autre rasade de whisky. Emma sirota sa grenadine.

« J'ai été chanceuse. La secrétaire à leur emploi est tombée subitement malade et il fallait qu'ils la remplacent. Maître Drapeau en discutait avec un de ses associés, un midi, au Villa Nova. J'étais là, j'étais assise à la table à côté. Quand j'ai entendu qu'ils se cherchaient une secrétaire, je me suis levée et je suis allée les voir. Je me suis présentée, on a parlé quelques minutes et ils m'ont engagée tout de suite.

— Tu as raison, tu as été chanceuse. »

Elle continua de parler de son travail. J'écoutai son récit d'une oreille et l'orchestre de l'autre. Je finis mon whisky, en commandai un deuxième, puis un troisième. L'alcool agissait rapidement, avec mon estomac vide.

Soudain, le batteur martela en une seconde les caisses devant lui, puis frappa les cymbales. Ses acolytes jouèrent le plus de notes possible en même temps et le bruit qui en résulta fut le même qu'un DC-3 qui

s'écrase. Le silence dura une seconde, puis des applaudissements retentirent, des sifflements fusèrent dans
la salle. Les musiciens n'attendirent pas que les danseurs aient repris leur souffle pour entamer le morceau
suivant, un slow ou presque. Une idée me traversa alors
l'esprit. J'eus le temps de me pencher dessus et d'y
réfléchir, le whisky l'avait ralentie.

« On va danser », annonçai-je alors à Emma.

Elle me fixa sans ciller.

« Mais… votre cheville ?

— Je vais endurer la douleur. Envoye, amène-toi. »

Je l'entraînai sur la piste. Je passai un bras autour
de sa taille et l'attirai contre moi. On était tassés comme
des sardines, on pouvait à peine se dandiner sur place.

« La cheville ? s'informa Emma.

— Elle tient le coup. Fais attention à tes orteils.

— Ça va, j'ai mes escarpins à bouts d'acier. »

Elle sourit. Son corps était svelte et léger entre mes
mains. Et elle sentait bon.

« Dis-moi une chose…

— Quoi donc ?

— Comment ça se fait qu'une fille comme toi ne
soit pas encore mariée ?

— Une fille comme moi ? répéta-t-elle.

— Hm-hm.

— Je suis mauvaise cuisinière.

— C'est sans espoir ?

— Vous avez déjà goûté à mon café, non ?

— Oh, mais t'as d'autres qualités qui compensent,
tu sais », dis-je en la reluquant.

Elle fronça les sourcils et me dévisagea une seconde.

« Vous êtes soûl, ma parole.

— Eh oui, votre parole. »

La musique et les éclats de voix provenaient de loin,
comme quand la ligne est mauvaise, la salle tanguait

comme si le cabaret au complet voguait sur une mer agitée.

« C'est la première fois que je vous vois dans cet état-là.

— Il y a un début à tout. J'étais là, l'autre soir, tu sais. J'ai tout vu. Les gars qui sont venus t'inviter, t'aurais pu leur demander de faire le mort ou de donner la patte comme si c'étaient des chiens, ils t'auraient obéi au doigt et à l'œil.

— C'est un compliment, ça ?

— Ben oui. C'est un maudit chanceux, ton avocat. Il s'appelle comment, déjà ?

— Maître Drapeau.

— La secrétaire la plus sexy en ville qui travaille pour lui… Quand tu parades dans son bureau avec le café, il doit avoir les yeux grands comme des assiettes à tarte. J'aurais dû te demander de faire le café quand tu travaillais pour moi.

— L'alcool ne vous réussit pas, vous, me fit remarquer Emma.

— De quoi il a l'air, ton avocat ? lui demandai-je comme si je n'avais rien entendu.

— Vous me demandez si je le trouve de mon goût ?

— Si tu veux.

— Eh bien, non, pas vraiment.

— C'est quoi ton genre, dis-moi donc ?

— Je n'ai pas de genre en particulier. Je sais ce que je n'aime pas, par contre.

— Ah oui ? Ben c'est déjà ça.

— Je n'aime pas les gars prétentieux qui étalent leur argent pour m'impressionner…

— Je n'ai même pas deux cents piastres à la banque.

— Je n'aime pas les gars qui me donnent un spectacle pour m'amuser, non plus, continua Emma, ni les hommes soûls qui me font des avances maquillées.

— Est-ce que je devrais me sentir visé ?

— Vous n'aviez aucune chance de toute façon.»

Elle se défit de mon étreinte, recula d'un pas et me prit la main. Sa bouche esquissait une moue ennuyée.

«Allez, venez. Je vous ramène chez vous.»

Elle conduisit en silence. J'observai les façades obscures des édifices dans mon coin. Je n'étais pas très fier d'avoir gâché sa soirée. Elle devait bien se demander quelle mouche m'avait piqué, mais elle ne me posa pas de questions, heureusement. J'avais le cœur dans la gorge. Et mes idées n'avaient pas changé. Quand on fût arrivés à mon antre, elle monta pour s'appeler un taxi. Je titubai comme un ivrogne jusqu'à ma chambre, enlevai mon veston. Je m'assis au bord du lit et, sans m'en rendre compte, je tombai vers l'arrière. Les oreilles me bourdonnaient, la chambre tournait autour de moi. Je sombrai dans le sommeil comme un bloc de ciment au fond d'un étang.

CHAPITRE 12

Une sonnerie m'extirpa brutalement du sommeil.

Je tendis la main vers le réveille-matin et ne trouvai que du vide. J'ouvris un œil et me rendis compte que j'étais couché à l'envers, la tête au pied du lit et les pieds à la tête. Entre-temps, la sonnerie me vrillait toujours les tympans. Je repérai la table de nuit et lui flanquai un coup de talon. Le réveille-matin tomba par terre, mais la sonnerie ne s'arrêta pas.

Ce n'était pas le réveille-matin, c'était le maudit téléphone. Je n'avais pas envie de répondre, mais je me levai quand même et me traînai les savates jusqu'à lui. La lumière du jour me faisait plisser les yeux malgré moi, j'avais une cuillerée de beurre d'arachide dans la bouche.

« Stan ? dit DeVries. C'est moi, Rog. Il y a une femme qui a été agressée ce matin.

— Où ça ?

— Chez elle, dit-il en haussant le ton pour camoufler une autre voix.

— Donne-moi l'adresse. Je vais te rejoindre.

— Non, elle est au quartier général… »

Je ne saisissais pas. Et une voix derrière DeVries ne m'aidait pas, elle pleurnichait qu'il – DeVries – n'était jamais là, qu'il n'écoutait jamais.

«T'es où, là? demandai-je.

— À la maison. Colette! Veux-tu bien… »

Silence un instant.

«Stan? T'es toujours là?

— Oui, oui…

— Bon. La femme est vivante. Elle est au quartier général. Castonguay vient de m'appeler. »

Des pleurs résonnaient en sourdine à l'autre bout de la ligne.

«O.K. Je te rejoins là-bas.

— À tout à l'heure. »

On entra dans le hall en même temps. Castonguay y faisait le pied de grue, son cure-dent dans la bouche.

« Elle est dans ton bureau, Rog, dit-il. Néron a commencé à l'interroger. »

DeVries ouvrit la marche, le visage renfrogné. Un homme était assis sur une chaise à côté de la porte fermée.

«Le mari», me dit tout bas Castonguay.

On entra dans le bureau sous son regard effaré.

Une jeune femme était assise en face de Néron. Ses cheveux tombaient sur ses épaules, cachant son visage. Elle ne disait rien à ce moment-là. Elle gardait le menton appuyé contre sa poitrine, les mains posées sur ses genoux.

« Qu'est-ce qui s'est passé ensuite? lui demanda Néron.

— Il se tenait là, sur le seuil de la porte, dit la jeune femme sans lever la tête. J'étais tellement surprise… Je pensais que je rêvais. Je lui ai dit: "Va-t'en ou j'appelle la police." Tandis que je parlais, il s'est avancé dans la chambre, il regardait partout autour de lui. Puis il a sorti son couteau. C'est là que je me suis réveillée. J'ai crié et il a tout de suite sauté sur le lit et j'ai senti la lame sur ma gorge. »

Elle avala péniblement sa salive comme si elle avait toujours la lame appuyée contre la gorge.

« Il a dit : "Pas un son ou je vais me servir de ce couteau-là." J'ai fait ce qu'il disait. Je ne pouvais pas bouger. J'avais tellement peur… Mon bébé était couché. Il a à peine un an. Quand j'avais crié, ça l'avait réveillé et il s'était mis à pleurer tout bas. J'avais peur que l'homme l'entende et que… qu'il aille le… le tuer. Il m'a mis un bas dans la bouche et il m'a attaché les pieds et les mains après le lit. Il a déchiré ma chemise de nuit, le devant… »

Elle jeta un regard à sa droite, un autre à sa gauche.

« Avec quoi vous a-t-il attachée ? demanda DeVries.

— Mes bas de nylon… Ils étaient accrochés au pied du lit. »

Il contourna le bureau.

« Ça va, j'ai la situation en main, lui dit Néron du coin de sa bouche.

— Pousse-toi de là. »

Néron lui laissa la place à contrecœur. DeVries s'assit, se pencha en avant et appuya les coudes sur le bureau.

« Continuez, madame Tanguay.

— Il s'est allongé sur moi et il s'est mis à m'embrasser dans le cou. Il m'a dit qu'il n'allait pas me faire mal si je ne le regardais pas. Il ne fallait pas que je le regarde. J'avais envie de vomir. Il puait la transpiration et le parfum… l'eau de Cologne… Il m'a tripoté les… les… Il a détaché sa ceinture et il a glissé la main dans son pantalon. Je ne voyais pas ce qu'il faisait. Seigneur, je pensais que j'allais m'évanouir…

— Il vous a violée ? demanda froidement Néron.

— Non.

— Le couteau, dit DeVries. Il était où ?

— Il l'avait placé à côté de moi sur le lit. »

Néron se pencha vers DeVries. Il dit tout bas :

« L'agresseur l'a oublié. Le mari a eu la présence d'esprit de nous l'apporter.

— Enfin, un coup de chance, marmonna DeVries. Ensuite ? ajouta-t-il à l'intention de madame Tanguay.

— Mon mari est revenu du travail. Il a vu la porte entrouverte et la serrure arrachée, il s'est mis à crier mon nom. Moi, j'ai commencé à gigoter, à essayer de crier. C'est là que le gars a pris peur. Il a sauté en bas du lit et il s'est sauvé par la fenêtre, l'escalier de secours est juste en dessous.

— Puis vous avez décidé avec votre mari de porter plainte et vous voici ici ce matin. »

Madame Tanguay hocha la tête.

« Vous souvenez-vous de votre agresseur ? D'un détail particulier, de ses traits ?

— Je n'oublierai jamais son visage, dit-elle d'une voix sourde.

— Je vais vous demander de me le décrire. On va l'inclure dans votre déposition. »

Elle expira bruyamment et releva la tête. Elle avait le teint très pâle. Ses yeux paraissaient énormes, comme s'ils avaient bu le sang de son visage.

« Je peux voir mon mari ?

— Moi, je n'ai rien contre, dit Néron.

— Cinq minutes, pas plus », dit DeVries.

On alla au distributeur à l'accueil lui chercher un verre d'eau froide tandis qu'elle parlait à son mari, puis on passa à la suite de l'interrogatoire. En la guidant, on obtint une description précise de son agresseur. Il avait le visage ovale, les joues creuses ; physiquement, il était petit et mince. Le nez était bossé, la bouche large aux lèvres épaisses. Madame Tanguay se souvenait même de ses yeux. Il portait des lunettes fumées en entrant dans la chambre, mais il les avait perdues quand elle s'était mise à gigoter (dans son énervement, elle avait oublié de mentionner les lunettes). Les yeux étaient globuleux, les paupières, lourdes.

« Rien d'autre, madame Tanguay ? » demanda DeVries.

Elle y pensa un instant en fixant le fond de son verre en carton. Un téléphone sonna quelque part.

« Il sentait mauvais, dit-elle enfin.

— Vous l'avez déjà dit, ça. Qu'est-ce qu'il portait ?

— Un pantalon gris. Je n'arrive pas à me souvenir s'il avait un chandail ou une veste.

— Quelle couleur ? demanda Néron.

— Une couleur foncée. Bleu marine ou noire. Il faisait sombre dans la chambre.

— Pas de cicatrices au visage ou sur les mains ? dit DeVries. Ou des tatouages ?

— Je n'en ai pas vu, répondit madame Tanguay.

— Il était grand comment ?

— Grand comme vous, je dirais.

— Je fais cinq pieds six.

— C'est ça.

— Très bien, dit DeVries en hochant la tête. Merci de votre aide, madame Tanguay. Néron, raccompagne-la. »

Néron s'exécuta.

DeVries prit la déposition de madame Tanguay et relut la description de son agresseur.

« Ce visage-là me dit quelque chose, dit-il sans quitter la feuille des yeux.

— Oui, moi aussi, dit Castonguay.

— À qui il te fait penser ?

— Au gars qu'on a arrêté il y a... oh... deux ans, à peu près ? Il se faisait passer pour un photographe. Il recrutait des filles par le journal ou dans les cabarets et il les attirait dans son "studio". Tu te souviens de lui ?

— Oui, oui, oui, fit DeVries en hochant la tête. Elles se mettaient en costume de bain et il les posait, supposément pour des catalogues de mode. Quand elles finissaient par se réveiller, il avait essayé de leur faire une passe.

— Exact.

— Comment est-ce qu'il s'appelait déjà ?

— Gascon, Chagnon, Gagnon…

— Gagné. Joseph Gagné. »

Castonguay claqua des doigts.

« En plein ça, Rog.

— Vous pensez que c'est lui ? demandai-je.

— Il n'a pas le genre de visage qu'on croise tous les jours sur le trottoir, dit DeVries.

— Pourquoi tu n'avais pas mis son dossier dans la pile des pervers sexuels ?

— Je pensais qu'il était toujours à Québec.

— Il n'a pas été arrêté ici ?

— Oui, dit Castonguay, mais il s'est exilé là-bas au bout d'un certain temps. On le tenait à l'œil après son procès au cas où il recommencerait et il n'aimait pas ça. Alors il est parti.

— Il a fait de la prison ?

— Deux mois, si ma mémoire est bonne. Il méritait plus que ça, mais il a braillé devant le juge et il a promis de ne plus recommencer. Et les médecins de Pinel ne l'ont pas jugé dangereux.

— Il y en a toujours un qui échappe au système, dit DeVries.

— Il ne pourrait pas être notre tueur ? lui demanda Castonguay. S'il a agressé madame Tanguay… »

DeVries haussa ses larges épaules.

« Je ne sais pas. Son agression n'a peut-être rien à voir avec les autres meurtres.

— Mais tu ne veux courir aucun risque, dis-je.

— Exact. Voici ce qu'on va faire, les gars. On va retrouver Gagné et l'interroger. Je vais convoquer madame Tanguay pour voir si elle le reconnaît ou non. On verra bien ce qui va se passer et on agira en conséquence.

— Ce ne sera pas facile de retrouver Gagné, dit Castonguay.

— On va y arriver, t'inquiète pas.

— Qu'est-ce qu'on fait du comptable ?

— On continue de le surveiller. »

DeVries se tourna vers Néron, qui était revenu et se tenait dans un coin sans mot dire.

« Tu t'en occupes, Néron. Il faut bien que tu serves à quelque chose. Nous, on s'occupe de Gagné. »

Contrairement à ce que croyait Castonguay, ce fut facile de retrouver Gagné. On se rendit dans les cabarets qu'il avait l'habitude de fréquenter avant son départ pour Québec et on interrogea les barmen et les serveuses. Le barman du Vienna, rue Sainte-Catherine, le reconnut tout de suite. On posta des détectives au Vienna. Gagné s'y présenta le lendemain soir, et on le fila jusque chez lui. On convoqua ensuite madame Tanguay pour procéder à l'identification et, le jour convenu, on alla cueillir Gagné chez lui. Il n'offrit aucune résistance et suivit les policiers comme un petit chien docile.

On me confia madame Tanguay et je la conduisis à l'une des salles d'interrogatoire. Elle s'assit, croisa les jambes et fixa la pièce, identique à la nôtre, de l'autre côté de la vitre. C'était une femme robuste. Je ne l'avais pas remarqué lors de notre rencontre précédente. Elle était grande, elle avait de bonnes épaules, des pattes de piano. Elle portait de vieux vêtements miteux comme pour ne pas attirer le regard d'un nouvel agresseur possible.

Je lui tendis mes Grads. Elle en prit une et l'alluma à mon briquet. C'était la dernière. J'avais oublié d'en acheter, Émile n'était pas là pour me le rappeler. C'est toujours frustrant de ne pas avoir un paquet neuf sous la main.

«Vous êtes certain qu'il ne pourra pas me voir? me dit-elle.

— Certain.

— Oui, mais moi, je peux voir à travers la vitre…

— C'est un miroir sans tain. Vous, vous pouvez voir de l'autre côté, mais lui, il ne peut pas voir de ce côté-ci.

— Ah bon, dit-elle d'un ton peu convaincu.

— Ça prend beaucoup de cran pour être ici, madame Tanguay, lui dis-je pour l'encourager.

— Oh, je ne suis pas si courageuse que ça…»

Elle esquissa un pâle sourire. Son pied battait la mesure d'une pièce jouée par un orchestre muet.

«Votre mari ne pouvait pas vous accompagner?

— Non. Il dort.

— Ah, oui. Il travaille de nuit.

— Il est gardien aux *shop* Angus. Il travaille de onze heures le soir à sept heures le matin, alors il faut qu'il dorme le jour s'il veut tenir debout.

— Je vois. Ça ne doit pas être facile comme train de vie.

— Paulo croyait ça quand il a commencé, dit madame Tanguay. Maintenant, il dit qu'il s'est habitué.

— Quand même, vous ne devez pas le voir souvent.

— Oh, ce n'est pas si pire. Je le vois au souper. Et puis on a les fins de semaine.

— Il travaille aux *shop* depuis longtemps?

— Presque deux ans, répondit madame Tanguay. Il a commencé une semaine après notre mariage et ça va faire deux ans dans un mois qu'on est mariés. Et vous, monsieur…

— Coveleski.

— Monsieur Coveleski. Vous êtes dans la police depuis longtemps ?

— En fait, c'est mon deuxième séjour, dis-je.

— Vous voulez dire que vous êtes parti, puis que vous êtes revenu ?

— Hm-hm.

— Pourquoi êtes-vous parti ? Excusez-moi, s'empressa d'ajouter madame Tanguay, ce n'est pas de mes affaires.

— Votre cigarette… »

Elle avait oublié de la fumer et le rouleau de cendre au bout menaçait de céder aux forces de la gravité.

« Je suis tellement nerveuse, dit-elle, je ne sais plus ce que je dis ni ce que je fais… »

Elle tendit la main vers le cendrier sur la table. Le rouleau de cendre se détacha avant qu'elle atteigne son but et tomba sur son genou. Elle poussa un soupir d'exaspération et balaya la cendre du tranchant de la main.

« De quoi on parlait ? reprit-elle.

— Vous me demandiez pourquoi j'avais quitté la police. C'est simple : je ne pouvais pas rester.

— Pourquoi ?

— Travailler ici, c'est comme servir de cobaye involontaire pour une expérience. On change sans s'en rendre compte. Moi, par chance, je me suis réveillé avant qu'il soit trop tard.

— Ça n'a pas été une expérience heureuse pour vous, on dirait, remarqua madame Tanguay d'un air hébété. Combien de temps êtes-vous resté ?

— Presque neuf ans.

— Pourquoi êtes-vous revenu ?

— On a profité d'un de mes rares moments de faiblesse. »

La porte de la pièce au-delà de la vitre s'ouvrit.
DeVries la tint ouverte tel un gentleman pour Joseph
Gagné, qui s'avança dans la pièce à petits pas comme
si ses chevilles étaient reliées l'une à l'autre. Il était
plus petit que nous l'avait dit madame Tanguay, cinq
pieds trois, peut-être quatre, maximum. Ses cheveux
noirs étaient soigneusement coiffés sur le côté droit.
Ses yeux bleus lui donnaient des airs innocents de
servant de messe.

« Assis-toi, Joseph, assis-toi », lui dit DeVries.

Gagné s'assit en travers de sa chaise, face à la vitre,
et commença à se grignoter les ongles. DeVries s'assit
devant lui, de l'autre côté de la table.

Je me tournai vers madame Tanguay. Elle s'était
levée. Ses yeux étaient rivés sur Gagné.

« Et puis ?

— Je ne sais pas.

— Prenez votre temps. »

DeVries commença l'interrogatoire.

« Comment tu vas, Joseph ? demanda-t-il avec un
sourire. Ça fait un bail qu'on s'est vus, hein ? »

Gagné resta silencieux.

« Allons, Joseph, détends-toi, voyons. Notre rencontre n'a rien de formel. Je veux juste prendre de tes
nouvelles. Où te cachais-tu ces deux dernières années,
hum ?

— J'étais à Québec, répondit Gagné sans se lâcher
les ongles.

— Ah ! oui, c'est vrai, s'exclama innocemment
DeVries.

— Je ne pouvais pas rester à Montréal parce que…
Ben, vous savez, à cause de ce qui s'est passé…

— Oui, je sais, je sais.

— C'était préférable que je me fasse oublier quelque
temps.

— Qu'est-ce que t'as fait de bon là-bas?

— J'ai travaillé.

— Dans quel domaine?

— Oh, des jobines, dit Gagné en haussant les épaules.

— Comme quoi?»

Tandis qu'il élaborait, je jetai un œil sur madame Tanguay. Elle fouillait sa mémoire pour associer le visage de son agresseur à celui de Gagné et l'effort qu'elle déployait plissait son front, fronçait ses sourcils.

«T'es revenu en ville quand? poursuivit DeVries.

— Il y a deux mois-deux mois et demi. En juillet…»

La découverte de la première victime remontait à cette époque-là. Mais ça ne prouvait rien.

«Et maintenant, tu fais quoi?

— Je m'occupe de l'entretien à La Baie, dit Gagné en se rongeant toujours les ongles.

— Comme laver les planchers et d'autres trucs du genre?

— Hm-hm.

— C'est bien, dit DeVries. Écoute, Joseph…»

Il se pencha en avant, appuya les coudes sur la table.

«Je t'ai menti. Eh oui. Je ne t'ai pas demandé de venir ici seulement pour prendre de tes nouvelles.»

Gagné se figea sur sa chaise comme se fige un lapin qui vient de sentir un chasseur dans son coin. Il arrêta de se ronger les ongles, mais garda les doigts entre ses lèvres.

«Il y a une femme qui a été agressée, il y a deux jours. Comprends-moi bien, Joseph, s'empressa d'ajouter DeVries, je ne dis pas que c'est toi l'agresseur. Je n'ai jamais dit ça. Je ne t'accuse de rien. Mais, à cause de ton passé, il faut que je te pose quelques questions, tu comprends?»

Gagné hocha la tête et réattaqua ses ongles. On aurait dit un chien avec un os.

« C'est arrivé il y a deux jours, vous dites ?

— Oui. Vers sept heures et demie du matin. La femme habite rue Dandurand.

— Rue Dandurand ? répéta Gagné.

— Exact.

— Je ne sais même pas où c'est…

— C'est dans l'est, dans Rosemont.

— Non, ça ne me dit rien, dit Gagné après un bref moment de réflexion. Je ne vais jamais me promener dans ce coin-là.

— O.K. T'étais où quand l'agression a eu lieu ?

— Chez moi.

— Dis-moi, à quelle heure ouvre le magasin ? demanda DeVries.

— Neuf heures et demie. »

Je me tournai vers madame Tanguay. Elle me fixait avec de grands yeux, les lèvres pincées. Elle hocha la tête, une fois. Joseph Gagné ressemblait peut-être à un servant de messe, mais les comparaisons s'arrêtaient là.

DeVries conclut l'interrogatoire en disant à Gagné de ne pas trop s'éloigner au cas où l'on aurait de nouveau besoin de lui. Puis il le confia à un policier, qui le reconduisit à la porte. Gagné ne semblait pas du tout soulagé de quitter les lieux – il semblait encore plus nerveux qu'à son arrivée. Puis tout le monde se réunit dans le bureau de DeVries pour faire le point. La pièce était toujours aussi en désordre et les murs toujours aussi jaunes.

« Et puis ? me demanda-t-il.

— C'est Gagné qui l'a agressée. Elle l'a reconnu.

— Elle est certaine ?

— Hm-hm.

— Le petit verrat, dit Castonguay en mâchouillant son sempiternel cure-dent. Il nous a menti. Qu'est-ce qu'on fait, Rog ? On l'inculpe ? On a tout ce qu'il faut.

— Non, pas tout de suite, répondit DeVries. J'aimerais vérifier une couple de choses avant.

— Tu le laisses filer? dit Néron en plissant les yeux.

— Hm-hm, je veux qu'il mijote un peu. On va le surveiller nuit et jour. Je vais mettre mon équipe là-dessus, mes gars ne le lâcheront pas d'une semelle.

— Je pourrais m'en occuper.

— Je sais, Nécarré, dit DeVries avec un geste de main. Mais je ne veux pas que tu gâches tout.

— S'il y en a un qui risque de tout gâcher ici, c'est toi...

— Bon, qu'est-ce qu'il y a encore? » grommela DeVries.

Castonguay se tourna vers moi, roula les yeux au plafond. Je le comprenais très bien.

« Gagné a agressé une femme, il n'a pas volé une pomme, dit Néron. Tu ne devrais pas le laisser filer.

— Qui mène l'enquête, hein?

— Je sais, je sais. C'est toi. Mais si c'était moi qui gueulais le plus fort... »

DeVries bondit de derrière son bureau, pointa un index accusateur sur Néron.

« Ah-ah! le chat sort du sac! T'avoues que tu veux ma place.

— Je n'avoue rien du tout.

— Ah non?

— Non, dit calmement Néron, je n'ai rien à avouer.

— Si, t'avoues. Tu crèves de jalousie, mon petit Nécarré. C'est bien dommage, mais c'est moi qui décide et j'ai décidé qu'on surveillerait Gagné à distance pendant quelques jours. Qu'est-ce que tu peux y faire? Rien. Rien, parce que c'est moi qui mène. T'es mon bras droit et tu fais ce que je dis, point final.

— Tu me fais pitié, DeVries, dit Néron d'un air dégoûté.

— Je te fais pitié?

— Tu te penses important, mais tu ne l'es pas. Le peu de pouvoir que tu possèdes t'est monté à la tête.

— Peut-être bien, mais c'est moi qui mène. Pas toi. »

DeVries sourit d'un air triomphal. Néron le fixa comme si de rien n'était, mais on pouvait quasiment voir la vapeur s'échapper de ses petites oreilles pointues.

« Si on revenait à Gagné ? suggéra Castonguay. S'il a agressé madame Tanguay, il l'a fait avant de se rendre à son travail.

— L'agression a eu lieu vers sept heures et demie, dit DeVries. Ça lui laisse une heure et demie pour traverser la ville et se rendre à son travail.

— Je dirais que c'est possible.

— Oui, moi aussi.

— Il est peut-être arrivé en retard ce matin-là. Ou il était peut-être agité.

— On va vérifier avec son boss, dit DeVries. Entre-temps, je vais envoyer sa description à Québec. Il y a peut-être eu des agressions là-bas pendant qu'il y était. Cette fois-ci, je vais le faire enfermer pour un bout de temps.

— Et madame Tanguay ?

— On pourrait avoir besoin de son témoignage. »

DeVries se tourna vers moi.

« Vas-y, t'es bon là-dedans. »

J'avais toujours détesté m'occuper de ça, mais c'était différent cette fois-ci : ça me permettrait de sortir de ce bureau.

Madame Tanguay était assise dans le couloir. En me voyant, elle bondit sur ses pieds et passa la courroie de son sac à main sur son épaule.

« Venez, lui dis-je, je vous raccompagne à votre voiture.

— Merci. »

On s'avança dans le couloir.

« Qu'est-ce qui va se passer maintenant ? me demanda-t-elle. Où est l'homme qui… ?

— On l'a relâché.

— Vous l'avez relâché ? dit-elle en s'arrêtant net.

— Oui.

— Pourquoi vous avez fait ça ?

— Vous n'avez rien à craindre, on va le surveiller vingt-quatre heures sur vingt-quatre.

— Et s'il échappe à votre surveillance ?

— Vous n'avez rien à craindre, répétai-je, faute de mieux.

— Je n'aime pas ça, je n'aime pas ça du tout.

— Venez. »

On reprit notre marche.

« Dites-moi, madame Tanguay, seriez-vous prête à témoigner en cour ?

— En cour ?

— Oui, s'il est formellement accusé.

— Eh bien, je ne sais pas…

— Vous avez fait beaucoup de chemin. Ce serait dommage d'abandonner à ce stade-ci.

— C'était une chose de le voir à travers une vitre, dit-elle en fixant le linoléum. Mais me trouver face à face avec lui…

— Il ne vous arriverait rien.

— Je sais, mais… Il me regarderait. Et puis il y a mon bébé, ajouta-t-elle. Je ne pourrais pas l'amener en cour avec moi.

— Qui s'occupe de lui en ce moment ?

— La mère de Paulo. »

Elle pourrait s'en occuper une autre fois, sûrement, mais madame Tanguay ne voulait rien savoir. Je ne pouvais la blâmer.

On arriva à l'accueil.

« Vous allez y penser ? dis-je pour la forme.

— Oui, oui… »

On s'échangea des au revoir. Elle passa les grandes portes en vitre et s'éloigna rapidement, comme si elle voulait mettre le plus de distance, le plus vite possible, entre elle et le poste de police. Elle y parviendrait à un moment donné. Mais elle ne pourrait jamais distancer ses souvenirs.

Cinq heures sonna et les employés de Bell Telephone sortirent de l'immeuble du même nom. Je les observai de ma voiture, stationnée au sommet de la côte du Beaver Hall. Ils avaient l'air minuscules au pied du colossal immeuble. Kathryn sortit à cinq heures cinq mais, au lieu de gravir la côte comme les autres jours, elle fit le pied de grue en serrant son sac à main sous son bras.

Une vieille Oldsmobile tachetée de rouille s'immobilisa de l'autre côté de la rue deux minutes plus tard. Quand Kathryn y fut montée, le conducteur lâcha le frein et la voiture descendit la côte et disparut au-delà de la courbe. J'embrayai sans trop savoir pourquoi. Après tout, ce n'était pas la Buick de l'administrateur. La Olds tourna dans la rue De La Gauchetière, puis remonta University. Je gardai trois ou quatre voitures de distance entre nos pare-chocs. La circulation était dense et elle ne pourrait pas m'échapper même si le conducteur le voulait.

La filature prit fin quand on arriva au magasin Eaton. L'Oldsmobile sortit alors de la file de voitures devant moi et se glissa dans une place de stationnement, à l'ombre de l'édifice. Le conducteur semblait manquer d'expérience, la voiture avança et recula par à-coups. Je la dépassai pour chercher une place à mon tour et vis le conducteur du coin de l'œil. C'était Rachel, la sœur de Kathryn. Elle portait une grande capeline ornée d'un ruban. Elle n'avait jamais détesté ça, attirer l'attention.

Je trouvai une place plus haut dans University. La circulation sur le trottoir était aussi dense que dans la rue. Je me frayai un chemin parmi les piétons, cherchant Kathryn et sa sœur. Je les vis à la dernière seconde sous l'auvent qui surplombait les portes d'entrée. Je ralentis un peu le pas, histoire de ne pas leur tomber dessus dans le vestibule, puis entrai à mon tour. De l'autre côté des portes à tambour, les affaires allaient bon train. Des dizaines et des dizaines de clients arpentaient les allées. Certains d'entre eux avaient déjà des sacs dans les mains, alors que d'autres regardaient aux alentours à l'affût de la meilleure aubaine. Il y en avait qui examinaient des présentoirs sous le regard de vendeuses.

Je repérai la capeline de Rachel parmi la foule. Les deux femmes s'éloignaient dans l'allée centrale. Je poussai la porte devant moi et les suivis. Le clac-clac des pas et les éclats de voix formaient un fond sonore assourdissant. Quand elles furent arrivées aux ascenseurs, à l'autre bout du magasin, Rachel appuya sur le bouton pour monter. Je me glissai derrière une rangée de présentoirs à cravates à quelques pas de là, à l'abri des regards. Je feignis de m'intéresser à la marchandise tout en gardant un œil sur les deux sœurs.

« C'est une bonne idée que tu as eue, de souper ici », dit Kathryn à Rachel.

Elles allaient manger au neuvième étage.

« Je savais que t'aimerais ça.

— Mais il n'est pas question que tu paies pour nous deux, hein ?

— Ne t'inquiète pas, dit Rachel avec un sourire, l'idée ne m'avait même pas effleuré l'esprit. »

Je reconnaissais bien Kathryn : trop orgueilleuse pour se faire inviter même si elle avait à peine assez d'argent pour manger dans une binerie.

«Je me disais que peut-être…»

Rachel laissa sa phrase en suspens, détourna les yeux.

«Quoi? dit Kathryn.

— Ben, que tu voudrais parler de Stan et de toi. Tu ne m'as pas donné de nouvelles depuis…»

Je leur jetai un œil entre les présentoirs. Elles n'étaient plus seules. Cinq ou six personnes les avaient rejointes. Je voyais seulement les lèvres de Rachel bouger. Elle avait baissé le ton pour qu'une oreille indiscrète comme la mienne n'entende pas ce qu'elle disait. Kathryn semblait l'écouter, la tête penchée en avant, les bras croisés sur sa poitrine.

Ding, les portes de l'ascenseur s'ouvrirent. Ses passagers en sortirent et Kathryn et les autres s'y engouffrèrent. Des index appuyèrent sur les boutons du panneau de contrôle, puis les portes se refermèrent. L'aiguille du cadran au-dessus des portes s'approcha lentement du chiffre un, le dépassa, se dirigea vers le deux.

Je sortis de ma cachette et appuyai sur le bouton pour monter. L'administrateur se joindrait-il à elles pour souper? Si c'était le cas, je verrais comment il se comportait avec Kathryn quand une autre personne était présente. Peut-être que Rachel contrecarrerait ses plans et qu'il se montrerait moins charmant?

Les portes s'ouvrirent. Je fis un pas de côté pour laisser passer les gens qui sortaient, puis j'entrai et pressai le bouton du neuvième étage. Une vieille dame entra à son tour. Elle montait au sixième. Les portes se refermèrent, l'ascenseur s'éleva. La vieille dame sortit au sixième, d'autres gens montèrent à bord, puis l'ascenseur poursuivit sans interruption sa route jusqu'au neuvième, où j'empruntai le couloir qui menait au restaurant. Je baissai mon feutre sur mes yeux, même en sachant que ça ne donnerait pas grand-chose si j'arrivais face à face avec Kathryn.

Le couloir tourna à droite. Je m'arrêtai et jetai un œil au-delà de l'angle du mur. Les tables rondes qui s'alignaient devant le restaurant étaient toutes occupées. Une femme, assise sur une des banquettes en cuir sous les fenêtres, faisait des guili-guili au poupon blotti dans ses bras. Kathryn et sa sœur n'étaient pas là.

Je continuai mon chemin jusqu'au restaurant. Une dizaine de personnes bloquaient l'entrée. Elles attendaient qu'une serveuse les guide jusqu'à une table. Je scrutai la salle par-dessus les épaules. Il y avait déjà pas mal de monde, mais je n'eus pas de difficulté à repérer Rachel. Elle et Kathryn étaient assises du côté droit de la salle. Une petite fontaine bouillonnait dans une niche installée dans le mur à côté d'elles.

«Excusez-moi», dis-je aux gens devant moi.

Je me faufilai entre eux jusque dans la salle. Le plafond haut et l'éclairage tamisé me donnaient l'impression de me trouver dans une cathédrale.

Une serveuse croisa mon chemin. Elle portait un plateau de nourriture qui semblait peser une tonne.

«Attendez qu'on vienne vous chercher, monsieur.

— Ça va, lui dis-je sans m'arrêter, je suis assez grand pour me trouver une table tout seul.»

J'en dénichai une derrière une colonne en marbre. Elle ferait parfaitement l'affaire, je n'avais qu'à incliner la tête vers l'arrière d'un ou deux centimètres pour observer l'objet de ma filature, à l'autre bout de la salle.

Rien ne se passa pendant un long moment. Kathryn et sa sœur commandèrent, puis parlèrent en sirotant leur eau. Aucun signe de l'administrateur. Le restaurant s'emplit lentement et le bruit des conversations augmenta et le cliquetis des ustensiles et des assiettes s'amplifia. Puis une serveuse apparut à côté de ma table. Ses yeux bleu pervenche brillaient sous une frange de cheveux châtains.

«Bonsoir, monsieur. Vous êtes prêt à commander?»

Manger. Je n'y avais pas pensé en arrivant mais, comme j'étais là, je demandai une omelette au jambon.

Je mangeai l'omelette en gardant un œil sur Kathryn et sa sœur. Après avoir fini leur dessert, elles ne partirent pas tout de suite. Elles restèrent assises devant leur assiette vide et discutèrent. Toujours aucun signe de l'administrateur. Il ne se joindrait pas à elles. Je fis durer ma tasse de café jusqu'à ce qu'elle fût froide. La serveuse me regardait avec des yeux inquiets chaque fois qu'elle passait à côté de moi. C'était une soirée occupée, elle aurait bien aimé donner ma table à quelqu'un d'autre.

Un autre coup d'œil vers les deux femmes. Rachel faisait tous les frais de la conversation. Kathryn ne bougeait pas. Elle fixait sa sœur, mais ne semblait pas la voir. Puis elle haussa lentement les épaules, comme si un poids énorme les écrasait, et ferma les yeux. Ses lèvres, pressées l'une contre l'autre, tremblèrent, s'inclinèrent vers le bas. Elle essaya de toutes ses forces de les relever, mais elle en fut incapable.

« Excusez-moi, monsieur, mais il faut que vous partiez. Il y a des gens qui attendent pour avoir votre table.»

La serveuse s'était matérialisée près de moi. Elle me fixait avec de grands yeux suppliants. Ses doigts tripotaient nerveusement le tablier blanc noué à sa taille.

Je jetai un regard vers Kathryn. Sa sœur lui tapotait la main en lui disant je ne sais quoi. J'aurais dû aller lui parler, mais je n'avais aucune idée de ce que je lui dirais. Et ç'aurait été trop embarrassant devant tout le monde.

« Bon, d'accord », dis-je à la serveuse.

Elle sourit d'un air soulagé et s'éloigna entre les tables. Je lui laissai un généreux pourboire — elle le méritait bien après les angoisses que je lui avais fait vivre — et quittai la salle. Je me sentais honteux et malheureux.

L'ascenseur me conduisit au rez-de-chaussée. Je sortis dans la rue University. Il faisait nuit noire. La température avait baissé, mais on était tout de même bien. Les voitures filaient tous phares allumés dans Sainte-Catherine. Je me dirigeai vers la Studebaker, mais continuai mon chemin quand j'arrivai à côté d'elle.

J'avais besoin de réfléchir.

CHAPITRE 13

On reçut des nouvelles de Québec deux jours après le témoignage de madame Tanguay. Des agressions du même genre que celle dont elle avait été victime avaient eu lieu à l'époque où Gagné y habitait. Le signalement de l'agresseur ressemblait trop au signalement de Gagné pour que ce soit une coïncidence : lunettes fumées, nez en bec d'aigle, large bouche aux lèvres épaisses, odeur nauséabonde. Il avait attaché ses victimes à leur lit, comme l'avait fait Gagné, pour ensuite « s'amuser » avec elles. Il ne les avait pas toutes violées : dans certains cas, il s'était seulement livré à des attouchements.

DeVries voulut réinterroger Gagné sur-le-champ et il ordonna qu'on aille le cueillir chez lui tôt le matin, avant qu'il parte pour son travail. Il nous envoya à La Baie, Castonguay et moi, afin de mettre son employeur au courant de la situation et tâter le terrain.

Les édifices qui bordaient Sainte-Catherine, leurs enseignes éteintes, se découpaient contre le ciel bleu. Quelques nuages s'y traînaient les pieds, les rayons du soleil réchauffaient les piétons sur le trottoir. C'étaient des gens en route vers leur boulot. Les bêtes qui peuplaient le centre-ville, la nuit tombée, étaient retournées dans leur trou en attendant qu'elle se relève et que les enseignes se rallument et que la fête recommence.

Castonguay gara la voiture à quelques pas de La Baie. Le concurrent de cette dernière, Eaton, se dressait juste à côté. Je pensai à Kathryn et au soir où je l'avais suivie jusqu'au restaurant. J'allais lui parler. Bientôt.

Le magasin venait tout juste d'ouvrir et il n'y avait pratiquement pas de clients. On emprunta une allée déserte qui menait aux ascenseurs. Les vendeuses nous adressèrent des sourires dans le but de nous attirer dans leur rayon, mais on n'était pas là pour faire des achats. On monta en silence aux bureaux administratifs. La secrétaire en poste nous examina tour à tour. Elle avait le regard austère et le sourire desséché d'une mère supérieure. Ne lui manquait que la coiffe noire avec les ailerons blancs.

Castonguay lui expliqua la raison de notre visite. Elle se leva sans dire un mot et disparut par une porte. La porte se rouvrit au bout d'une minute et la secrétaire réapparut.

« Monsieur Boivin va vous recevoir », nous annonça-t-elle.

Ça ressemblait à un ordre.

On entra. Monsieur Boivin se tenait debout derrière son bureau. C'était un homme obèse et, comme beaucoup d'hommes obèses, il suait à grosses gouttes. Ses bajoues étaient rouges, ses yeux, vitreux. Il avait déjà commencé à boire, à moins qu'il ne se soit mis du gin dans le visage à la place de la lotion après-rasage. Un mouchoir moussait élégamment dans sa pochette de veston.

On serra tour à tour sa main potelée et on s'assit.

« Henriette m'a dit que vous vouliez me voir à propos d'un de mes employés, dit-il.

— C'est exact, confirma Castonguay. Joseph Gagné.

— Je vous écoute, dit monsieur Boivin.

— Il ne travaillera pas aujourd'hui – en fait, il ne travaillera pas pendant un bon bout de temps.

— Ah bon, dit monsieur Boivin en fronçant les sourcils. Qu'est-ce qui ne va pas?

— On l'a mis en état d'arrestation ce matin, lui expliquai-je. Et il va sans doute être accusé d'agressions sexuelles et d'attentat à la pudeur dans les prochaines heures.»

Monsieur Boivin se laissa aller contre le dossier de son fauteuil. On aurait dit qu'il avait le souffle coupé.

«Je ne sais pas quoi vous dire, bredouilla-t-il.

— C'est un début, ça, lança Castonguay, pince-sans-rire.

— Je n'aurais jamais pensé qu'il pouvait faire des… des choses pareilles.

— C'était un bon employé? demandai-je.

— Oui, dit monsieur Boivin en hochant la tête. Je veux dire, il n'avait qu'à déplacer des présentoirs, à… à cirer les planchers. C'était un peu un homme à tout faire, si vous voulez. Mais il effectuait très bien son travail.

— Il était en retard, des fois?

— C'est arrivé, oui, mais juste de quelques minutes. Tout ça est difficile à croire…»

Monsieur Boivin gonfla les joues comme une grenouille, expira longuement et bruyamment et s'épongea le front avec son mouchoir. Les retards de Gagné coïncidaient peut-être avec les jours où des agressions avaient eu lieu.

« Les employés ont des fiches de présence ? demandai-je.

— Oui, dit monsieur Boivin.

— On va avoir besoin de celle de Gagné.

— Oui, oui, bien sûr. Je vais demander à Henriette de vous la remettre.

— Comment Gagné a-t-il abouti ici? demanda Castonguay.

— Eh bien, il a fait une demande d'emploi, tout simplement. Je l'ai interrogé et… et il m'a semblé qu'il n'avait pas peur du travail. Je ne pouvais pas savoir que… »

Je levai la main pour l'arrêter. J'avais compris qu'il n'en revenait pas des accusations qui pesaient sur Gagné.

« Et ses collègues de travail ? Qu'est-ce qu'ils pensent de lui ?

— Je ne sais pas, dit monsieur Boivin d'un air de doute. Il faudrait leur demander.

— On peut? dit Castonguay.

— Bien sûr, bien sûr. Parlez à monsieur Gélinas, notre décorateur. Gagné lui donnait souvent un coup de main. Je l'ai croisé ce matin, dans le rayon des hommes.

— D'accord. Si vous pouviez garder les détails de cette conversation pour vous…

— Oui, oui, absolument », dit avec empressement monsieur Boivin.

Il nous reconduisit à la porte et demanda à sa secrétaire la fiche de présence de Gagné. Je l'empochai et remerciai monsieur Boivin de sa coopération.

« Je vous en prie, me dit-il en s'épongeant de nouveau le front. Au revoir, messieurs. »

On descendit au rayon des hommes. Une vendeuse nous informa que monsieur Gélinas se trouvait dans la pièce à l'arrière du rayon.

« Vas-y, me dit Castonguay. Moi, je vais interroger d'autres employés. On se rejoint à la porte par où on est entrés. »

Une ampoule éclairait des piles de cintres et des complets accrochés sur de longues tringles. Des man-

nequins nus s'entassaient dans un coin sombre – des
revenants sortis de leur tombe pour se venger de leur
mort. L'homme penché sur la boîte au centre de la
pièce ne m'avait pas entendu arriver.

« Monsieur Gélinas ? »

Il se releva. Il était plus grand moi, plus mince aussi.
Ses yeux pétillaient sous ses cheveux argentés.

« C'est moi.

— Stan Coveleski, détective à la brigade des homicides, dis-je en lui montrant mon insigne. J'aimerais
vous poser quelques questions à propos de Joseph
Gagné. On m'a dit que vous travailliez souvent avec
lui.

— Et alors ?

— C'est quel genre de gars ? »

Monsieur Gélinas se pencha de nouveau sur sa boîte,
en me tournant le dos, avant de répondre.

« Il ne parle jamais à personne. On peut passer des
heures ensemble, à monter des présentoirs, mettons, et
nos conversations se limitent à "donne-moi le tournevis", "où est-ce que t'as rangé le marteau ?". Moi, ça
fait bien mon affaire, je ne suis pas un gars très bavard,
vous comprenez.

— Il est du genre calme, nerveux ?

— Nerveux. Il a tout le temps l'air inquiet. Il se
ronge les ongles comme c'est pas possible. »

Monsieur Gélinas se redressa et repoussa la boîte
du pied. Il tenait un rouleau de fil de fer à la main.

« Il était plus nerveux qu'à l'habitude il y a cinq
jours ?

— Comment voulez-vous que je m'en souvienne ? »

Il haussa un sourcil.

« Pourquoi vous me posez toutes ces questions-là ?
Qu'est-ce qu'il a fait ? »

Je lui glissai un mot sur l'agression de madame
Tanguay. Monsieur Gélinas sembla confus.

« Gagné est bizarre, mais de là à attaquer quelqu'un…

— Vous ne vous attendiez pas à ça, hein ?

— Non.

— Vous n'êtes pas le seul. »

Là-dessus, je quittai monsieur Gélinas et me mis en quête d'une employée. Je n'avais qu'une opinion masculine sur Gagné. J'avais aussi besoin d'une opinion féminine.

Je me rendis au rayon des bijoux. Une vendeuse se tenait derrière un comptoir en vitre où s'étalaient des montres. Elle semblait s'ennuyer. Le magasin s'était rempli de clients depuis l'ouverture, mais personne n'allait la voir. Elle avait les cheveux roux bouclés et les pommettes rouges d'une poupée. Son visage dégageait une certaine candeur, une certaine simplicité, et je me dis qu'elle répondrait sans détour à mes questions.

« Bonjour, monsieur.

— Bonjour.

— Vous cherchez un modèle en particulier ?

— Ce n'est pas pour une montre.

— Ah non ? dit-elle, surprise et déçue à la fois.

— Non. J'aurais quelques questions à vous poser. Je suis détective à la brigade des homicides. »

Je ressortis mon insigne. Les yeux bleus de la jeune femme s'écarquillèrent.

« Hein ! vous voulez m'interroger, moi ? C'est la première fois que je me fais interroger par la police.

— Il y a un début à tout.

— Allez-y, posez-moi vos questions, dit-elle avec enthousiasme. Je vais faire de mon mieux pour y répondre.

— C'est très aimable à vous, mademoiselle… ?

— Appelez-moi Mélodie.

— Mélodie. Mes questions concernent Joseph Gagné, un de vos collègues de travail.

— Joseph qui ? » dit-elle en inclinant la tête sur un côté.

Je lui décrivis Gagné.

« Oh. Lui. »

Tout à coup, Mélodie ne semblait plus vouloir coopérer.

« Qu'est-ce qu'il y a ?

— Je ne l'aime pas. Il ne m'inspire pas confiance.

— Comment ça ?

— Il a une façon de me regarder… Je n'aime pas ça. Ça me donne la chair de poule. »

Comme pour illustrer ses propos, elle croisa les bras et étreignit ses coudes dans ses mains.

« Comment est-ce qu'il vous regarde ?

— C'est difficile à expliquer, dit Mélodie en grimaçant. Il ne me regarde jamais en face. C'est toujours un peu de côté, comme s'il ne voulait pas que je le voie faire, mais je le voie faire et il continue quand même. Vous comprenez ?

— Je comprends.

— Et il parle tout seul, ajouta-t-elle.

— Il parle tout seul ?

— Oui. Quand il me regarde, je peux voir ses lèvres bouger. Je n'entends pas ce qu'il dit, mais… Il se parle à lui-même. C'est arrivé une couple de fois.

— C'est bizarre comme comportement, pensai-je tout haut.

— Oui, ce n'est pas un gars rassurant. Vous demanderez aux autres vendeuses pour voir, je suis certaine qu'elles pensent comme moi.

— C'est ce que je vais faire, dis-je. Merci de votre coopération, Mélodie.

— Il n'y a pas de quoi, dit-elle avec un sourire ravi. Si vous avez besoin d'une montre…

— Je passerai vous voir.»

J'interrogeai quatre autres vendeuses. Deux d'entre elles souhaitaient ne jamais croiser Gagné dans une rue sombre, une autre l'avait déjà vu lorgner une cliente qui portait une jupe courte et la quatrième n'avait rien remarqué.

Je pris bonne note de tout ça, puis rejoignis Castonguay à l'endroit convenu. On passait la porte quand une voix nous interpella. C'était monsieur Boivin qui se frayait un chemin parmi les clients arpentant l'allée. Il courait presque, l'index en l'air comme s'il hélait un taxi, le visage plus rouge que jamais.

«Qu'est-ce qu'il y a? lui demanda Castonguay.

— Le capitaine De… DeVries vient d'appeler. Il veut que… que vous le rappeliez.»

On remonta à son bureau. Je rappelai DeVries tandis que Castonguay jouait avec son cure-dent. J'avais envie de le lui faire avaler, son satané cure-dent.

«DeVries, grogna-t-il à l'autre bout du fil.

— C'est moi.

— Ah, Stan. Vous avez appris du nouveau?

— Je te raconterai. Et toi?

— Non, rien.

— Gagné n'avait rien à dire?

— Ce n'est pas ça. Il a dit qu'il parlerait seulement si sa mère était là.

— Hein?»

J'avais sûrement mal entendu.

«T'as bien entendu, m'assura DeVries. Il tient absolument à la voir. J'ai essayé de le raisonner, mais il ne veut rien savoir. Passe chercher madame Gagné chez elle. Je lui ai déjà dit que quelqu'un passerait en début d'après-midi.

— O.K. Son adresse?»

Il me la donna. Je la notai au verso d'une enveloppe. C'était plutôt inusité comme requête de la part de Gagné. Mais toute cette affaire sortait de l'ordinaire.

En route, je répétai ce que j'avais appris à Castonguay, qui me raconta ensuite une anecdote intéressante. Un vendeur du rayon des meubles, monsieur Nadeau, et trois autres vendeurs s'étaient réunis dans l'entrepôt pour boire en cachette (monsieur Nadeau jurait que ç'avait été la seule fois). Entre deux gorgées, ils avaient échangé leurs impressions sur la nouvelle caissière du rayon des chaussures. Sur ces entrefaites, Gagné était arrivé et ils lui avaient demandé ce qu'il pensait de la caissière.

« Gagné ne voulait pas répondre. Ils ont fait une couple de farces salées et Gagné est parti, tout offusqué, comme si c'était sa propre sœur dont il était question. Ç'a frappé monsieur Nadeau, il ne pensait pas que Gagné était si sensible.

— Il a un drôle de rapport avec les femmes, dis-je.

— Je ne te le fais pas dire… »

Madame Gagné habitait dans l'est, rue d'Iberville, un duplex anonyme pris en sandwich entre deux autres duplex tout aussi anonymes. Tandis que Castonguay attendait dans la voiture, je montai l'escalier qui menait au deuxième et sonnai. La porte s'ouvrit aussitôt sur une femme solidement bâtie – elle bloquait toute la porte. On aurait dit qu'elle venait juste d'enlever les bigoudis de ses cheveux, les boucles étaient si parfaites qu'elles avaient l'air en plastique. Un petit chapeau était perché précairement dessus. Elle avait une mâchoire carrée, un long nez et des yeux noirs. Ils étaient très rapprochés l'un de l'autre, ce qui donnait l'impression qu'elle louchait. Ils me balayèrent des pieds à la tête avant de se fixer dans les miens. Ils avaient une expression hautaine.

Je saluai la femme d'un hochement de tête et la détaillai du regard à mon tour. Elle aurait pu être bloqueur au football. Ses seins étaient deux obus. C'était une femme très virile. Elle était prête à partir, son sac à main sous son bras.

«Madame Gagné?

— C'est moi, oui, dit-elle d'une voix coupante. Lucette Gagné. Vous êtes de la police?

— Oui.»

Elle sortit sur le balcon. Je fis un pas de côté pour éviter la collision. Puis elle claqua la porte et descendit l'escalier. Je n'avais pas le choix de la suivre.

On était en route depuis un bon moment déjà quand elle parla de nouveau.

«Qu'est-ce que Joseph a fait?

— On ne vous a pas mis au courant? dit Castonguay, qui se trouvait au volant.

— Non. On m'a seulement dit qu'il avait été arrêté et qu'il voulait me parler.

— On pense qu'il a agressé une femme il y a trois jours. Et il a peut-être fait d'autres victimes au cours des derniers mois, on ne sait pas encore.»

Je jetai un œil sur la banquette arrière par le rétroviseur. Madame Gagné ne semblait pas perturbée par la nouvelle. Elle regardait défiler les façades des duplex par sa fenêtre. On roulait sur Bélanger, vers l'ouest et le centre-ville.

«C'est tout ce que ça vous fait?»

Apparemment, oui. Elle ne répondit pas. Elle continua d'admirer le paysage.

DeVries se tenait devant la fenêtre de son bureau, les mains enfouies dans les poches, un mégot d'El Pietto éteint coincé entre les lèvres, oublié. Joseph Gagné, lui, était assis sur une chaise, les ongles entre les dents. Néron était assis à ses côtés. Quand Joseph Gagné vit sa mère dans l'embrasure de la porte, il se leva et se réfugia dans ses bras massifs.

« Mon petit Joseph, mon petit Joseph », disait-elle en lui tapotant le dos.

C'était complètement irréel comme scène. DeVries, qui l'observait lui aussi, pensait la même chose à en juger par ses sourcils froncés et sa bouche entrouverte.

Lucette Gagné desserra son étreinte, mais garda un bras autour des épaules de son fils. Elle le dépassait d'au moins une tête et aurait pu l'écraser comme un maringouin.

« Vous n'avez pas le droit d'arrêter mon fils comme ça et de le garder ici ! tonna-t-elle.

— On ne l'a pas arrêté, dit DeVries. On l'a seulement convoqué pour lui parler.

— Vous avez un mandat d'arrestation ?

— Ce n'est pas nécessaire dans ce cas-ci, madame Gagné. On n'a porté aucune accusation contre lui.

— Eh bien, il n'a pas à répondre à vos questions. »

Lucette Gagné entraîna son fils vers la porte.

« Allez, Joseph. On rentre à la maison. »

Mais Gagné s'arrêta net. Sa mère se tourna vers lui et lui fit de gros yeux.

« Joseph », souffla-t-elle.

Il ne bougea pas. Son regard se posa sur nous, puis sur sa mère, puis de nouveau sur nous. Une grimace déforma son visage comme s'il essayait de refouler des larmes.

« Non, m'man, dit-il finalement en baissant la tête. J'ai fait des choses pas correctes. Il est temps que… que je me confesse. »

DeVries le conduisit dans la pièce où il l'avait interrogé la première fois. Lucette Gagné voulut suivre son fils, mais DeVries refusa et ordonna à deux policiers de l'escorter à l'accueil. DeVries et Gagné s'assirent l'un en face de l'autre, de chaque côté de la table. Cette fois-ci, je restai avec eux. Néron était là lui aussi. Il se tint dans un coin de la pièce et garda ses yeux rivés sur Gagné durant tout l'interrogatoire.

Joseph Gagné n'attendit pas la première question de DeVries pour vider son sac.

« La femme qui a été agressée il y a trois jours, madame Tanguay, c'est ça ? C'était moi.

— Qu'est-ce que tu lui as fait exactement ? dit DeVries.

— Ben, je me suis rendu chez elle. Elle était encore couchée. Il était de bonne heure, le soleil venait juste de se lever. La serrure de la porte… Je l'ai forcée avec mon couteau. Dans la chambre, je l'ai attachée après le lit.

— Avec quoi tu l'as attachée ?

— Il y avait des foulards dans le tiroir de la table à côté du lit. J'ai attaché ses poignets à la tête du lit, ses pieds, au pied du lit. C'est ce que je fais tout le temps. Je pouvais faire ce que je voulais avec elle, elle ne se débattait pas, elle avait trop peur… J'ai quand même enfoncé un bas dans sa bouche pour ne pas qu'elle se mette à crier, au cas où.

— Ensuite ? demanda DeVries.

— J'ai déchiré sa chemise de nuit. Elle avait un beau corps, des gros seins très doux… »

Joseph Gagné avala sa salive. Ça fit un petit claquement sec dans la pièce. Il se rongeait les ongles comme s'il avait voulu les bouffer tout rond.

« J'ai commencé à jouer avec, continua-t-il, et puis… et puis j'ai entendu quelqu'un crier dans le passage. Je me suis poussé par la fenêtre, il y avait un escalier juste en dessous. Je suis retourné chez moi et je me suis changé. J'avais suffisamment de temps avant que le magasin ouvre, mais il y avait beaucoup de trafic et je suis arrivé quelques minutes en retard.

— Tu as dit "C'est ce que je fais tout le temps" quand tu parlais de madame Tanguay, dit Néron.

— Oui, acquiesça Joseph Gagné.

— Qu'est-ce que tu veux dire ?

— Quand j'étais à Québec, je… J'ai agressé d'autres… d'autres femmes. »

Il baissa la tête comme s'il avait honte.

« Tu les attachais à leur lit, elles aussi ? demanda DeVries.

— Oui. C'était plus facile comme ça. Après, je pouvais faire ce que je voulais avec.

— Comment tu t'y prenais pour entrer chez elles ?

— L'été, je passais par les fenêtres, dit Gagné. J'avais juste à briser la moustiquaire. Ou je forçais les serrures avec un tournevis ou je me faisais passer pour un vendeur de porte-à-porte.

— Revenons à madame Tanguay.

— C'est moi qui l'ai agressée. Vous me croyez, n'est-ce pas ? Pourquoi vous ne me… »

DeVries leva la main pour l'arrêter.

« Oui, oui. Pourquoi elle ?

— Elle est passée au magasin deux jours avant que… avant que j'aille chez elle. Je posais des affiches pour une vente le lendemain. Elle m'a demandé à quel étage était le rayon des meubles. Et elle a flirté avec moi.

— Elle a flirté avec toi ? répéta DeVries.

— Oui ! dit Joseph Gagné en écarquillant les yeux. Je l'ai vue… Elle me montrait ses jambes. Elle portait une robe courte et elle s'était parfumée et… et elle n'arrêtait pas de sourire. Elle m'a touché le bras quand elle m'a dit merci. »

DeVries me jeta un long regard de côté. C'était assez surprenant, en effet.

« Comment as-tu obtenu son adresse ? poursuivit Néron.

— Je l'ai suivie jusqu'au rayon des meubles, expliqua-t-il. J'ai posé des affiches pendant que le vendeur s'occupait d'elle. Puis quand elle est passée à la caisse, je me suis approché. Le vendeur lui a demandé son nom. Elle avait acheté un set de cuisine et on allait le lui livrer. Quand ils sont partis, j'ai fouillé dans les factures. C'est comme ça que j'ai eu son adresse. »

Il nous fixa d'un air suppliant.

« Vous voyez bien que c'est moi le coupable ! Pourquoi vous ne m'arrêtez pas ? Il faut que vous m'aidiez, j'ai besoin d'aide, je veux qu'on m'aide. Je n'en peux plus !

— Pourquoi tu nous as menti l'autre fois ? dit DeVries.

— Je ne savais pas comment vous demander de l'aide. J'avais peur que… À cause de ce qu'on raconte dans les journaux… Je ne voulais pas que vous pensiez… »

Il croisa les bras sur la table et y enfouit son visage.

« Qu'on pense quoi ?

— Je suis fini ! geignit-il. Je vais aller en… en enfer !

— Qu'on pense quoi ? », répéta DeVries.

Joseph Gagné ne répondit pas. Des sanglots secouaient ses épaules.

DeVries se leva et me fit signe de le suivre. On quitta la salle d'interrogatoire. Deux policiers en uniforme montaient la garde dans le couloir. DeVries leur donna des ordres, puis je lui emboîtai le pas vers son bureau avec Néron.

« C'est la première fois que je vois un gars aussi pressé de se faire inculper, dit-il.

— C'est assez inhabituel, en effet, dit Néron.

— Mais c'est bien lui. »

Il nous regarda tour à tour, Néron et moi. On aurait dit qu'il voulait qu'on le rassure là-dessus.

« Il avait raison pour le couteau, dis-je, et pour l'escalier de secours. Mais il s'est trompé pour les foulards, c'est avec des bas de nylon qu'on a attaché madame Tanguay.

— Hm-hm, fit DeVries. Mais dans son énervement, il a pu penser que c'étaient des foulards.

— Peut-être. Il dit qu'il est arrivé en retard au travail le jour de l'agression ? »

Je plongeai la main dans ma poche de veston.

« C'est quoi ça ? demanda DeVries.

— La fiche de présence de Gagné à La Baie. C'est son patron qui me l'a donnée. »

Je parcourus la fiche des yeux. Gagné était bien arrivé en retard le jour de l'agression, de vingt minutes. Je remis la fiche à DeVries, qui l'examina à son tour.

« Ça colle, dit Néron, qui avait regardé par-dessus mon épaule. Et, en plus, la façon dont il s'y est pris pour obtenir l'adresse de madame Tanguay – son histoire est plausible. »

DeVries hocha la tête d'un air pensif.

« On fait quoi ? lui demandai-je.

— On l'inculpe. Ce ne sont pas les motifs qui manquent : entrée par effraction, attentat à la pudeur, agression sexuelle. Ça, c'est pour madame Tanguay.

— Tu penses aux victimes de Québec ?

— Hm-hm. Je vais demander qu'on m'en envoie quelques-unes pour procéder à une identification. Si on peut attribuer d'autres crimes à Gagné, tant mieux.

— Et sa mère ? dit Néron. Elle ne voudra jamais qu'on garde son fils ici quelques jours.

— Je sais », dit DeVries en se mordillant la lèvre inférieure.

Voilà qui posait un problème. Mais Néron semblait déjà posséder la solution.

«Tu pourrais lui demander – à Gagné, je veux dire – de signer un papier comme quoi il accepte de passer un examen mental. S'il tient absolument à ce qu'on l'aide, il ne refusera pas. Ça nous permettra de gagner du temps.

— Bonne idée, ça, Nécarré, dit DeVries avec un sourire. Tu vois, quand tu t'y mets…»

Néron sourit, mais il ne la trouvait pas drôle.

«Vous avez entendu ce qu'il a raconté sur madame Tanguay ? reprit DeVries. Je n'arrive pas à croire qu'elle ait flirté avec lui.

— Elle était juste amicale, dis-je. Gagné a une drôle de relation avec les femmes.»

Et je lui racontai ce que j'avais entendu plus tôt à La Baie en plus de l'anecdote de Castonguay.

«L'examen mental ne sera vraiment pas de trop, dit Néron d'un ton ironique. Il a de gros problèmes avec le sexe faible.

— Le genre de problèmes qui l'auraient poussé à tuer sept bonnes femmes ?» dit DeVries.

C'était lancé comme ça, à tout hasard. On ne pouvait pas s'empêcher d'y penser.

DeVries rédigea lui-même la déclaration. On ne savait pas si elle avait de la valeur d'un point de vue légal. On s'en moquait, on voulait seulement soustraire Gagné aux bras de sa mère. Gagné signa le papier sans hésiter, les larmes aux yeux comme s'il pleurait de joie, et on se dirigea vers l'accueil où l'on avait conduit Lucette Gagné. Elle était assise sur le bout du long banc, le corps raide, les pieds joints, flanquée des deux policiers. Quand elle nous vit, elle bondit sur ses pieds et nous demanda d'une voix vibrante d'émotion où était son fils. DeVries lui prit le coude et la pria de se rasseoir. Elle se déroba d'un geste sec comme s'il avait la lèpre.

« O.K., comme vous voulez », dit DeVries d'un ton résigné.

Il la mit au courant de la situation. Elle l'écouta attentivement, son visage se durcissant et se refroidissant à mesure que l'exposé progressait.

« Vous n'aviez pas le droit de questionner mon fils sans avocat, dit-elle avec indignation.

— Il a tout avoué de son plein gré, madame Gagné, dit DeVries. On ne l'a pas forcé.

— Ça ne prouve rien, dit-elle obstinément. Mon petit Joseph est un garçon émotif. Il est prêt à avouer n'importe quoi quand il a peur. Vous lui faisiez peur !

— Écoutez, il a donné certains détails que seul l'agresseur peut connaître. Si ce n'est pas une preuve de culpabilité, je veux bien manger le chapeau de mon collègue ici présent. »

Lucette Gagné nous mitrailla de ses petits yeux noirs.

« Ça ne se passera pas comme ça, dit-elle en serrant les dents. Je ramène Joseph à la maison.

— Je ne crois pas, non, dit DeVries. Tenez. »

Il lui tendit la déclaration signée de la main de son fils. Elle la parcourut et son visage de marbre commença à craquer. De nouvelles rides apparurent aux coins de sa bouche, ses yeux semblèrent s'enfoncer dans leurs orbites.

« Vous n'avez pas le droit, dit-elle d'une voix blanche.

— Il l'a signée.

— Vous… vous avez imité sa signature.

— On n'a jamais vu sa signature, madame Gagné, dit calmement DeVries en reprenant la déclaration.

— Je vais appeler un avocat. Cette affaire n'en restera pas là. Vous… vous allez voir… »

Elle tourna les talons pour qu'on ne soit pas témoins de sa métamorphose et se dirigea d'un pas rapide vers la porte. Un policier entrait au même moment. Il dut s'écarter en vitesse pour ne pas se faire écraser par l'imposante femme.

DeVries ouvrit les mains en signe d'impuissance.

« Pourquoi est-ce qu'elle refuse de voir les choses en face ? Il est coupable, il a tout avoué.

— Elle nous cache quelque chose.

— Qu'est-ce que tu veux dire ? demanda-t-il en fronçant les sourcils.

— Quand je lui ai dit qu'on soupçonnait son fils d'agression sexuelle, elle n'a pas tiqué. Elle n'a même pas dit un mot. Tu ne trouves pas ça bizarre, toi ?

— Oui, en effet. C'est bizarre.

— On dirait qu'elle ne voulait pas parler de peur de dire quelque chose d'accablant pour son fils.

— Peut-être qu'elle ne savait pas quoi dire, tout simplement.

— Peut-être. »

En attendant l'arrivée des victimes de Québec, on transféra Gagné à Saint-Jean-de-Dieu. Le transfert s'effectua dans le plus grand secret, tard le soir. Néron insista pour qu'on prenne une voiture ordinaire – pas d'ambulance comme pour Perlozzo – au cas où des journalistes auraient monté la garde aux alentours du quartier général. On confia Gagné au docteur Ouellet lui-même, qui se chargea d'un premier examen mental. Il nous convoqua à Saint-Jean dès qu'il eut terminé pour nous communiquer les résultats. DeVries insista pour voir Gagné, alors le docteur nous conduisit à sa cellule du pavillon Notre-Dame-des-Sept-Douleurs.

« Gagné n'a pas eu une enfance à l'eau de rose. Son père est parti quand il avait dix ans. C'était un homme violent – Gagné a dit qu'il les battait, sa sœur et lui, quand ils pleuraient ou qu'ils ne faisaient pas ce qu'il voulait. C'était un client régulier des tavernes et des cabarets de la ville. Il n'avait pas d'éducation, il faisait des jobines à gauche et à droite pour nourrir sa famille. Il a quitté la maison un bon matin et il n'est jamais revenu. Gagné ignore où il est passé. Sa mère les a fait vivre pendant quelques années puis, quand Gagné a été en âge de travailler, il a laissé l'école pour jouer le rôle de pourvoyeur. Il a sa cinquième année, mais il devait avoir des troubles d'apprentissage. Il écrit parfois au son, il a de la difficulté à compter correctement. »

DeVries ouvrit la petite trappe en haut de la porte pleine et se hissa sur la pointe des pieds.

« C'est un débile ? demanda-t-il en jetant un œil dans la cellule.

— Non. Vous l'avez interrogé comme moi, il est capable de s'exprimer clairement. C'est juste qu'il manque d'éducation. Sa sœur aussi a quitté l'école jeune pour travailler. De la façon qu'il m'en a parlé, il l'aimait beaucoup.

— "L'aimait" ? dit DeVries en se tournant vers le docteur.

— C'est exact. Violette – c'était son nom – s'est pendue dans la remise derrière la maison quand elle avait vingt ans. »

Il ôta son feutre et se massa le dessus de la tête. Ses cheveux se faisaient de plus en plus rares.

« Vingt ans… C'est jeune pour se suicider, ça. On n'a pas de vécu à cet âge-là.

— En effet, dit le docteur Ouellet. C'est un événement qui a beaucoup affecté Gagné.

— Il t'a dit pourquoi elle s'est suicidée ?

— Non, mais le beau-père a sûrement quelque chose à y voir. Vous voyez, madame Gagné s'est remise en ménage avec un homme en tout point identique au père de ses enfants, un type colérique, porté sur la bouteille. Il y a des femmes ainsi faites, elles sont inconsciemment attirées par un genre d'homme en particulier. Quand ce monsieur était soûl – ce qui était le cas la plupart du temps, selon Gagné – il la battait et la traitait de tous les noms. Gagné a dû s'interposer physiquement entre elle et lui plusieurs fois. Gagné et sa sœur y passaient eux aussi. »

Tandis que le docteur Ouellet parlait, je jetai un œil dans la cellule à mon tour. Elle était minuscule, toute grise. Au fond, il y avait un bassin dans un banc en bois très bas. Gagné, assis sur un petit lit étroit, fixait le mur devant lui sans le voir. Vêtu d'une salopette grise toute chiffonnée, il semblait se fondre dans le décor.

« Le beau-père a fini par se pousser, lui aussi ? demanda DeVries.

— Non. Il est mort sous les roues d'un tramway.

— Et la mère ? dis-je. Gagné vous a parlé d'elle ?

— Je l'ai questionné à ce sujet, dit le docteur. Je n'aurais peut-être pas dû le faire.

— Pourquoi ça ?

— Gagné s'est tenu sur la défensive à partir de là. Ses réponses sont devenues vagues. C'est dommage, il ne se retenait pas avant ça, il parlait librement.

— Pourquoi il s'est arrêté, d'après toi ? demanda DeVries.

— Oh, je ne sais pas…

— Il haït sa mère ?

— Non, je ne dirais pas ça. Si quelque chose n'allait pas avec un des parents, c'était avec le père – le biologique autant que l'autre. Gagné éprouve de la peur et du mépris envers eux. Il a aussi honte de ce qu'ils faisaient subir à sa mère.

— Tu peux nous tracer son profil psychologique ? »

Le docteur Ouellet esquissa un sourire embarrassé.

« Je n'ai pas suffisamment exploré sa personnalité. Donnez-moi encore un peu de temps. Pour une fois que je n'examine pas un patient cinq minutes avant le début de son procès…

— D'après ce que t'as entendu jusqu'ici ?

— Eh bien, soupira le docteur, Gagné souffre de dégénérescence mentale, de déviations sexuelles – pensez à ce qu'il a fait subir à madame Tanguay. Il est un peu tôt pour parler de schizophrénie – il pourrait en être atteint – et il est dépressif. Sur ce dernier point, il n'y a pas de doutes.

— Assez dépressif pour se suicider ? s'enquit DeVries.

— Ne vous inquiétez pas, on le surveille vingt-quatre heures sur vingt-quatre. »

DeVries hocha lentement la tête.

« Bon. On va passer le chercher demain matin. Je vais l'interroger une deuxième fois pendant que des victimes présumées vont essayer de l'identifier.

— Très bien, dit le docteur Ouellet. Mais allez-y mollo. »

On quitta le pavillon. DeVries marchait la tête penchée en avant, la lèvre inférieure entre les dents.

« Il faudrait rendre une petite visite à madame Gagné, dis-je.

— Tu penses toujours au secret qui les unirait ?

— Le fait que Gagné ait refusé de parler prouve qu'ils cachent quelque chose, non ? »

DeVries haussa ses larges épaules.

« Je ne sais pas. Je n'y crois pas tellement, à ton histoire de secret. Elle protège peut-être son fils parce que c'est son fils, justement. L'instinct maternel…

— Peut-être. Ça ne coûte rien de lui parler.

— C'est vrai. Et, *anyway*, il faut que je la mette au courant des derniers développements. »

La circulation était fluide et on arriva chez Lucette Gagné une demi-heure plus tard. Elle ouvrit sa porte, vêtue d'une autre robe fleurie qui moulait son corps massif comme une armure. Elle nous jeta à chacun un regard glacial.

« Qu'est-ce que vous voulez ? »

DeVries ôta respectueusement son feutre.

« Bonjour, madame Gagné. On aimerait vous parler de votre fils.

— Qu'est-ce qu'il y a ?

— On a beaucoup de choses à vous dire. On serait peut-être mieux à l'intérieur ? »

Lucette Gagné resta sans bouger dans l'embrasure de la porte. Pendant un moment, je pensai qu'elle ne nous laisserait pas entrer. Puis elle fit un pas de côté.

« Le salon est au bout du passage », dit-elle laconiquement.

On suivit le passage jusqu'à une petite pièce. Des rideaux de dentelle masquaient les fenêtres, atténuant la lumière de l'extérieur. Le mobilier en bois foncé était massif. Une sorte d'autel avec un prie-Dieu se dressait dans un coin et des tableaux à caractère religieux ornaient les murs. Je me demandai s'il fallait parler tout bas comme dans une église.

Lucette Gagné entra dans le salon et nous invita, d'une voix normale, à nous asseoir. On prit place dans un canapé. Elle s'assit devant nous dans un fauteuil, de l'autre côté d'une table basse. Il n'y avait pas un grain de poussière dessus.

« Je suis content de voir que vous avez changé d'idée, madame Gagné, dit DeVries avec un sourire niais.

— Changé d'idée ? À propos de quoi ?

— À propos de votre avocat.

— Vous m'avez crue ? dit-elle, surprise. Vous êtes encore plus stupide que vous en avez l'air. Je n'ai pas les moyens de me payer un avocat. Et c'est tant mieux pour vous, car ce que vous avez fait à mon fils n'est pas légal. »

DeVries ne souriait plus. J'examinai les tableaux. L'un d'eux montrait la Sainte Vierge tenant dans ses bras un bouquet de roses blanches et un crucifix. Un autre tableau montrait une femme à moitié étendue au pied d'une croix massive, les mains jointes. Elle fixait la croix d'un air suppliant. Une pécheresse, j'imagine. Un ange qui s'agrippait à la croix lui tendait la main. Il y avait encore de l'espoir pour elle.

« Ouais, bon, reprit DeVries, on a parlé au docteur qui a examiné votre Joseph… »

Et il répéta à Lucette Gagné le diagnostic du docteur Ouellet.

« Ce sont des maladies de l'esprit, ajouta-t-il à la fin. Elles auraient poussé votre fils à commettre ses agressions – ou, du moins, ça a sûrement joué.

— On pourrait le soigner avec des médicaments ? demanda-t-elle.

— Peut-être. Il pourrait aussi être interné.

— Je vois. »

Elle se leva et se dirigea vers la fenêtre sous le regard de la Vierge. Elle nous tourna le dos.

« Quand le docteur a examiné votre fils, dis-je, il a refusé de parler de sa relation avec vous. Il y a quelque chose que vous aimeriez nous dire, madame Gagné ? »

Elle hésita un moment avant de répondre.

« Dites-moi, qu'est-ce qui va arriver à mon fils ?

— Ça dépend, dit DeVries.

— De quoi ?

— Si on le déclare apte à subir un procès. Si c'est le cas, c'est la prison qui l'attend.

— Et s'il n'est pas apte ? demanda Lucette Gagné.

— C'est Saint-Jean-de-Dieu qui l'attend. »

Elle baissa la tête et ne dit rien. Elle avait peut-être besoin d'un autre argument.

Je dis : « Si vous avez quelque chose à raconter qui pourrait aider votre fils, madame Gagné, c'est le temps de le faire. Peut-être que ça lui sauvera la vie. S'il se retrouve à Saint-Jean, on va pouvoir l'aider, il va recevoir des soins. »

Un autre moment s'écoula avant qu'elle parle.

« Je veux le voir.

— Impossible, intervint DeVries.

— Vous ne pouvez pas m'empêcher de le voir, protesta-t-elle en virevoltant vers nous.

— Le docteur n'a pas fini de l'examiner.

— Qu'est-ce que ça change ?

— Il vaudrait mieux ne pas le déranger. »

Elle fondit sur nous les bras le long du corps, les poings serrés. Le plancher craqua sous ses pas.

« Personne ne va m'empêcher de voir mon Joseph, dit-elle d'une voix blanche.

— Ce n'est pas moi qui fais les règlements, dit DeVries.

— Ce n'est pas une prison, Saint-Jean-de-Dieu ! Vous n'avez pas le droit de le détenir comme ça.

— Dois-je vous rappeler qu'il a lui-même signé…

— Vous l'avez mystifié pour qu'il accepte qu'on l'examine ! coupa Lucette Gagné. Je vais peut-être faire appel à un avocat, après tout. Vous n'auriez aucune chance, Joseph serait libre demain matin. Allez-vous-en maintenant ! Je ne veux plus vous voir. Sortez de chez moi tout de suite ! Sortez ou j'appelle la police ! »

Elle était tellement en colère qu'elle ne savait plus ce qu'elle disait. Elle nous poussa jusqu'au vestibule en proférant des menaces. La porte claqua derrière nous.

« Tu penses qu'elle était sérieuse ? me demanda DeVries en route vers la voiture. On a des raisons de croire que Gagné n'est pas "normal", on lui fait passer un examen mental, on suit la procédure. Mais le papier qu'on lui a fait signer…

— Elle n'a pas les moyens de se payer un avocat, elle l'a dit elle-même.

— Mouais. Je commence à penser comme toi, Stan, ils nous cachent tous les deux quelque chose. On va mettre de la pression sur fiston. S'il y en a un des deux qui doit craquer, c'est lui qui va le faire. »

Il ouvrit sa portière.

« Tu penses qu'elle va essayer de le voir ?

— Elle en est capable.

— Je vais prévenir la sécurité de Saint-Jean, au cas où. »

DeVries fit mine de se glisser au volant, porta la main à son estomac. Une grimace déforma son visage.

« Qu'est-ce qu'il y a ? demandai-je.

— C'est mon dîner qui ne passe pas, je pense. »

CHAPITRE 14

Une dizaine de femmes attendaient en file devant la salle d'interrogatoire. Les victimes de Joseph Gagné à Québec. Elles étaient toutes différentes en apparence, mais elles avaient le même comportement nerveux. Elles fumaient cigarette sur cigarette ou se rongeaient voracement les ongles. Les policiers qui circulaient dans le couloir ne faisaient rien pour les mettre à l'aise, ils les détaillaient de la tête aux pieds quand ils passaient près d'elles.

Une femme sortit de la salle, blanche comme un linge. Elle s'éloigna dans le couloir, le clac-clac de ses pas diminuant rapidement, et une autre femme entra. Je la suivis à l'intérieur. Le détective Castonguay était là, grignotant un de ses éternels cure-dents, en compagnie de Néron. DeVries se trouvait dans une autre salle, de l'autre côté de la vitre. Il nous faisait face. La fumée de l'El Pietto coincé entre ses lèvres s'élevait paresseusement vers le plafond. Joseph Gagné était assis à la table derrière lui, les ongles entre les dents. Il avait les traits tirés, ses yeux semblaient s'enfoncer dans son crâne.

« On reprend tout une autre fois, Joseph », dit DeVries.

Gagné recommença le récit de son agression de madame Tanguay. Il était aussi coopératif que lors du premier interrogatoire.

Castonguay se tourna vers la femme dans la pièce avec nous.

« Alors ? C'est lui ?

— Oui, dit-elle sans hésiter. C'est lui.

— Merci », dit Néron.

La femme sortit, une autre entra. Elles défilèrent toutes ainsi dans la salle d'interrogatoire. Certaines affirmèrent n'avoir jamais vu Gagné. Elles mentaient, ça se voyait dans leurs yeux. C'était un épisode humiliant de leur vie et elles avaient peur. Cette peur les avait sans doute poussées à omettre certains détails de leur agression lors de leur déposition. Il n'y avait qu'elles et Gagné qui savaient ce qui s'était vraiment passé. C'était peut-être mieux comme ça.

À la fin de l'interrogatoire, DeVries écrasa son cigare dans le cendrier sur la table.

« Bon, ben, c'est tout, mon petit Joseph.

— C'est tout ?

— Oui. Je voulais juste vérifier certaines choses.

— Je retourne à Saint-Jean ?

— Hm-hm. »

DeVries fit un pas vers la porte. Gagné resta assis.

« Viens-t'en, Joseph. »

Gagné fixait le dessus de la table en continuant de se gruger les ongles.

« Envoye, arrive », dit DeVries.

Il contourna la table et se plaça devant Gagné, qui se rentra la tête dans les épaules. Il semblait vouloir se faire aussi petit que possible.

« T'as autre chose à ajouter ? »

Joseph Gagné hocha sèchement la tête.

« Vas-y.

— Je… J'ai peur.

— T'as peur?

— Oui, dit Gagné avec la voix d'un enfant de cinq ans.

— De quoi?

— Je ne veux pas retourner à Saint-Jean.

— Comment ça?

— Je… je vais rêver encore.»

Néron s'approcha du miroir sans tain, fronça les sourcils.

«Tu vas rêver à quoi? demanda DeVries.

— Il y a des serpents qui nous transpercent tout le corps et… et il y a ce visage satanique au-dessus de nos têtes qui rit, des flammes brûlent dans sa bouche… Il fait chaud. Il fait tellement chaud que les gens ont des ampoules sur leurs mains et sur leur visage… Ils crient… Les cris… Ça n'arrête jamais…»

Joseph Gagné se prit la tête à deux mains et se mit à osciller comme un pendule sur sa chaise.

«Ils vont me donner des chocs… Le docteur Ouellet a dit à la garde-malade qu'il fallait donner des chocs à madame Lanctôt, je l'ai entendu!

— Tu ne vas pas aller en enfer, Joseph, lui dit DeVries.

— Si! M'man m'a dit que si… que…»

Un sanglot l'interrompit.

«Tu ne vas pas y aller.

— Oui! oui, oui, oui!» cria Gagné.

DeVries lui agrippa un poignet et le mit sur ses pattes. Les larmes ruisselaient sur les joues de Gagné.

«Qu'est-ce qu'il fait là? murmura Néron.

— Si tu nous avoues ce que t'as fait, dit DeVries à Gagné, ce sera comme si tu te confessais. Tu ne vas pas y aller, en enfer, t'auras les mains nettes. C'est les femmes qui ont été tuées, c'est ça?

— Oui, mais… »

Néron fit un pas vers la porte. Castonguay lui agrippa un coude et secoua la tête en faisant tut, tut, tut.

« C'est toi qui les as tuées, hein ? reprit DeVries d'une voix insistante.

— Non ! lança Gagné, terrorisé. Je… je ne les ai pas tuées !

— Tu mens ! »

DeVries l'épingla contre la table en le tenant par le col de sa chemise.

« Elles sont passées à La Baie, t'as obtenu leur adresse en fouillant dans les factures, comme pour madame Tanguay. C'est comme ça que tu t'y es pris, hein ? T'es moins stupide que tu veux nous le faire croire. Tu t'es rendu chez elles et t'as réussi à te faire ouvrir la porte – ou tu l'as ouverte toi-même, t'es un expert pour forcer les serrures – ou t'es passé à travers la moustiquaire comme tu faisais à Québec. Puis tu les as forcées à faire tes cochonneries à la pointe de ton couteau, tu les as zigouillées et t'es retourné chez toi, ni vu ni connu. Tu vas y aller en enfer, mon petit Joseph, tu vas y rester pour l'éternité et tu vas avoir des ampoules sur tout le corps ! »

Gagné pleurait comme un veau. Soudain, il eut un hoquet et se mit à tousser à tel point qu'il devint rouge comme une tomate. Il battit l'air avec ses bras et ses jambes.

DeVries le lâcha et recula d'un pas. Joseph Gagné se redressa et se blottit dans un coin de la pièce. Il toussa un moment, le poing devant la bouche, puis se laissa glisser le long du mur jusqu'à ce qu'il fût assis par terre, recroquevillé sur lui-même, les bras enroulés autour des genoux. Il se remit à osciller. Néron ne le quittait pas des yeux, Castonguay non plus.

« Oui, vous avez raison, elles sont passées à La Baie, elles m'ont demandé des renseignements et j'ai volé leur adresse, comme pour madame Tanguay, mais elles voulaient que je le fasse, elles voulaient que j'aille les voir, elles ne me le disaient pas à haute voix, mais je le sentais quand on se parlait, c'est ça qu'elles voulaient, alors je me rendais chez elles, mais là elles avaient changé d'idée, elles ne voulaient plus de moi, elles me disaient de m'en aller parce que sinon elles allaient crier ou appeler la police, je ne comprenais plus rien, ça me fâchait… »

Il s'arrêta. Ses yeux étaient secs. Il renifla et se passa un index sous le nez avant d'ajouter :

« Mais je ne les ai pas tuées.

— Tu penses que je vais croire ça ? dit DeVries d'un ton sarcastique.

— C'est la vérité.

— Tu veux dire que t'as violé ces femmes-là, puis que t'es parti et que quelqu'un d'autre les a tuées ?

— Oui.

— Tu mens ! lança DeVries.

— Non, je vous le jure ! protesta Joseph Gagné, obstiné. Elles étaient vivantes quand je partais. C'est pour ça que j'avais peur de demander de l'aide, je savais que vous me prendriez pour le tueur des journaux. Je… je ne voulais pas leur faire mal, mais… mais c'est ce que j'ai fait… Je… je leur ai fait… »

Sa voix n'était plus qu'un murmure. Il se tut, tira sur le col de sa chemise. Ses yeux s'écarquillèrent, une grimace déforma sa bouche d'où s'échappa un gémissement.

« Joseph ? dit DeVries.

— Je… J'étouffe. Je ne peux plus respirer… »

Il tirait sur sa chemise comme s'il voulait la déchirer. DeVries se tourna vers nous, ouvrit les mains.

« Je n'ai rien fait », dit-il innocemment.

On se précipita dans la salle d'interrogatoire. Gagné frétillait par terre comme un poisson au fond d'une chaloupe, sa bouche s'ouvrait et se fermait tandis qu'il cherchait son souffle. Son visage blême ruisselait de sueur.

« J'appelle une ambulance, Rog ? » demanda Castonguay.

DeVries, sans quitter Joseph Gagné des yeux, secoua la tête.

« Appelle plutôt le doc Ouellet.

— Pas d'ambulance ?

— Non. Envoye, grouille ! »

Castonguay se dirigea sans se presser vers la porte.

Le docteur arriva au bout de quinze minutes – quinze longues minutes –, une mallette noire au poing. Il en sortit un petit flacon et une seringue, remplit la seringue et fit une piqûre à Gagné, qui se détendit aussitôt. Le docteur plia ensuite le veston de DeVries et glissa cet oreiller de fortune sous la tête du malade. Il le laissa allongé sur le linoléum.

DeVries se tourna vers le docteur.

« Veux-tu bien me dire ce qui lui est arrivé ? Il a fait une crise d'épilepsie ?

— Gagné n'est pas épileptique. Je ne sais pas. Une crise d'angoisse, peut-être. Il a été soumis à une émotion violente ?

— Il vient d'avouer qu'il est le tueur. »

Le docteur haussa les sourcils.

« Une minute, s'interposa Néron.

— Oh ! je sais ce que tu vas dire, toi, répliqua DeVries. Qu'il a avoué avoir agressé les femmes, qu'il ne les a pas tuées…

— Il dit qu'il les a seulement agressées ? intervint le docteur Ouellet.

— Oui, répondit Néron. Vous ne trouvez pas ça bizarre ?

— Il ment, dit DeVries d'un ton catégorique.

— Il ment ?

— Oui. Il a obtenu leur adresse quand elles sont passées à La Baie. Rappelle-toi Cécile Jetté. Le concierge l'a vue la veille de sa mort, elle revenait de faire des commissions. Il s'est rendu chez elles. Il s'est peut-être fait passer pour un représentant de La Baie ou il est peut-être entré par ses propres moyens. C'est un gars agile, il sait comment entrer et sortir d'une maison sans faire de bruit. Il l'a fait des dizaines de fois à Québec. Puis il les a violées et il les a tuées pour qu'elles ne puissent pas le reconnaître. C'est aussi simple que ça, ça colle.

— Je ne pense pas qu'il mente », dis-je.

DeVries se tourna vers moi.

« Oh ! non, pas toi aussi, dit-il en levant les bras au ciel.

— Laisse-le parler, dit Néron.

— C'est vrai que ça colle, admis-je. Mais pourquoi affirme-t-il qu'il ne les a pas tuées ? Il les a agressées sexuellement, ça suffit à l'incriminer.

— Il ne gagnerait rien à mentir, dit Néron.

— Exact.

— *So ?* dit DeVries. Il ment, c'est tout. Il est dérangé, ce gars-là. Tout ce qu'il fait n'est pas nécessairement logique.

— Il ne savait peut-être pas ce qu'il faisait au moment des meurtres, intervint le docteur Ouellet. Après, peut-être qu'il reprenait ses esprits et qu'il s'en rendait compte.

— Il a dit qu'il avait peur de demander de l'aide, dit Néron. Ça prouve qu'il savait qu'il avait un problème. »

DeVries nous tourna le dos, sa main esquissa un geste en l'air comme s'il nous envoyait des *bye-bye*.

Allongé par terre, Joseph Gagné ne bronchait pas. Il fixait le plafond de ses yeux mi-clos. Ses cheveux collaient à son front moite.

« Et puis pense à Cécile Jetté, continua Néron. Elle a été étranglée et, dans le rapport d'autopsie, on mentionne qu'il y a des traces d'ongles dans son cou. Or, Gagné se ronge les ongles.

— Quoi ? lança DeVries. Qu'est-ce que… Mais ça se coupe, des ongles !

— On peut l'inculper pour ce qu'il a fait à madame Tanguay et aux autres femmes de Québec, dit Castonguay, qui se tenait dans son coin depuis le début. Pourquoi on ne le fait pas ?

— Non, dit DeVries d'un ton buté. C'est lui le tueur. Je veux l'inculper pour ça.

— Pourquoi tu ne lui montres pas la croix, Rog ?

— Elle est à Québec, la croix. Je l'ai envoyée là-bas pour qu'on la montre à des bijoutiers. Je m'en vais tirer ça au clair tout de suite, je vais le réinterroger.

— Ce serait trop risqué, dit Néron. Qu'est-ce que vous en pensez, docteur ?

— Eh bien, je n'aime pas trop ce qui vient de se passer, dit celui-ci d'un air songeur. Et il est instable émotivement. Il pourrait se replier sur lui-même et garder le silence à partir de maintenant.

— Ou revenir sur ses positions et appeler un avocat, renchérit Néron. Vous savez comme moi qu'il y a sûrement un de ces redresseurs de torts qui attend une occasion comme celle-là pour se faire de la publicité…

— Alors ? demanda Castonguay. On le renvoie à Saint-Jean ?

— C'est la meilleure solution, selon moi, dit le docteur Ouellet. Je pourrais continuer de l'examiner. »

Tout le monde se tourna vers DeVries, qui semblait bouder dans son coin, les bras croisés, le menton appuyé contre sa poitrine.

« Vous êtes tous contre moi, sacrament, marmonna-t-il.

— Écoute, Rog, dit Castonguay. Ça fait des mois que ça dure, on est tous fatigués, mais ça peut encore attendre une couple de jours, non ? On est mieux d'attendre. »

DeVries réfléchit une bonne minute avant de hocher la tête. Ça sembla être la chose la plus difficile qu'il fit de toute sa vie.

Au cours de la soirée, je fis une petite promenade en Studebaker. Je n'avais pas envie de rester chez moi. Mon logement me semblait encore plus morose qu'à l'habitude. C'était sans doute le temps qui affectait mon moral. Il pleuvait juste assez fort pour que les gens renoncent à l'idée de mettre le nez dehors.

Le centre-ville était désert. Les enseignes des cabarets jetaient des reflets multicolores sur le pavé mouillé. Je m'arrêtai sous l'une d'elles et entrai. La salle comprenait quelques tables. Il faisait chaud, l'air était saturé de fumée. On ne voyait presque rien, comme par un matin brumeux. Le bruit des conversations enterrait l'orchestre, juché sur une tribune dans un coin. Seuls les gens qui se trémoussaient sur la piste semblaient l'entendre.

Je m'assis au bar et sirotai une vodka-tonic en observant l'image des danseurs dans le miroir devant moi. Ils étaient jeunes, ils paraissaient tous beaux. Les filles portaient de longues robes qui virevoltaient autour de leurs chevilles et elles avaient attaché leurs cheveux pour qu'ils ne leur fouettent pas le visage. Les cheveux de leur cavalier luisaient de pommade. En les observant, j'eus l'impression d'être le dernier homme seul de la planète.

Je posai mon regard ailleurs et il tomba sur un client assis dans un coin – Louis, Louis Boileau. Je le fixai un moment pour m'assurer que c'était bien lui tellement la fumée était épaisse et tellement j'étais surpris de le voir là. C'était bien lui. Je ne l'avais pas vu depuis la réunion au quartier général. Il était penché sur un verre qu'il portait à ses lèvres à intervalles réguliers d'une main tremblotante. Il avait un but précis. Il avait les joues creuses, le teint pâle. Il ressemblait à son fantôme.

Je n'allai pas lui parler. Je ne finis même pas mon verre, je ressortis et me remis à rouler. La pluie tombait dru, maintenant. Quelques piétons marchaient à l'abri de parapluies, d'autres qui avaient oublié le leur en partant de chez eux marchaient d'un pas rapide, la tête rentrée dans les épaules. Un couple se chicanait au coin d'une rue. L'homme, vêtu d'un complet noir à fines rayures blanches et coiffé d'un feutre à large bord, tenait la femme par un bras et lui agitait un index menaçant sous le nez ; la femme, les jambes gainées de bas en résille, tenait son sac à main comme un fléau d'armes. Ils étaient tous les deux trempés jusqu'aux os. Un type passa à côté d'eux. Il ne s'en mêla pas. Il avait une bonne raison : pas de parapluie.

Sans m'en rendre compte, j'aboutis à la maison de chambres où logeait Kathryn. Sa fenêtre était éclairée. Je n'avais pas eu l'intention de me trouver là. Ou peut-être que oui, inconsciemment, et j'avais roulé jusque-là sans m'en apercevoir. Quoi qu'il en soit, ça ne pouvait plus continuer comme ça. La cirrhose me guettait.

La porte-moustiquaire sous le porche donnait sur une petite cuisine qui paraissait bien dans la pénombre. Une femme était assise à la table, penchée sur une page de mots croisés. Ses cheveux gris commençaient à s'éclaircir sur le dessus de sa tête comme les cheveux d'un homme. Dans un coin, un poste de radio Monarch qui avait l'air tout neuf égrenait des notes de musique. Je cognai.

«Hum? fit la femme sans lever la tête.

— Bonsoir. Je voudrais voir un de vos chambreurs.

— Vas-y, mon gars.»

J'entrai et traversai la cuisine. La femme continua ses mots croisés. Je trouvai l'escalier et montai à l'étage, accompagné par le craquement des marches. Un plafonnier jetait un éclairage jaunâtre sur les murs. Il y avait deux portes de chaque côté du passage et une autre au bout. Des taches et des brûlures de cigarettes ornaient le tapis bourgogne.

Je fis toc toc à la porte de Kathryn. Sans réponse, je posai la main sur la poignée. Ce n'était pas verrouillé. J'entrai et refermai la porte derrière moi. La chambre était meublée modestement. Un vieux lit en fer était placé contre le mur de gauche. Une coiffeuse se dressait contre le mur opposé; son miroir crasseux réfléchissait la pièce et doublait sa morosité. Il y avait un lavabo dans un coin et deux places où s'asseoir : une chaise sur laquelle étaient étalés des vêtements et un fauteuil, près de la fenêtre.

Je stationnai mon feutre sur la coiffeuse et m'assis dans le fauteuil. Je n'étais pas son premier occupant. Les ressorts me rentraient dans les fesses et les accoudoirs étaient élimés. Je m'allumai une Grads – ça faisait longtemps, me sembla-t-il. J'eus le temps d'en fumer la moitié avant que la poignée tourne et que la porte s'entrebâille en grinçant. Puis Kathryn se faufila dans la pièce. Elle portait son peignoir rayé et tenait entre ses mains une serviette et le nécessaire pour faire sa toilette.

«Tu ne verrouilles pas ta porte ? Ce n'est pas très prudent.»

Elle pivota sur ses talons, un peu effrayée. Puis ses yeux se fixèrent sur moi et me dévisagèrent comme si j'étais un parfait inconnu. Ses cheveux mouillés aux tempes étaient brossés vers l'arrière. Elle n'avait aucun maquillage.

« Madame Lépine ne veut pas qu'on fume dans les chambres, m'informa-t-elle.

— Pardon. Je ne savais pas. »

Je me levai et écrasai mon mégot dans le lavabo. Kathryn alla à la coiffeuse ranger ses affaires.

« Il était bon, ton bain ?

— Je n'ai pas pris de bain, dit-elle par-dessus son épaule.

— Tes cheveux…

— Je me suis lavée à la mitaine.

— Pourquoi tu n'as pas utilisé le lavabo qu'il y a ici ?

— Moins fort, tu veux ? dit Kathryn en fermant un tiroir. Les murs sont en papier ici-dedans.

— Ah. O.K. »

Elle me fit face, s'appuya contre la coiffeuse.

« Pour ton information, je n'ai pas utilisé le lavabo parce qu'il est bouché.

— C'est un vrai trou ici, dis-je. Le lavabo est bouché, le fauteuil donnerait des courbatures à un contorsionniste…

— Tu es venu ici pour me dire ça ?

— Non.

— Tu t'es coupé la moustache, à ce que je vois. C'est parce que je t'ai dit que ça ne te rajeunissait pas ?

— Il n'y pas de raison. Je l'ai coupée, c'est tout.

— Ah.

— On a déjà eu cette conversation-là, il me semble.

— Oui, soupira Kathryn, j'ai cette impression-là, moi aussi. Eh bien, je suis en forme, je travaille toujours chez Bell, au service à la clientèle. Il y a autre chose ?

— À vrai dire, oui. »

Elle croisa les bras. Un éclair illumina la chambre, suivi par le grondement du tonnerre.

« Vas-y, je t'écoute.

— Comment va ton administrateur ?

— Mon administrateur ? répéta-t-elle en cachant mal sa surprise.

— Oui.

— Il va bien.

— Il aime les comédies musicales.

— Qu'est-ce que tu veux dire par là ? »

Elle me dévisagea en plissant les yeux. Elle répondit elle-même à sa question, d'un ton incrédule.

« Tu nous as suivis.

— Hm-hm.

— Pourquoi est-ce que ça m'étonne ? dit-elle en levant les yeux au plafond. C'est ce que tu fais à longueur de journée, non ?

— Je voulais voir de quoi il avait l'air. »

Elle se planta devant la fenêtre sur laquelle ruisselait la pluie, en me tournant le dos. Il fallait que je dise quelque chose. Quoi ? Je n'en avais pas la moindre idée.

« Écoute, Kate, je suis venu parce que… Tu as été de mauvaise foi dans la voiture, l'autre jour. Tu ne voulais pas voir que… qu'on a déjà été bien ensemble, que ça marchait, toi et moi. Tu t'es juste attardée aux mauvaises passes parce que ça t'arrangeait, parce que ça te justifiait d'aller voir ailleurs. Mais tu le sais qu'on a été heureux, tu t'en souviens, tu n'es pas devenue amnésique. Tu ne peux pas faire une croix sur tout ce qu'on a vécu et repartir à neuf avec quelqu'un d'autre comme si de rien n'était. Je pense qu'on peut encore être bien ensemble si tu nous donnes une autre chance. Sinon, tu te mentirais. Ce serait malhonnête envers nous deux. »

Kathryn poussa un petit rire sarcastique. Un deuxième éclair illumina la chambre, le tonnerre gronda au loin.

« Tu ne manques pas de culot, Stanislas Coveleski. Tu débarques ici, tu veux qu'on se raccommode et tu me dis que j'ai été malhonnête envers toi. Mais je vais te dire une chose, c'est toi qui as été malhonnête envers moi.

— Moi ?

— Oui. Tu as raison, tout allait bien entre nous deux. J'étais heureuse. C'était la première fois depuis la mort de Gérard que je l'étais vraiment. Quand je pensais à lui, c'était… différent – ce que je ressentais était différent. Je pouvais penser à l'accident et à tout le reste avec une sorte de détachement. Et puis… »

Elle soupira.

« Et puis, du jour au lendemain, tout a changé – *tu* as changé. Tu n'avais plus envie de parler, tu n'avais plus envie de sortir, tu n'avais plus envie de rien. J'ai vu que ça n'allait pas et j'ai voulu qu'on se parle, tu t'en souviens ? Je t'ai tendu la main, mais non, tu ne voulais rien savoir. Tu te fâchais dès que je t'approchais. Je n'avais même pas besoin de parler, ma seule présence t'énervait ! Je me sentais de trop dans ma propre maison. Qu'est-ce que j'étais censée faire, moi, hum ? Je ne comprenais rien à ce qui se passait. Je ne savais plus comment te prendre. »

Les mots sortaient de sa bouche avec force et amertume. Je m'assis au bord du lit et laissai le torrent s'écouler.

« C'était comme si je n'existais plus pour toi, dit-elle en regardant toujours par la fenêtre. J'étais juste bonne à faire le souper et le ménage et je devais endurer tes humeurs, par-dessus le marché. Tout a déboulé à partir de là. Je ne sais pas si tu te rends compte du gâchis… On a vécu dix ans ensemble, on a tout partagé, on n'avait pas de secrets l'un pour l'autre. Puis, du jour au lendemain, on est devenus comme deux inconnus. Notre relation était basée sur l'amitié, sur le respect, Stan. J'ai toujours pensé qu'un lien spécial nous unissait, que je pouvais compter sur toi pour me réconforter si ça allait mal, que je pouvais me confier à toi sans être jugée et vice-versa. Eh bien, tu as coupé ce lien-là en me traitant comme tu l'as fait. Quant au respect, il en a pris un coup quand… quand… »

Sa voix se cassa, elle baissa la tête. Elle était incapable de dire « quand tu m'as giflée ». Mon geste était comme une blessure qui ne guérirait jamais complètement.

« Je sais, c'est arrivé sous le coup de la colère, reprit-elle. Je sais. Mais tu ne peux pas savoir comment je me suis sentie. Il y a des souteneurs qui font ça à… à… *à leur putain*.

— Je ne suis pas fier de mon coup, tu sais.

— Tant mieux. »

Elle se tourna vers moi. Ses yeux et ses joues brûlaient.

« Il y avait une autre femme dans ta vie ?

— Quoi ? »

C'était à mon tour d'être incrédule.

« Je ne sais pas, moi, dit Kathryn en haussant le ton. J'essaie de comprendre ce qui est arrivé.

— Qu'est-ce que tu fais des murs ?

— Les murs… ?

— Ils sont minces comme du papier, tu te souviens ?

— Laisse faire les murs, tu veux ? Réponds.

— Tu ne vas pas me faire le numéro de la femme jalouse ?

— Réponds ! insista-t-elle.

— Non, il n'y avait pas une autre femme. »

Il n'y avait jamais eu d'autre femme, excepté la belle-fille d'une cliente, une nuit. Elle était seule, moi aussi, et on s'était réconfortés dans les bras l'un de l'autre. Mais ce que j'avais ressenti pour elle ne se comparait pas à ce que j'éprouvais pour Kathryn.

« Qu'est-ce qui s'est passé, dans ce cas-là ?

— C'était à cause du travail.

— Ton travail ?

— Oui, j'en avais assez.

— Alors tu as démissionné. Tu as laissé un bon salaire pour un emploi – si on peut appeler ce que tu fais un emploi – avec un salaire de crève-faim.

— Je ne suis pas fou de ce que je fais présentement, moi non plus.

— Alors pourquoi tu as démissionné ? Il y a bien des gens qui n'aiment pas leur travail, mais ils l'endurent. »

Je me levai, contournai le lit et butai contre le mur.

« Je n'ai pas quitté la Sûreté parce que je m'ennuyais et que je voulais faire changement. Ce n'était pas un caprice. Je suis parti parce que j'étais écœuré.

— Tu étais écœuré ? répéta Kathryn.

— Oui. Du milieu, des gens avec qui je travaillais, de moi. Aucun montant d'argent n'aurait pu me faire changer d'idée. Ou peut-être que oui, mais j'aurais été incapable de me regarder dans le miroir pour le restant de mes jours.

— Qu'est-ce qui s'est passé ?

— C'est compliqué comme histoire.

— Ben, vas-y, raconte-la ! On va crever l'abcès. C'est pour ça que tu es ici, non ? Allez, vas-y. »

Je me doutais bien que ça en arriverait là un jour. N'est-ce pas ce que je cherchais depuis son départ ? J'appuyai une épaule contre la porte et allumai une Grads. Allez au diable, madame Lépine.

« Quand je suis entré à la Sûreté, je croyais que le monde était divisé en deux. Que, d'un côté, il y avait des gens honnêtes et, de l'autre, des criminels qui naissaient comme ça. C'étaient des criminels parce qu'ils avaient une sorte de faiblesse, un défaut de fabrication, si tu veux. Je sais, je sais, tu te demandes pourquoi je te dis ça. C'est complètement stupide. Mais, dans le temps, je n'étais pas descendu dans la rue et je n'avais pas suivi de cours sur l'art d'être représentant de la loi, ça non. Ils m'ont donné un insigne et une arme, et puis voilà, j'étais policier. Du jour au lendemain, je pouvais arrêter les criminels et les faire enfermer. »

Kathryn s'assit dans le fauteuil.

« Mais c'est plus compliqué que ça, évidemment, continuai-je. Personne n'est invincible. La faiblesse dont je parlais, tout le monde l'a. Et il y a le milieu aussi. Un type perd son job, disons. Il a toute une famille à nourrir, il ne peut se trouver de travail nulle part. Qu'est-ce qu'il va faire ? Il va peut-être fréquenter une couple de barbotes ou participer à une affaire qui n'est pas nette nette pour gagner quelques piastres. C'est un homme honnête, mais il n'a pas le choix, tu comprends ? C'est la même chose pour les policiers. La faiblesse, ils l'ont, eux autres aussi. Leur uniforme ne les immunise pas. Les conditions de travail sont dures. Ce n'est pas un métier facile par nature et, en plus, ils doivent toujours se surveiller. Ils doivent être du bord du sergent, sinon… Ces hommes-là ont beaucoup de pouvoir. Les policiers doivent parfois fermer les yeux, sinon ils finiraient comme notre gars de tout à l'heure. Ils ne peuvent rien faire à cause des contacts que leurs supérieurs ont dans le milieu. »

Je soufflai une bouffée de fumée. Kathryn ne me quittait pas des yeux, penchée en avant.

« Imagine des policiers essayer d'obtenir de l'avancement dans ces conditions-là. C'est impossible. Comment veux-tu qu'ils prennent du galon en faisant de la patrouille ou en dirigeant la circulation ? Alors, quand la chance de gravir une couple d'échelons et d'améliorer leur sort se présente, ils ne se posent pas de questions, ils sautent dessus. Ils ne se disent pas "ça ne fait rien, c'est pour une bonne cause". Ils n'en sont même plus conscients à ce moment-là. Les premières fois, ils culpabilisent, oui, ils ont des remords, mais à la longue ça devient normal – tout le monde autour d'eux le fait. C'est comme ça que la ligne qui sépare la justice et le crime devient floue. Elle ne se brise pas du jour au lendemain, c'est quelque chose de progressif, d'insidieux. Et puis, un jour… Un jour, ils franchissent cette ligne-là et rien ne peut les ramener du bon bord. Pense à la couverture dont ils jouissent : ils sont dans la police. Qui oserait remettre en question l'intégrité de la police ? On ne touche pas à ce qui est intouchable. »

J'aurais pu continuer des heures comme ça sans le lui dire. Je ne pouvais pas, ça ne voulait tout simplement pas sortir. S'il y avait eu un lien spécial qui nous unissait, comme elle l'avait dit, il était bel et bien coupé.

Je la fixai sans dire un mot. Elle comprit que c'était tout. Elle baissa la tête et se mit à tripoter la ceinture de sa robe de chambre. On écouta la pluie crépiter contre la fenêtre. L'orage était fini.

« On fait quoi ? demandai-je finalement.

— Je ne sais pas.

— Tu sais ce que je pense.

— Oui, qu'on ne peut pas balayer du revers de la main tout ce qu'on a construit ensemble, dit-elle d'une voix lasse, qu'on devrait se donner une deuxième chance. Rachel m'a dit la même chose, l'autre soir. Mais avec ce qui s'est passé…

— Les choses ne seront jamais plus les mêmes.

— Non.

— Qu'est-ce qui se passe entre toi et ton administrateur ?

— Rien, ne sois pas ridicule. Il est gentil, j'avais besoin de me changer les idées… Je ne t'ai pas trompé, si c'est à ça que tu penses. Tu comptes encore pour moi, Stan. »

Ça semblait être un aveu douloureux. Mais j'étais content de l'entendre.

« Je ne sais pas si on peut retrouver ce qu'on avait, reprit Kathryn. C'est aussi simple que ça.

— Comme je le disais en voiture l'autre jour…

— Oui, oui, je m'en souviens. »

Elle se frotta les yeux avec le pouce et l'index et fit glisser ses doigts le long de son nez jusqu'à son menton. Notre entretien tirait à sa fin.

« On n'a pas réglé grand-chose.

— Au moins, on s'est parlé, dis-je en jetant mon mégot dans le lavabo. C'est mieux qu'il y a six mois.

— On peut dire qu'on progresse.

— Oui.

— On devrait s'arrêter là, il commence à être tard. Je travaille demain. »

Je consultai ma montre. Minuit.

« Oui, je travaille moi aussi. »

Elle se leva et alla chercher mon feutre. Je me l'enfonçai sur la caboche.

« Il faut que je réfléchisse, dit-elle en ouvrant la porte. Ne reviens pas ici, je vais t'appeler.

— On dirait que tu me donnes mon congé pour de bon. »

Un sourire fugitif passa sur ses lèvres.

«Mon numéro est dans le bottin», dis-je.

Je me faufilai dans le couloir. La porte se ferma sans bruit derrière moi. Je descendis l'escalier branlant jusqu'à la cuisine obscure. La femme aux mots croisés était assise sur une chaise berçante. Je pouvais voir sa silhouette se balancer et entendre la chaise craquer.

«Tout va bien, mon gars? s'enquit-elle.

— Hm-hm. Bonne nuit.

— Bonne nuit.»

Je quittai la maison de la femme aux mots croisés et gagnai la Studebaker sous la pluie.

CHAPITRE 15

Je me traînai jusqu'à la salle de bain et allumai la radio pour meubler l'atmosphère. Je fis mousser un peu de crème à barbe Colgate sur mon visage et sortis un rasoir. J'avais la joue droite lisse comme une pelure de banane quand la voix d'Albert Duquesne se fit entendre sur les ondes. Je tendis l'oreille. Duquesne présentait habituellement les nouvelles en soirée, il devait se passer quelque chose d'important. Ça l'était : la police venait d'arrêter le tueur qui terrorisait la ville depuis trois mois. On avait convoqué les journalistes au quartier général de la police à neuf heures pour une conférence de presse.

Le visage dans le miroir au-dessus du lavabo me regarda avec de grands yeux, les sourcils en accent circonflexe. À moins que DeVries n'eût arrêté un nouveau suspect au cours de la nuit, ça ne signifiait qu'une chose.

Je finis de me raser en vitesse, m'habillai et sautai dans la Studebaker.

Des journalistes, calepin et crayon à la main, avaient envahi le hall. Des photographes armés d'appareils avec des flashs essayaient d'accéder aux bureaux, mais des policiers en uniforme leur bloquaient le chemin. Claude Poitras était là. Nos regards se rencontrèrent dans la cohue et il vint me trouver et me demanda mes commentaires. L'appât du gain était plus important que son honneur. Je lui dis que je n'en avais pas, de commentaires.

Je me frayai un chemin parmi tout ce beau monde et empruntai le couloir qui menait aux bureaux. La porte de DeVries était fermée, mais je ne cognai pas avant d'entrer. DeVries était à la fenêtre, une feuille à la main. Il me jeta un œil par-dessus la feuille, puis reporta son attention dessus.

« 'lut, Stan », dit-il comme si de rien n'était.

Il portait un complet gris avec une chemise blanche et une cravate rouge rayée bleu ou le contraire. Les cheveux qui lui restaient étaient lissés vers l'arrière. Il avait fière allure.

« Qu'est-ce que tu fais là ?

— Je me suis préparé un texte. Je donne une conférence de presse dans une demi-heure. Le chef de police Langlois s'en vient.

— J'ai entendu. En quel honneur ?

— Pour annoncer qu'on a arrêté le tueur. Je croyais que t'avais entendu.

— Qui ça ?

— Gagné, dit DeVries comme si c'était l'évidence même.

— On avait convenu d'attendre.

— J'ai changé d'idée.

— Tu en as parlé au docteur Ouellet ?

— Je n'ai pas besoin de lui parler de quoi que ce soit, dit DeVries sans quitter la feuille des yeux. C'est moi qui décide, tu te souviens ?

— Je sais, je sais. Mais il a dit que c'était mieux d'attendre, le temps qu'il finisse de l'examiner.

— Gagné a tout avoué, Stan, dit-il d'une voix tendue.

— Il a avoué qu'il avait agressé les femmes, pas qu'il les avait tuées. Tu as des trous de mémoire ? »

Il baissa la feuille, riva ses yeux sur les miens.

« Qu'est-ce que vous avez tous à le défendre, pour l'amour du saint-sacrement ?

— On ne le défend pas. Tu n'as pas les preuves qu'il faut pour dire que c'est le tueur.

— Il ment, c'est tout.

— On ne le sait pas, ça, au moment où on se parle.

— Qu'est-ce que ça change ? dit DeVries d'un air las.

— Qu'est-ce que ça change ? répétai-je. On soupçonne Gagné d'avoir agressé sept femmes – de les avoir violées et de les avoir tuées. Tu le condamnes à l'échafaud si tu l'accuses d'être le tueur, il n'a aucune chance de s'en tirer, mais s'il est seulement accusé d'agressions sexuelles, qui sait ? On va peut-être l'envoyer à Saint-Jean. Là, il recevrait des soins.

— Ah ! bravo. Un malade de plus à l'asile. »

Des éclats de voix – dont la voix de Néron – retentirent dans le couloir.

« Oh, non, pas lui », dit DeVries.

Il s'élança vers la porte. Il l'atteignit juste au moment où Néron s'apprêtait à la franchir et s'appuya de tout son poids contre elle.

« Mais qu'est-ce que… qu'est-ce que tu fais là ? » dit Néron d'un ton surpris.

V'lan, la porte se ferma.

DeVries poussa le loquet, enfermant dans le couloir Néron et les journalistes qui se pressaient derrière lui.

« Ouvre, DeVries ! cria Néron. Ouvre, nom d'un chien ! Il faut que je te parle. »

Des boum boum secouèrent la porte.

« Il essaie de me mettre des bâtons dans les roues depuis le début, cet enfant de chienne-là, dit DeVries

en ajustant son nœud de cravate. Ça va lui apprendre.
C'est moi qui mène le show, il serait temps qu'il comprenne.

— Tu ne le mèneras plus longtemps si tu te com-
portes comme tu le fais là. Je commence à croire que
Chalmers avait raison.

— Le poète-comptable? Qu'est-ce que tu racontes?

— Le tueur se balade depuis des mois…

— Et voilà, soupira DeVries. C'est reparti.

— Langlois ne doit pas être trop heureux de la situation, Gagné a le profil du tueur ou à peu près, ça n'a
pas d'importance, alors tu convoques tous les journalistes en ville pour leur annoncer que l'affaire est réglée.

— Tu veux rejoindre Nécarré dans le couloir?

— Tentative d'intimidation. Très original.

— Ta gueule. »

DeVries tendit la main vers un verre qui trônait sur
son bureau. Il contenait un liquide blanchâtre qui faisait des bulles. Il en prit une gorgée.

« C'est quoi, ça? demandai-je.

— De l'eau chaude et de la petite vache.

— Tu as encore de la misère à digérer? »

Il rota.

« Si ce n'était que ça. Mon cou… On dirait que j'ai
un torticolis, dit-il en grimaçant.

— Écoute, repris-je, je comprends que Langlois et
les journalistes sont sur ton dos. Je comprends aussi
que faire porter le chapeau de tueur à Gagné t'enlève
une tonne de pression. Mais si on t'a mis en charge de
l'enquête, c'était pour prendre cette pression-là, justement, pas pour chercher des échappatoires. Tu le savais
quand tu as accepté la job, ne me dis pas le contraire.

— Oh, ça, pour le savoir, je le savais…

— Tu as l'air de regretter ta décision.

— Ça paraît tant que ça? dit DeVries d'un ton sarcastique.

— Bon, eh ben, pourquoi t'es prêt à envoyer Gagné à l'échafaud ? Ce n'est pas ton genre de céder sous la pression. Là, c'est moi qui ne te reconnais plus.

— Laisse tomber. Tu ne connais pas toute l'histoire.

— Ça veut dire quoi, ça ? »

DeVries alla à la fenêtre et me tourna le dos. Ses larges épaules étaient voûtées.

« J'ai conclu un marché, marmonna-t-il.

— Un marché ?

— Hm-hm. Laisse tomber, je te dis.

— Il est trop tard pour t'arrêter, maintenant.

— Je t'ai dit de laisser tomber.

— Envoye, crache, dis-je. Avec qui, ce marché-là ?

— Des gens importants. Langlois… »

Il poussa un soupir ennuyé et s'administra un bref massage à la nuque.

« Langlois m'a remis un petit bonus, disons, pour que j'accepte la job. Je n'en voulais pas, je ne suis pas stupide, je savais ce qui m'attendait. Je ne sais pas où il a pris l'argent. J.-O. Asselin ou quelqu'un de son entourage a dû y voir… *Anyway*, Langlois vient juste d'être nommé à son poste et il va y avoir des élections bientôt. Ils ont beaucoup à perdre tous les deux – pour Langlois, on parle de neuf mille piastres par année. Cette affaire-ci est une affaire que les gens ne sont pas près d'oublier et si je fais enfermer le tueur, il va bien paraître et, par ricochet, Asselin aussi. Il va être réélu président du Comité exécutif et Langlois va garder sa job, tout le monde va être content. C'était difficile de dire non. Ça fait vingt-deux ans que je suis sur le terrain, trois cent soixante-cinq jours par année, vingt-quatre heures sur vingt-quatre ou presque, et j'habite encore dans le logement où Colette et moi on a emménagé le lendemain de notre mariage. Mon compte en banque était vide à cette époque-là et il l'est encore aujourd'hui. Vingt-deux ans à me fendre le cul pour rien. Je ne suis plus capable d'en prendre, c'est aussi simple que ça. Ce n'est plus de mon âge. Je sais que je ne suis pas si vieux, mais… Je me sens vieux, et ça, c'est dix fois pire que d'avoir quatre-vingts ans. »

Il pivota sur ses talons. Il se sentait vieux et il paraissait vieux : ses petits yeux étaient bouffis, la peau de son cou pendait par-dessus son col de chemise.

« T'es content ? cracha-t-il. J'ai tout confessé. »

Je n'étais ni content ni surpris. J'avais déjà travaillé à la Sûreté.

« Qu'est-ce que tu vas faire de ton argent ? demandai-je.

— Prendre ma retraite et tout oublier.

— Tu ne paieras pas un traitement spécial à Colette ?

— Il n'en existe pas, de traitement spécial, dit DeVries. Ni d'élixir miracle.

— Tu te trompes, tu sais.

— Quoi ?

— C'est impossible d'oublier.

— Je vais y arriver.

— Bonne chance.

— T'es mal placé pour me faire la leçon, lança-t-il d'un air quelque peu hautain.

— Ce n'est pas ce que j'essayais de faire. »

Je me dirigeai vers la porte.

« Où est-ce que tu vas ?

— Chez moi.

— Tu ne vas pas essayer de m'arrêter, dit-il, sarcastique, de me raisonner ?

— Ça ne donnerait rien. Ce n'est pas toi le problème. »

Il me dévisagea un instant. Il regrettait peut-être d'avoir tout avoué. Ou peut-être que mon imagination me jouait des tours. Il haussa finalement les épaules et se repencha sur son texte.

« Je laisse entrer la meute ? demandai-je.

— Hm-hm, vas-y. »

Je quittai le bureau. Au bout du couloir, à l'accueil, le chef de police Langlois discourait sous les flashs des appareils photo, les journalistes suspendus à ses lèvres.

Je sortis par la porte de derrière.

CHAPITRE 16

Dès lors, les choses se précipitèrent. DeVries ordonna qu'on compare les empreintes de Joseph Gagné
avec les empreintes relevées chez les victimes. Elles
correspondaient dans trois fois sur six ; les trois autres
cas, elles n'étaient que partielles ou carrément inexis-
tantes. C'étaient également les mêmes sur le couteau
qui avait été utilisé lors de l'agression de madame
Tanguay. DeVries recueillit aussi l'expertise psychiatrique du docteur Ouellet et demanda à d'autres spécialistes, dont le docteur Lucien Larue, surintendant médical
de Saint-Michel-Archange à Québec, d'examiner Joseph
Gagné. Quand ce fut fait, il présenta ses preuves au
procureur général. Le dossier n'était pas en béton, mais
des accusations d'agressions sexuelles et de meurtres
prémédités furent portées contre Gagné, qu'on transféra à la prison de Bordeaux. Dans la même semaine,
on entreprit les démarches pour former le jury. Au bout
du compte, cinq hommes et sept femmes furent choisis.

Gagné fit la une de tous les journaux. DeVries aussi,
par le fait même. Son nom était partout. Les journalistes
se précipitèrent chez Lucette Gagné, qui ne se fit pas
prier pour donner des détails sur la vie de son fils – les
mêmes détails qu'il avait donnés au docteur Ouellet –

et clamer son innocence. Elle parla aussi des méthodes douteuses employées par la police pour le coincer. Le chef de police répondit à ces accusations en disant que cette affaire sortait de l'ordinaire et que ses hommes n'avaient pas eu le choix d'employer des méthodes inhabituelles.

Le procès allait assurer beaucoup de visibilité à ses acteurs principaux – une bonne raison pour prendre la défense de Joseph Gagné, même si à première vue les choses s'annonçaient mal pour lui. Deux avocats qui se faisaient une spécialité des causes risquées, maître Charpenon et maître Brunet, s'en chargèrent. Dès le départ, ils essayèrent d'attirer la sympathie du public en prétendant qu'il était une victime, un pauvre malade qui s'était fait emberlificoter par la police. Sa « confession » n'en était pas une, elle n'avait aucune valeur puisqu'il l'avait faite alors qu'il était terrorisé. Ils recrutèrent leur propre équipe de spécialistes pour examiner l'accusé.

Les journalistes relatèrent chaque nouveau développement. Ils qualifièrent le procès de Joseph Gagné de « procès du siècle », comme ils l'avaient fait pour les autres procès sensationnels qui avaient eu lieu avant. Toute la ville ne parla plus que de cette affaire. Les éditorialistes, les gens de la rue et autres experts y allèrent de leur prédiction ; les *bookmakers* auraient accepté des paris sur l'issue du procès que ça n'aurait surpris personne. Tout ce battage eut son effet sur le public, qui fit la file devant le palais de justice dès sept heures pour avoir les meilleurs sièges, le matin où débuta le procès.

De notre côté, on travailla en étroite collaboration avec les avocats de la Couronne, maître de Grandmaison et maître Lamoureux, pour monter la preuve. On interrogea ou réinterrogea, selon le cas, les employés de

La Baie et madame Tanguay, puis on convoqua ceux et celles qui avaient l'air les plus solides pour témoigner. Madame Tanguay fut récalcitrante au départ, mais quand maître Lamoureux lui expliqua que son témoignage était le plus susceptible d'impressionner les jurés – elle avait survécu à une agression du tueur – et ainsi de faire condamner Joseph Gagné, elle accepta. On convoqua aussi son mari pour le libérer de son travail afin qu'il puisse garder leur enfant, un geste qui influença sans doute sa décision.

Un soir, en rentrant chez moi, je trouvai un petit papier qu'on avait glissé sous ma porte. Mon nom était écrit dessus. L'écriture était celle de Kathryn. J'allai à la cuisine et tirai une chaise au cas où les nouvelles seraient mauvaises. Je pris une grande inspiration et dépliai le papier.

J'ai beaucoup pensé à nous deux, mais je n'ai pas encore pris de décision. J'ai besoin de plus de temps. Rachel et son mari m'ont invitée à la campagne et j'ai accepté. Le changement de décor va peut-être m'aider à mettre de l'ordre dans mes idées. Je te contacte à mon retour.

K.

Je lus le message cinq ou six fois. Je ne savais pas quoi penser. En fin de compte, je remis la chaise à sa place. Je n'en aurais pas besoin.

Le premier jour du procès, Joseph Gagné fit son entrée dans la salle d'audience entouré de cinq gardiens de sécurité. Un murmure parcourut l'assistance, les têtes se tournèrent à gauche et à droite. Des rumeurs avaient couru à l'effet qu'on chercherait à lui faire la peau (les spectateurs avaient été fouillés à leur entrée dans le hall). Rien ne se produisit. Les gardiens l'installèrent dans le box des accusés. Dès qu'il fut assis, il parcourut l'assistance du regard. Quand il vit sa mère, assise derrière la table où avaient pris place ses avocats, il se renversa sur sa chaise et commença à se ronger les ongles. Ses yeux paraissaient énormes dans son visage blême et amaigri. Ses cheveux luisant de pommade étaient lissés sur le côté droit. Lucette Gagné, elle, était d'un stoïcisme digne d'un joueur de poker.

Maître Charpenon fut le premier à prendre la parole. C'était un grand sec qui en imposait par sa voix grondant comme le tonnerre. Sa toge lui donnait l'air sévère du Grand Inquisiteur. Maître Charpenon demanda aux jurés de se pencher sur l'état mental de Joseph Gagné qui, selon lui, était inapte à subir un procès. Sa stratégie était évidente : envoyer Gagné dans un asile jusqu'à ce qu'on le considère comme prêt à répondre de ses actes, ce qui n'arriverait peut-être jamais, et lui éviter l'échafaud. Pour prouver ce point, il convoqua à la barre les docteurs Lepage et Clarke. Le docteur Lepage était professeur de psychiatrie à l'Université de Montréal depuis près de vingt ans. Le docteur Clarke, lui, pratiquait à l'asile protestant de Verdun et il avait aussi fait des stages en Ontario dans les asiles de Kingston et de London.

Ils avaient tous les deux examiné Joseph Gagné et, selon eux, c'était un faible d'esprit, il avait le cerveau d'un enfant. Il avait subi une insolation à treize ans, ce qui avait arrêté son développement intellectuel. Le docteur Clarke ajouta que des membres de la famille de Gagné, dont son père, souffraient d'alcoolisme, et que l'alcoolisme entraînait souvent des cas de démence et d'imbécillité. De plus, Joseph Gagné souffrait d'une forme d'épilepsie larvée, condition qui le poussait à se déplacer sans s'en rendre compte. Tous ces arguments prouvaient que Gagné ne pouvait être jugé responsable de ses actes.

La Couronne contre-attaqua avec ses experts. Selon le docteur Ouellet, Joseph Gagné n'était ni faible d'esprit ni fou. Il s'exprimait très bien et savait parfaitement ce qu'il avait fait ; il y avait certaines similitudes entre les agressions qui le prouvaient, entre autres la façon dont il s'y était pris pour obtenir l'adresse de ses victimes. Là-dessus, le docteur Lepage revint à la barre. Selon lui, le fait que Gagné ait pu calculer son geste ne prouvait en rien qu'il était sain d'esprit. Cet argument équivalait à dire qu'un homme souffrant des poumons était en pleine santé parce que ses autres organes fonctionnaient normalement. Un individu pouvait très bien être aliéné même si ses facultés étaient normales.

Le docteur Larue se présenta ensuite à la barre pour tenter d'ébranler à son tour la défense. Joseph Gagné n'était pas un imbécile, il ne souffrait pas de troubles de motricité, ce qui était souvent le cas avec les débiles. L'insolation avait peut-être affecté sa condition, ce n'était pas impossible, mais jamais au point de le rendre irresponsable de ses actes. De plus, Gagné était perturbé par les événements. Le médecin de Bordeaux témoigna que l'accusé montrait des signes de découragement, qu'il pleurait souvent. De plus, il ne mangeait presque pas, dormait mal la nuit. S'il avait été simple d'esprit, il n'aurait pas réagi à la gravité de la situation.

Vingt minutes suffirent aux jurés pour s'entendre et déclarer Joseph Gagné apte à subir son procès.

Le premier témoin de la Couronne, le jour qui suivit ce verdict, fut Mélodie Nielsen, employée de La Baie. Elle prit place à la barre, les yeux grands comme des soucoupes, et parla de l'étrange comportement de Joseph Gagné en sa présence et en la présence d'autres femmes (deux autres employées vinrent corroborer ses dires).

Lors d'un bref contre-interrogatoire, maître Brunet demanda à Mélodie Nielsen s'il n'était pas vrai que certaines femmes s'habillaient parfois de façon provocante par exprès. Elle répondit d'un air offusqué que monsieur Boivin dirigeait un magasin, pas une maison de passe. Des rires retentirent dans l'assistance.

À la demande de la Couronne, le docteur Ouellet vint discuter de l'état mental de l'accusé. Il le connaissait bien, c'est lui qui avait passé le plus de temps en sa compagnie. Joseph Gagné était un jeune homme intelligent mais, en même temps, il manquait de force de caractère, il était incapable de s'affirmer. Le milieu dans lequel il avait grandi l'avait beaucoup influencé, un peu comme un garçon se laisse entraîner par une bande de voyous. Il avait vu son père et son beau-père battre sa mère, c'était devenu quasiment normal à ses yeux, même s'il ne l'acceptait pas. Son état mental, qui était peut-être héréditaire – il rejoignait en cela la théorie de la défense –, l'avait poussé à les imiter et à commettre ses agressions.

Toujours selon le docteur, Joseph Gagné ne pouvait établir de relation normale avec les femmes à cause de sa vision du sexe opposé. Il détestait les femmes, c'étaient des créatures faibles et méprisables. Le milieu avait encore joué son rôle : Gagné avait vu les traitements que son père et son beau-père avaient infligés à sa mère et il avait grandi en croyant que les hommes pouvaient traiter les femmes comme bon leur semblait. En même temps, ses pulsions sexuelles, exacerbées par son état mental, le poussaient vers elles, il ne pouvait s'empêcher de les approcher, d'où la violence de ses actes. Le fait que la sexualité était un sujet tabou avait sans doute influencé sa psyché aussi.

En guise de conclusion, le docteur Ouellet nota que l'accusé était un jeune homme replié sur lui-même. Il n'avait cessé de parler de lui au cours des examens. Selon le docteur, cette «hypertension du moi» sous-tendait un début de démence précoce. Il nota également que Gagné avait une fascination morbide de l'enfer.

L'assistance suivit religieusement l'exposé du docteur Ouellet. En contre-interrogatoire, maître Brunet lui fit remarquer que sa vision des choses rejoignait la vision de la défense, que Joseph Gagné n'était pas maître de ses actes au moment de commettre les crimes dont on l'accusait. Le docteur Ouellet admit qu'il avait raison... jusqu'à un certain point: il rappela à maître Brunet qu'il y avait entre les agressions certaines similitudes qui prouvaient que Gagné avait calculé son coup, ce qui contredisait du même coup l'épilepsie larvée qu'on disait avoir diagnostiquée chez lui.

Maître Brunet demanda ensuite au docteur Ouellet ce qu'il pensait de «l'aveu» de Joseph Gagné, du fait que celui-ci affirmait avoir seulement agressé ses victimes. Le docteur admit avec un sourire qu'il ne savait pas quoi en penser. C'est ce qui faisait de Gagné un cas intéressant. Le milieu psychiatrique en profiterait beaucoup s'il pouvait continuer d'examiner ce patient, ajouta-t-il. DeVries, assis à mes côtés dans l'assistance, serra les dents et tordit son feutre sur ses genoux.

Le procès s'ouvrait, le jour suivant, avec le témoignage de madame Tanguay. On refusa encore plus de monde à l'entrée que les jours précédents. Quand on appela la jeune femme à la barre, tous les yeux se rivèrent sur elle – tous sauf ceux de Gagné, qui fixa le linoléum. Elle se leva, rejoignit la barre à petits pas pressés, la tête rentrée dans les épaules. Elle garda la tête dans ses épaules comme si elle sentait qu'une main invisible était sur le point de la gifler. Maître Lamoureux la guida dans son témoignage. Au début, elle parla du bout des lèvres et des grognements de mécontentement se firent entendre dans la salle. Le juge Dugas les fit taire d'un coup de son petit marteau et demanda à madame Tanguay de hausser le ton.

Joseph Gagné s'était introduit dans son logement par infraction et s'était rendu dans sa chambre. Il avait un couteau, il ne semblait pas dans son état normal. Elle avait pris peur. Il l'avait menacée, l'avait attachée au lit et… et… et c'est là qu'elle craqua, quand elle fut sur le point de mentionner qu'il avait déchiré sa chemise de nuit et qu'il l'avait embrassée. Elle sortit un mouchoir du sac à main qu'elle serrait sur ses genoux et se tamponna les yeux avec. Le silence régnait dans la salle, on aurait pu entendre voler une mouche. Le juge la pria de poursuivre, mais ses pleurs se changèrent en sanglots qui l'empêchèrent d'acquiescer à sa demande. Dans le box des accusés, Gagné n'en menait pas large lui non plus : il frétillait sur sa chaise, il poussait des soupirs en se voilant les yeux d'une main puis de l'autre.

L'audience fut suspendue quinze minutes.

Madame Tanguay, les yeux boursouflés, reprit son témoignage là où elle l'avait laissé. Elle s'était sentie à la merci de Joseph Gagné, sans défense, humiliée, expliqua-t-elle à la fin. C'était un sentiment effrayant, paralysant. Elle avait ressorti son mouchoir à ce moment-là. Certaines femmes dans l'assistance avaient elles aussi plongé la main dans leur sac pendant son témoignage. En contre-interrogatoire, maître Brunet demanda à madame Tanguay ce qu'elle avait voulu dire par « il ne semblait pas dans son état normal ». Elle répondit que Gagné avait la tête ailleurs, qu'il semblait obéir à des ordres de l'extérieur. « Comme s'il entendait des voix ? » demanda maître Brunet. Madame Tanguay changea de position sur sa chaise. Elle ne savait pas si Joseph Gagné avait entendu des

voix, dit-elle en trébuchant sur ses mots. Et puis qu'est-
ce que ça changeait ? Il avait un couteau, elle ne
doutait pas une seconde qu'il s'en serait servi si elle
n'avait pas obéi. Quand maître Brunet lui fit remarquer
que sa serrure ne devait pas être bien solide pour céder
à un simple couteau, c'en fut trop, elle craqua une
deuxième fois. Le juge lui donna congé.

C'était un témoignage fort, le jury était ému, pas
de doute là-dessus. La défense répliqua en appelant
son témoin vedette à la barre, Lucette Gagné. Elle se
leva solennellement, se dirigea à la barre le corps raide,
le menton pointé en avant comme un auguste person-
nage. Elle inspirait certes autant de respect et de véné-
ration qu'un dignitaire. Elle portait une autre de ses
robes fleuries qui semblaient pousser dans sa penderie
et un petit chapeau sévère.

Elle était à la barre pour relater l'enfance difficile
de son fils : les râclées que son père et son beau-père,
deux alcooliques, lui donnaient chaque jour, les jobines
qu'il avait faites à sa sortie de l'école à quinze ans
pour soutenir sa famille, la mort de sa sœur quand il
était tout jeune, etc. Elle parla d'une voix forte et
posée qui captiva l'auditoire. Selon elle, son fils était
innocent. Il n'avait agressé personne. Il aimait les
femmes et les femmes l'aimaient, il avait eu des blondes
dans sa jeunesse. En contre-interrogatoire, maître de
Grandmaison lui rappela que Joseph Gagné avait déjà
été arrêté – et emprisonné – pour avoir prétendu être
un photographe de mode et avoir fait se déshabiller
des jeunes femmes. C'était vrai, répliqua Lucette Gagné,
mais il ne leur avait pas fait de mal. Il avait mal compris leurs intentions. Il était différent des autres garçons.
Ce n'était pas un débile – Lucette Gagné semblait
insultée qu'on emploie ce terme – car il avait décroché
un emploi dans un grand magasin. Il était seulement
« différent ».

La Couronne répondit à ce témoignage par le témoignage des policiers qui avaient participé à l'enquête. DeVries et Castonguay se présentèrent à la barre, comme il avait été convenu lors des préparatifs du procès. Néron avait refusé de témoigner soit par rancune envers DeVries, soit parce qu'il était insatisfait du déroulement de l'enquête. Un peu des deux, sans doute.

À la demande de maître Lamoureux, DeVries et Castonguay décrivirent le spectacle qui s'était offert à leurs yeux sur les lieux des crimes : le cadavre mutilé de Fleurette Corriveau, madame Lemaire gisant dans sa salle de bain, Marie Janssen étendue dans son salon, à moitié nue, et tout le reste. Les deux policiers, visiblement mal à l'aise, parlèrent à voix basse en fixant la rampe devant eux. DeVries suait comme un cochon, on pouvait voir les gouttes de sueur perler sur son front du fond de la salle. Maître Lamoureux dut aiguillonner les deux hommes afin que les jurés obtiennent un tableau fidèle de la réalité.

C'était une réalité horrible. Dans l'assistance, les femmes aussi bien que les hommes grimacèrent en entendant les deux policiers, se tortillèrent sur leur siège. Même le juge Dugas, qui avait déjà présidé des procès sensationnels, demanda où la Couronne voulait en venir. Maître Lamoureux répondit par une question qui s'adressait aussi bien au jury qu'à l'assistance : « Est-ce qu'un homme simplement différent aurait fait subir un sort pareil à d'innocentes femmes ? »

Après ça, la Couronne ne convoqua pas d'autres témoins ni d'autres experts. Elle voulait que les témoignages de DeVries et de Castonguay restent bien imprégnés dans la mémoire des jurés. La défense s'abstint elle aussi et Joseph Gagné n'eut donc pas la chance de raconter sa propre version des faits. Cette

décision surprit tout le monde. Les journalistes spécu-
lèrent : les experts de la défense avaient-ils jugé Gagné
trop instable émotivement pour se présenter à la barre ?
Les risques étaient-ils trop grands qu'il aggrave son
cas ? Avait-il lui-même refusé de témoigner en raison
de la présence de sa mère qui était, selon les journalistes, très intimidante ?

Quoi qu'il en soit, chacune des parties résuma ses
arguments pour tenter une dernière fois de convaincre
le jury. La défense revint sur l'enfance pénible de
Joseph Gagné, qui l'avait marqué pour la vie. Selon
maître Charpenon, il n'avait aucune fascination morbide
de l'enfer, il avait seulement été élevé comme tout bon
chrétien devait être élevé. C'était un jeune homme
bien – il avait quitté l'école pour subvenir aux besoins
de sa famille –, mais il était malade et avait besoin
d'aide. On ne pouvait pas le tenir responsable de ses
actes.

Maître de Grandmaison rappela les circonstances
de chaque agression : Gagné avait volé l'adresse de
ses victimes, il s'était rendu chez elles et il les avait
forcées, à la pointe d'un couteau, à se livrer aux pires
bassesses, puis il les avait tuées. Il savait parfaitement
ce qu'il faisait. Maître de Grandmaison insista aussi
auprès du jury sur les derniers instants des victimes
et sur la vie de madame Tanguay. La défense avait
cherché à la discréditer, mais il était impossible de nier
ce qui lui était arrivé : sa vie était bouleversée pour
toujours par la faute de Joseph Gagné. Il méritait la
peine de mort pour ce qu'il avait fait subir à ses victimes.

Là-dessus, le jury se retira pour délibérer. Il revint au
bout d'à peine quinze minutes. Son verdict : coupable.
Des applaudissements retentirent ici et là dans la salle.
Clac, le petit marteau les fit taire. Dans le box des

accusés, Joseph Gagné poussa un gémissement et disparut dans le box comme si on l'avait tiré vers le bas. Un cri retentit, l'assistance se leva d'un bond. Les gardiens de sécurité se précipitèrent vers le box, certains spectateurs aussi. Quelqu'un posa la question de circonstance : « Y a-t-il un médecin dans la salle ? » Dans toute cette confusion, Lucette Gagné se leva, impassible, et se fraya un chemin parmi la foule jusqu'à la sortie.

Joseph Gagné s'était évanoui et s'était coupé à l'arrière de la tête en tombant. On le conduisit à l'hôpital et il n'était pas présent quand le calme fut rétabli et que l'Honorable juge Dugas prit la parole. On vivait dans un monde où la violence verbale et physique prenait de plus en plus d'ampleur, fit-il remarquer. Parallèlement, la psychiatrie était « à la mode » et les auteurs de crimes sordides espéraient s'en tirer en plaidant la folie. Ce ne serait pas le cas pour Joseph Gagné. Le juge voulait en faire un exemple, c'était clair, et il le condamna à l'échafaud. L'exécution aurait lieu au mois de novembre.

Le procès avait duré dix jours.

Cet après-midi-là, on se réunit dans le bureau de DeVries pour « célébrer » la condamnation de Gagné. Quelqu'un avait apporté une bouteille de mousseux et des verres en carton. DeVries distribua les El Pietto comme un nouveau papa. Je déclinai son offre, il insista et je finis par l'accepter. Je le fumerais peut-être plus tard. Il n'y avait pas de quoi fêter.

Quand on se retrouva seul, je lui demandai quand il allait démissionner.

« Je vais attendre un peu que la poussière soit retombée. Merci de ton aide, en passant.

— Pas besoin de me remercier.

— T'es un bon enquêteur, Stan, dit-il avec un sourire. Dommage que tu sois si scrupuleux.

— C'est ma pire qualité.

— Tu n'es pas content que Gagné ait été condamné?

— Il est malade, tu le sais aussi bien que moi, dis-je. Et le procès – il était condamné d'avance.

— Ouais, ben, le jury a tranché.»

DeVries tira une bouffée de son El Pietto. Cette pensée semblait le réconforter.

Ses yeux se posèrent soudain sur une enveloppe qui traînait dans le fouillis sur son bureau. Ses sourcils se froncèrent. Il ouvrit l'enveloppe et en sortit la croix en or et en argent. Il l'avait complètement oubliée dans les préparatifs du procès. Un autre exemple de son grand professionnalisme.

«On va la remettre à Gagné demain, dit DeVries. Il pourra s'en servir comme chapelet pour prier.

— Pourquoi pas ce soir?

— Parce que ce soir je me soûle la gueule. Faut bien célébrer!»

Je fis un arrêt à la Catelli en route vers mon chez moi. La vieille secrétaire revêche s'apprêtait à partir.

«Monsieur Chalmers est encore là?

— Oui, dit-elle, il est dans son bureau.

— J'aimerais lui parler.

— Troisième porte à votre gauche.»

Elle ramassa son sac à main et, le corps raide, fila vers la porte.

Chalmers était bien à son bureau, le nez dans un livre dont les pages étaient recouvertes de chiffres. La lampe de banquier sur son bureau était le seul éclairage dans la pièce. Les rideaux bouchaient la fenêtre.

«Monsieur Chalmers?

— Oui? Qu'est-ce qu'il y a? dit-il sans lever la tête.

— Stan Coveleski.

— Je sais qui vous êtes, j'ai reconnu votre voix. Qu'est-ce que vous voulez ?

— Je vous ai rapporté la photo de vous et de Cécile Jetté. Et vos poèmes aussi. »

Je les déposai sur le bureau devant lui. Je les avais pris avant de quitter le quartier général. Chalmers posa les yeux dessus.

« Ce ne sont pas des pièces à conviction ?

— Non. Vous n'êtes plus suspect, monsieur Chalmers. Tout est fini. »

Il actionna la manette de la calculatrice sur le coin de son bureau, examina le petit rouleau qui en sortait.

« Je n'ai pas besoin de la photo pour me souvenir de Cécile. Jetez-la à la poubelle.

— Et les poèmes ?

— Les poèmes aussi. Je n'aurais jamais dû les écrire. Bonne soirée, monsieur Coveleski. »

Je pris les objets et les jetai dans la corbeille à côté de la porte.

« J'ai bien aimé *La petite église*, dis-je.

— Eh bien, vous êtes le seul. »

Je quittai son bureau et le laissai avec ses chiffres.

CHAPITRE 17

On se présenta à Bordeaux à neuf heures. À l'intérieur des murs d'enceinte, la rotonde d'où s'étendaient les six ailes ressemblait à une gigantesque pieuvre qui se dégourdissait les tentacules. C'était un matin ensoleillé et un peu frisquet. Les journées commenceraient à raccourcir bientôt, les feuilles dans le nord jauniraient. L'été passait et je le manquais.

Après les formalités, on nous conduisit à l'aile B, où Joseph Gagné était incarcéré. On traversa des couloirs silencieux jusqu'à une petite salle qui contenait une table et deux chaises sous un plafonnier. Les murs en brique avaient été témoins de nombreux entretiens. Joseph Gagné, escorté par deux gardiens, entra dans la pièce dix minutes plus tard. Il flottait dans ses vêtements, les os de son visage pointaient sous sa peau qui paraissait cireuse et jaunâtre. C'était difficile de le regarder en face. Les gens qui se savent condamnés ressemblent peut-être tous à ça.

Il nous dit qu'il regrettait d'avoir collaboré avec la police. Il était malade, il le savait. Il aurait dû se suicider, même si c'était un péché, plutôt que de parler. Au moins, il n'aurait pas fait honte à sa mère. Sa voix était à peine audible. DeVries, qui avait mis son plan à exécution la veille et qui avait une terrible gueule de bois, sortit la croix de sa poche.

«Tiens, grogna-t-il en la déposant sur la table entre eux. T'avais oublié ça chez Cécile Jetté.»

Joseph Gagné tendit lentement la main vers le bijou. Sa main tremblait comme s'il était brûlant mais qu'il ne pouvait pas s'empêcher de le toucher. Il le ramassa et le fixa au creux de sa main. Ses yeux avaient une expression distante. Un filet de salive apparut au bord de sa lèvre inférieure.

«Qu'est-ce qu'il y a? demanda DeVries.

— Ce… ce n'est pas à moi.

— C'est à qui, d'abord?»

Silence. Un tuyau quelque part gargouilla.

«Tu sais c'est à qui?

— Oui. À… à…

— À qui?

— Ma mère», dit Gagné dans un souffle.

On dut sonner six coups avant que la porte, retenue par la chaînette, s'entrouvre de quelques centimètres. Un œil rougi nous balaya alors de la tête aux pieds.

«Qu'est-ce que vous voulez? dit Lucette Gagné d'une voix éteinte. On n'a plus rien à se dire.»

Son visage n'était pas maquillé. Ses cheveux étaient différents. Ils étaient coupés au ras du crâne comme chez un homme et lissés vers l'avant. Une perruque – ses boucles brunes quasi parfaites étaient une perruque.

«Je crois que vous faites erreur, dit DeVries. On peut entrer?

— Si je disais non, vous entreriez quand même.

— C'est bien vrai.

— Donnez-moi une minute.»

La porte se referma. Au bout de ladite minute, Lucette Gagné revint maquillée, la perruque en place.

On se rendit au salon à la queue leu leu, DeVries ouvrant la marche. Les rideaux étaient tirés, une lampe dans un coin assurait un éclairage liturgique. On s'assit dans les mêmes sièges que lors de notre première rencontre.

Sans un mot, DeVries sortit la croix de sa poche de veston et la déposa sur la table basse devant Lucette Gagné. Elle baissa les yeux dessus une seconde, puis les riva sur nous. Ils n'avaient aucune expression particulière.

«Vous avez déjà vu ce bijou-là? dit DeVries.

— Non.

— Votre Joseph affirme le contraire, lui.

— Ce qui veut dire?

— Il affirme que la croix est à vous.

— Il ment, dit Lucette Gagné.

— Pourquoi ferait-il ça? demandai-je.

— Mon Joseph est malade», dit-elle comme si ça expliquait tout.

DeVries la dévisagea en plissant les yeux. Elle ne broncha pas.

« Je pense que c'est vous qui mentez, madame Gagné.

— Dans quel but?

— Vous voulez sauver votre peau. On a trouvé la croix sur les lieux d'un des crimes de votre fils.»

Lucette Gagné se leva et alla se planter à la fenêtre, le dos tourné. Une minute s'écoula.

«La croix appartenait à sa sœur, Violette, dit-elle enfin. Quand elle est morte, il l'a prise. Il la portait toujours en sa mémoire. Il aimait beaucoup sa sœur.»

DeVries me jeta un regard de côté, se pencha en avant.

«Je croyais que vous ne l'aviez jamais vue avant.

— Je viens de me rappeler. J'avais oublié.

— Il me semble que ce n'est pas le genre de choses qu'on oublie, madame Gagné.

— J'avais d'autres choses à penser, dernièrement, dit-elle sèchement.

— Quand même, vous avez dû voir Joseph le porter, ce bijou-là. Il appartenait à votre fille décédée. Ç'a dû vous frapper. Vous n'avez pas pu oublier.

— Dites donc que je suis une menteuse.

— Vous ne dites pas la vérité, dis-je. Ce bijou n'appartenait pas à votre fille. Il vous appartient à vous.»

Lucette Gagné baissa la tête.

«Il me l'a volé.

— Donc, il vous appartient? dit DeVries.

— Oui, il m'appartient, dit-elle d'un ton impatient. Joseph me l'a pris, je me suis rendu compte dernièrement qu'il n'était plus dans mon coffre à bijoux.

— Quand, dernièrement? demandai-je.

— Il y a quelques mois de ça.

— Vous ne pourriez pas être plus précise?

— Il y a trois-quatre mois.»

DeVries fixait mon profil en silence, les sourcils froncés.

«Certaine?

— Oui, certaine, soupira Lucette Gagné. C'était à la Saint-Jean. J'étais à court d'argent, je voulais apporter mes bijoux dans un *pawnshop*. J'ai ouvert mon coffre et c'est là que je me suis aperçue que la croix n'était plus là, que Joseph l'avait prise.

— Vous mentez encore, madame Gagné. Joseph était toujours à Québec à ce moment-là. Il est revenu en juillet.»

Une sorte de frisson lui parcourut tout le corps, elle devint raide comme un manche à balai.

«C'est terminé, madame Gagné, dis-je. Arrêtez d'empiler les menteries. Votre fils disait vrai, il n'a pas tué ces femmes. Personne ne l'a cru parce qu'il avait le profil du tueur, mais c'est vous qui les avez tuées.

— Non. Il a volé ma croix et il l'a laissée derrière par accident. C'est lui qui les a tuées.

— Ce n'est pas ce que vous disiez au procès. »

Il n'y avait plus d'issue.

Une longue minute s'écoula, le temps qu'elle digère ce constat, puis elle déballa son sac.

« Il faut que vous compreniez… Mon petit Joseph était comme les autres garçons de son âge quand il était jeune. Il aimait mieux jouer dehors que faire ses devoirs. À l'école, ça lui arrivait de s'attirer des ta- loches. Il est revenu à la maison une couple de fois en pleurant, avec des bleus ou avec les coudes écorchés. Je m'occupais de lui et, le lendemain, tout était oublié. Il jouait dans la ruelle avec les enfants qui l'avaient battu. Mais les choses ont changé quand les filles ont commencé à lui tourner autour. Il s'intéressait à elles, lui aussi – c'était un garçon normal, comme j'ai dit –, mais elles étaient comme des vautours. Mon petit Joseph était plutôt beau garçon, vous comprenez, et une fois qu'une de ces créatures avait réussi à l'attirer, elle était prête à tout pour le garder. Il y a de ces créa- tures – des filles de petite vertu – qui se sont livrées aux pires bassesses avec lui. Il pensait que je ne le remarquais pas quand il rentrait en fin de soirée le regard allumé, la chemise sortie des culottes. Je pou- vais sentir leur parfum sur ses vêtements… Mon petit Joseph ne connaissait rien des choses de l'amour avant, et puis il n'arrêtait plus d'y penser. »

Il y avait une pointe de dédain et d'amertume dans sa voix. Elle n'en était pas consciente. On ne bougeait pas, DeVries et moi, de peur de rompre la transe.

« Il n'a jamais fréquenté les prostituées – du moins, c'est ce que je croyais… Il était assez beau, il pouvait se faire des petites amies quand il le voulait. Mais il ne pouvait pas les garder parce qu'il ne pouvait pas s'empêcher de faire des avances à d'autres. Il retenait bien de son père, Armand, mon premier mari. Lui aussi, il avait toujours envie de… de faire la chose. Il n'avait pas de travail régulier, il pouvait passer des journées entières à la taverne du coin. Quand il était ici, il buvait aussi et cinq ou six fois par jour, il… »

Lucette Gagné laissa sa phrase en suspens. Elle regardait toujours par la fenêtre, comme si ses mots étaient écrits sur un panneau de l'autre côté de la rue.

« Quand je disais non, il me battait, des fois sous les yeux de mes enfants. Joseph n'aimait pas ça. Il n'aimait pas son père. Il n'aimait pas son beau-père non plus, Évariste, mon deuxième mari. C'était réciproque, ils étaient comme chien et chat tous les deux. Évariste le traitait de raté chaque fois qu'il le voyait. Il l'agaçait en lui disant que c'était évident qu'il n'était pas son père parce que lui n'aurait jamais engendré quelqu'un d'aussi stupide et il le battait souvent. Mais quand Joseph a eu fini de grandir, là, la vapeur s'est renversée. Joseph était assez fort pour se défendre – et pour me défendre, moi aussi. Évariste buvait comme un cochon et il me battait chaque jour ou presque. Joseph s'est souvent interposé entre nous deux. Évariste le traitait alors de tous les noms, il lui disait qu'il était trop lâche pour le tuer. Joseph faisait comme si de rien n'était mais, une nuit, il en a eu assez et il l'a agrippé par le cou. Il y avait cette lueur dans ses yeux… Il était comme fou. Je pensais qu'il allait le tuer. Ça lui arrivait deux-trois fois par mois de se mettre dans cet état-là. C'était comme si… comme si une force étrange guidait ses gestes. C'est cette force-là qui le poussait à faire des cochonneries avec les filles. Quand il ne pouvait pas se… se soulager, il ne

pouvait plus se contrôler – il ne pouvait plus contrôler la force et il ne savait plus ce qu'il faisait. Il
aurait pu tuer n'importe qui dans ces moments-là.
Quelqu'un devait s'occuper de lui et il n'était pas
question que ce soit ces filles-là. Je m'en suis chargé.
On n'en a jamais parlé – enfin si, une fois. Je lui avais
dit qu'on irait en enfer tous les deux s'il racontait à
quelqu'un ce qu'on faisait. Jusqu'à maintenant, dit
Lucette Gagné avec fierté, il n'a rien raconté. »

C'était donc ça, le secret qui les unissait. Je l'avais
peut-être deviné, inconsciemment, mais un goût de
cendre froide m'emplissait la bouche. DeVries était
paralysé à côté de moi.

« Je n'ai pas pu m'occuper de lui quand il était à
Québec, poursuivit Lucette Gagné. Il ne m'a pas pré-
venu de son retour, mais je l'ai su en lisant le journal.
Il y avait un article qui racontait l'agression d'une
femme. J'ai tout de suite su que c'était lui, qu'il était
revenu en ville. Ne me demandez pas comment, je l'ai
su, c'est tout. Il est passé me voir un soir. Il m'a dit
qu'il s'était trouvé une job, un logement, qu'il était
devenu normal. Je ne l'ai pas cru et je me suis mise à
le surveiller. Je ne pouvais pas m'occuper de lui comme
je le faisais avant, je suis vieille. Je savais que des
femmes l'aborderaient quand il était au travail à La
Baie, qu'elles lui feraient leur petit numéro. Je ne
pouvais rien y faire. Mais avant l'ouverture du magasin
et après la fermeture… Je le suivais chez ses victimes.
Des fois, il cognait à six ou sept portes avant qu'on le
laisse entrer, des fois, il essayait de forcer les serrures.
Quand il réussissait son coup, je passais derrière lui.
Les femmes étaient encore sous le choc, c'était facile
de les maîtriser – excepté Cécile Jetté. Elle était très
énervée. Elle s'est débattue et c'est là que j'ai perdu
la croix. Je m'en suis rendu compte par après et j'ai

voulu aller la chercher, mais vous étiez déjà là. Comme on n'en parlait pas dans le journal, je me suis dit que vous aviez cru qu'elle appartenait à Cécile Jetté. »

Lucette Gagné fit une pause avant de continuer. Je m'efforçai de ne pas penser aux derniers moments de Cécile Jetté. DeVries était toujours paralysé à côté de moi.

« Madame Lemaire allait prendre un bain. Elle devait se sentir souillée – avec raison – après ce qu'elle avait fait à mon petit Joseph. Elle ne m'a pas entendue entrer – le bruit de l'eau a couvert mes pas. Je l'ai frappée par-derrière avec une statue du Christ que j'ai trouvée dans le passage. Par après, je l'ai étranglée avec la ceinture de son peignoir. Si j'ai tout mis à l'envers chez elle et chez les autres victimes et si j'ai volé des bijoux, c'était pour brouiller les pistes. C'est pour ça aussi que j'ai déplacé le corps de Marie Janssen, je voulais vous mêler. J'ai même essuyé quelques poignées au cas où, parce que je savais que vous condamneriez Joseph si vous l'attrapiez, même s'il était innocent.

« Quand il est allé voir la… la putain, cracha Lucette Gagné, il n'avait pas réussi à s'introduire chez une femme ordinaire. Je suis entrée chez elle après qu'il a été parti. Elle était encore au lit, à moitié nue. Je lui ai dit que ce qu'elle avait fait à mon fils était mal. Elle a commencé à me narguer. Ce qu'elle avait fait avec Joseph était naturel, elle en avait retiré du… du plaisir, qu'elle m'a dit. Joseph pouvait revenir la voir quand il voulait, c'était un grand garçon, il n'avait pas besoin de moi pour décider quoi faire. Elle était en boisson, elle ne savait pas ce qu'elle disait. Elle riait. Il y avait une bouteille vide sur la table de chevet. J'ai essayé de la frapper avec. Elle s'est débattue – elle riait toujours comme si c'était un jeu. Et puis la bouteille s'est cassée et je l'ai frappée jusqu'à ce qu'elle se taise. Les pauvres femmes... Elles le méritaient toutes...»

Sa voix se dissipa dans l'air comme des volutes de fumée. Elle avait sans doute mordu Marie Janssen au sein dans un même élan de fureur.

Elle se tourna vers nous. Elle se savait condamnée, mais son visage était calme, serein. C'était peut-être à cause de ça.

«Ne me jugez pas, dit-elle étonnamment. J'aimais mon petit Joseph. Je l'aime toujours malgré ce qu'il a fait, comme toute mère doit aimer son fils quoi qu'il arrive. Je peux aller à la cuisine boire un verre d'eau? J'ai la gorge sèche.»

DeVries poussa un grognement. Il fronçait les sourcils comme s'il avait la migraine.

«J'y vais avec vous.»

Ils quittèrent le salon.

J'entendis l'eau ruisseler dans l'évier, puis plus rien. C'est la voix de DeVries qui déchira le silence.

«Stan!» cria-t-il.

Je me levai et traversai à la course le passage qui menait à la cuisine.

Lucette Gagné se tenait devant l'évier, penchée sur le comptoir. Elle s'agrippait à lui, ses jointures étaient blanches. Une grimace de douleur déformait son visage.

DeVries virevolta vers moi, pâle comme un drap, et porta une main à son front.

«Je lui ai tourné le dos deux secondes pour regarder dehors.»

Je bondis sur Lucette Gagné, l'agrippai par un bras et la fis reculer.

Le devant de sa robe fleurie, au niveau de l'abdomen, était imbibé de sang, il y en avait une flaque à ses pieds qui s'étendait rapidement.

Le manche d'un couteau dépassait de son estomac.

Elle tourna la tête vers moi. Elle était au seuil de la mort, elle s'apprêtait à le franchir. Je le vis dans ses yeux – j'aurais de la difficulté à oublier ce regard – qui se portèrent au-dessus de mon épaule. Je regardai derrière moi. DeVries nous fixait stupidement, la main toujours au front. Ça allait trop vite pour lui, son cerveau était incapable de tout assimiler.

Les jambes de Lucette Gagné se dérobèrent sous elle. Je ne pus la soutenir, elle était trop grosse. Elle s'écrasa par terre, sur le dos. Sa tête donna durement contre le plancher et sa perruque se déplaça. Elle souriait d'un air triomphal. Elle nous avait bernés. Puis son regard devint fixe, ses lèvres esquissèrent une grimace. Elle poussa un petit couinement de chien apeuré. Elle venait de voir ce qui l'attendait de l'autre côté.

Je me tournai vers DeVries. Il était assis sur une chaise, penché en avant, la tête entre les mains. Je reportai mon attention sur Lucette Gagné et appuyai deux doigts contre sa carotide.

Elle avait franchi le seuil de la mort.

Sa mort fit la une de tous les journaux du lendemain. C'était à se demander à quoi la presse s'attaquerait maintenant que cette affaire était finie. La défense en appela du verdict de Joseph Gagné mais, malgré ces nouvelles révélations, la sentence au bout du compte ne changea pas : il finit la corde au cou comme prévu.

Les spécialistes furent appelés à se prononcer sur l'état mental de Lucette Gagné. Selon le docteur Ouellet, les abus sexuels de ses deux maris l'avaient dégoûtée du sexe. La façon dont elle s'était acharnée sur Fleurette Corriveau, qui gagnait sa vie en accordant ses faveurs, en était une preuve. Elle avait développé un rapport privilégié avec son fils – elle en avait fait une sorte d'idole parce qu'il l'avait défendue à maintes reprises. Cela expliquait pourquoi elle était jalouse des autres femmes et aussi pourquoi elle les percevait comme de simples séductrices qui ne pensaient qu'à corrompre son fils.

Les révélations de Lucette Gagné permettaient d'émettre une hypothèse sur les causes du suicide de sa fille Violette. Si ses deux maris pensaient sans cesse à la chose, comme elle avait dit, ils avaient peut-être abusé de Violette, ce qui expliquerait, en plus des raclées qu'elle recevait, pourquoi elle s'était pendue. Lucette Gagné s'en doutait probablement mais, comme son fils était le centre de son univers, elle avait décidé de l'ignorer.

Le jour où Lucette Gagné fut portée en terre, je rédigeai pour la deuxième fois une lettre de démission. Je ne savais pas à qui la remettre. Je choisis DeVries par défaut. En route pour le quartier général, je fis un arrêt au port. Je m'avançai au bord de l'eau et lançai mon insigne dans le fleuve. Il ricocha trois fois à la surface de l'eau avant de s'abîmer.

On ne m'y reprendrait pas.

La porte du bureau de DeVries était ouverte, mais il n'était pas là. Je laissai l'enveloppe bien en vue contre le porte-crayons en laiton sur son bureau.

En sortant, je tombai sur Castonguay.

«Tu cherches Rog?

— Pas vraiment.

— Ah. Il est à l'Hôtel-Dieu si tu veux lui parler.

— À l'Hôtel-Dieu?

— Hm-hm. Il a fait une crise de cœur, cette nuit.»

Castonguay inclina la tête sur un côté et me dévisagea d'un drôle d'air. Je devais avoir l'air hébété.

Après tout ce qui s'était passé, c'était vraiment le glaçage sur le gâteau.

« À ce stade-ci, c'est difficile de dire s'il gardera des séquelles, me dit le docteur. Son cerveau a manqué d'oxygène. Il est possible que son élocution soit affectée ou qu'il reste paralysé du côté droit. Il a besoin de repos, de beaucoup de repos. Il est complètement à bout, cet homme-là. Il a sûrement eu des malaises avant. Il ne vous a rien dit ?

— Il avait de la difficulté à digérer.

— Oui, eh bien, les dernières semaines ont dû être stressantes », songea tout haut le docteur.

Je me rendis à sa chambre. Je m'arrêtai sur le seuil de la porte et me demandai si j'étais au bon endroit. Un homme était allongé sur le dos, les mains jointes sur son estomac. Son visage était affaissé, son crâne était visible entre les quelques cheveux blancs qui lui restaient. Il ressemblait à un robineux qu'on aurait trouvé soûl mort au fond d'une ruelle.

Était-ce sa femme, Colette, assise à côté du lit ? Elle avait beaucoup vieilli depuis notre dernière rencontre – mal vieilli. Une canne était accrochée au dossier de sa chaise.

Je fis demi-tour.

ÉPILOGUE

« Bonjour, m'sieur Coveleski, me dit Émile.

— Salut, Émile.

— Où est-ce que vous étiez passé ?

— Tu ne lis pas les journaux ?

— Juste les pages sportives. La même chose que d'habitude ?

— Hm-hm. »

Il descendit de son tabouret et se pencha derrière le comptoir pour prendre mes Grads.

« En parlant de pages sportives, comment vont les Royaux ?

— Van Cuyk a tout gâché.

— Qu'est-ce qu'il a fait ? »

Émile se releva en poussant un grognement et me tendit le paquet.

« Dernier match de l'année, contre les Leafs. Les Royaux mènent par un point. Van Cuyk force le frappeur à cogner un petit ballon derrière le premier but, mais…

— Mais ?

— Au lieu de laisser Stevens s'en occuper, il demande la balle et – je vous le donne en mille – il l'échappe ! Les Royaux ne s'en sont jamais remis.

— C'est dommage, dis-je en lui tendant la monnaie.

— Je me doutais bien qu'ils crouleraient sous la pression. »

Je fis un pas vers l'ascenseur et m'arrêtai. Emma bloquait la porte avec son pied. Elle changea sa plante verte de main et me fit signe de me dépêcher. Les autres passagers n'attendraient pas éternellement.

« Au moins, il te reste les Canadiens, Émile. Avec eux autres, tu ne peux pas te tromper.

— Je ne sais pas. Si le Rocket tombe au combat… »

Cet homme était l'incarnation du pessimisme.

Je rejoignis Emma. On monta au quatrième étage et on franchit la troisième porte à gauche en sortant de l'ascenseur. Emma déposa la plante sur la table et parcourut la pièce des yeux, les poings sur les hanches.

« Je vais aimer ça, ici, dit-elle. C'est beaucoup mieux que ce qu'on avait avant.

— C'est le même maudit bureau.

— Ah oui ?

— Ils ont juste enlevé les lettres sur la porte. Je me demande pourquoi ils ne l'ont pas loué.

— L'odeur de votre eau de Cologne dans l'air – ils n'ont pas pu s'en débarrasser.

— C'est ton avocat qui t'a appris à déblatérer comme ça ?

— Non, je suis autodidacte. »

J'entrai dans mon pensoir. Rien n'avait changé : le bureau et les deux chaises, le lavabo dans le coin, le canapé. J'ouvris la fenêtre et observai le trafic dans Sainte-Catherine un moment. Ce n'était pas un spectacle bien excitant. Je m'assis au bureau et attendis qu'un client se pointe.

MAXIME HOUDE...

... est né en 1973 dans la métropole québécoise
et il y demeure depuis. Il a complété des études
en traduction à l'université de Montréal, mais
occupe actuellement un poste à l'édifice Wilfrid-
Derome, le grand quartier général de la Sûreté du
Québec à Montréal. Quand il ne travaille pas,
Maxime Houde consacre son temps à la rédaction des aventures de Stan Coveleski, détective
montréalais des années quarante, dont le premier
volume s'intitule *La Voix sur la montagne*.

EXTRAIT DU CATALOGUE

(POLAR & THRILLER)

Collection « Romans »

001 *Blunt – Les Treize Derniers Jours*   Jean-Jacques PELLETIER

Depuis neuf ans, Nicolas Strain se cache derrière une fausse identité pour sauver
sa peau. Dernier témoin des « accords de Venise », Strain représente une terrible
menace pour ses anciens employeurs qui redoutent qu'il ne les rende publics.
Lorsqu'ils le repèrent dans la région de Québec, une série de mystérieux attentats
terroristes frappe Montréal. Certains indices laissent croire qu'il s'agit du prélude à
une offensive visant plusieurs grandes villes des États-Unis d'Amérique.
En échange d'un sursis, les patrons de Strain l'obligent à reprendre du service. Dès
lors s'engage, entre lui et l'insaisissable adversaire qui orchestre les attentats, une
terrible partie dont l'enjeu dépassera tout entendement…

008 *Lames sœurs*   Robert MALACCI

À Montréal, on trouve le cadavre mutilé d'une jeune femme. Sur son ventre, un
mot écrit avec son sang: Simplet. Léo Lortie, patrouilleur du poste 33, sait qu'il
désigne le nom d'un des nains dans l'histoire de Blanche Neige.
Depuis deux ans, c'est le quatrième meurtre du genre. Lortie a lui-même découvert
le deuxième, signé Atchoum. Mais voilà, il y a sept nains dans l'histoire, et Léo
veut coincer le psychopathe avant qu'il n'allonge encore son horrible série.
Lortie décide donc de tendre un piège au meurtrier. Avec l'aide de Malacci et d'une
amie commune, Elsa Castillo, ils vont tenter de provoquer le tueur en lui adressant
des messages par le biais des petites annonces de quelques journaux.
Évidemment, leur plan ne donnera pas les résultats escomptés et Malacci va,
comme à son habitude, se retrouver sur la corde raide…

009 *SS-GB*   Len DEIGHTON

Novembre 1941. Depuis la capitulation de la Grande-Bretagne, l'armée allemande
et sa bureaucratie tentaculaire ont pris possession du pays tout entier.
À Scotland Yard, le commissaire principal Douglas Archer, qui a perdu sa femme
pendant les derniers bombardements, poursuit sans enthousiasme son travail sous
les ordres du Gruppenführer Fritz Kellerman.
Lors d'une enquête de routine sur la mort d'un antiquaire, il découvre l'existence
d'étranges tractations entre l'armée allemande et des membres influents de la Résistance. Quand le Standartenführer Huth, un proche de Himmler, arrive expressément
de Berlin pour superviser l'enquête, Archer comprend qu'il a mis le doigt sur quelque
chose de bien plus gros qu'il ne l'imaginait, quelque chose qui pourrait faire basculer
le destin de l'ensemble du monde libre !

021 *La Chair disparue* (Les Gestionnaires de l'apocalypse -1)   Jean-Jacques PELLETIER

1996… Pour avoir démantelé Body Store, une organisation internationale de trafic
d'organes, John Paul Hurtubise a subi de terribles représailles : ses enfants ont été
« vidés » de tous leurs organes et ses proches, menacés de mort.
1998… Souffrant du syndrome de « personnalité multiple », Hurtubise, devenu
Paul Hurt grâce à l'Institut, se terre dans la région de Québec où il tente d'oublier
le passé. Mais voilà: un journaliste offre son cœur – dans une glacière ! – à l'une
de ses amies, un artiste fou se met à sculpter dans l'humain, un réseau d'extracteurs
sillonne les rues de la ville… Body Store renaîtrait-il de ses cendres ?
F, la directrice de l'Institut, croit plutôt que ces récents événements confirment ce
qu'elle redoute depuis deux ans: les mafias s'unissent à l'échelle mondiale, et si
personne n'intervient, elles risquent de prendre le contrôle de la planète entière !

030 *Ad nauseam*   Robert MALACCI

Le directeur d'*Écho-Matin* s'est mis une nouvelle idée en tête : acheter un quotidien de Toulon, *Le Mistral*, afin d'exporter sa « méthode » en France ! Pour évaluer la possibilité de l'affaire, il enverra sur place ses deux experts, Pouliot et Malacci.

Aussitôt arrivé, Pouliot se met à l'œuvre : profitant du meurtre récent d'une jeune femme et des soupçons qui pèsent sur Kateb Djaout, un Algérien qui se terre depuis l'événement, il décide de montrer au patron du *Mistral* comment on « fait » du journalisme !

Impuissant, Malacci ne peut que constater les dégâts : les articles de Pouliot réveillent aussitôt la fameuse bête-qui-sommeille ! Quant à ceux qui tablent sur la xénophobie pour assouvir leurs propres aspirations, ils sont prêts pour la curée.

Malacci, qui a réussi à entrer en contact avec Djaout, est convaincu de son innocence. Mais comment faire pour briser le cercle infernal qui se referme sur lui et l'Algérien ?

031 *L'Homme trafiqué* (Les Débuts de F)   Jean-Jacques PELLETIER

Trafiqué, cet héritier amnésique et mutilé que deux organisations internationales traquent, s'arrachent et se lancent un chassé-croisé de pièges et de complots ? Trafiqué, ce passé qu'on lui a volé et dont il ne lui reste que des « absences » et des cauchemars peuplés de piranhas ? Trafiqué, ce lien qui l'unit à Véronique, l'étrange reporter qui s'attache à ses pas ?

Du rio Das Mortes à Québec en passant par Montréal et Diamantina, Karl Adamas Thornburn tente de percer à jour les machinations du Rabbin, de déjouer les attentats de Bort, de mettre en échec la mécanique élaborée par l'homme de Londres pour accaparer son héritage et contrôler le marché mondial du diamant mais, surtout, il essaie de faire la lumière sur son passé... et d'y survivre !

034 *Nébulosité croissante en fin de journée*   Jacques CÔTÉ

Juin 1976... Alors qu'une terrible canicule s'abat sur tout le Québec, les jeux Olympiques de Montréal se profilent à l'horizon. Mais à Sainte-Foy, en banlieue de la Vieille Capitale, H se soucie peu de la chaleur et des jeux. À peine sorti de prison, il perd le nouvel emploi qui était censé consacrer sa réinsertion sociale. Des gens devront payer pour ce nouvel échec !

Daniel Duval, lui, est enquêteur à la Sûreté du Québec. À son retour d'un marathon, il fait face à un défi difficile : un psychopathe s'amuse à canarder des automobilistes sur le boulevard Duplessis. En compagnie de son coéquipier, Louis Harel, il tente désespérément de mettre la main au collet du tireur fou afin d'éviter d'autres meurtres gratuits.

Or, les deux policiers ne connaissent pas la passion morbide de H pour la démolition automobile... ni sa ferme intention de se payer la peau d'un flic !

035 *La Voix sur la montagne*   Maxime HOUDE

On a volé un collier de grande valeur à madame Dufresne, une vieille dame acariâtre d'Outremont. Coveleski, qui a reçu le mandat de retrouver le collier, porte d'abord son attention sur les domestiques. Tous semblent au-dessus de tout soupçon, sauf Dan Cloutier, un ex-chauffeur au passé joliment chargé.

Puis il scrute la piste familiale, et là l'enquête se complique : les enfants de madame Dufresne ont tous rompu les ponts avec leur mère, sauf Henri-Paul, un homme autoritaire qui n'apprécie guère l'ingérence d'un détective dans les affaires de la famille. Et il y a Jeanne, la belle-fille de madame Dufresne, et surtout Sylvia, sa fille, trop délurée pour ses dix-sept ans...

En bon enquêteur, Coveleski a fait jouer ses contacts pour retrouver le bijou. Et un soir, tout dérape : il est sauvagement agressé au lac des Castors en tentant de récupérer le collier, son indic est assassiné et, pire, voilà qu'il a la police sur le dos ! Mais, sur la montagne, alors qu'on le tabassait, Coveleski a reconnu une voix...

040/041 *L'Argent du monde* (Les Gestionnaires de l'apocalypse -2) Jean-Jacques PELLETIER

Pour l'inspecteur Théberge, tout débute avec la découverte, dans la voiture d'un gestionnaire, du corps totalement exsangue d'une danseuse de club. Or, quelque temps plus tard, le milieu financier de Montréal est secoué par les décès – mort suspecte, suicide, assassinat – de plusieurs gestionnaires et par la « disparition » de 750 millions de dollars des coffres de la Caisse de dépôt et placement du Québec. Y aurait-il un lien entre tous ces événements ? se demande l'inspecteur. Et qui donc aurait intérêt à faire croire qu'un vampire hante les rues de Montréal ?

Pour F, la directrice de l'Institut, tout indique que le Consortium cherche à implanter au Québec une colossale machine à blanchir de l'argent. Patiemment, avec l'aide de Blunt, de Hurt, des Jones et de Chamane – un jeune hacker –, elle poursuit le travail d'analyse et d'enquête. Pour réussir à contrer encore une fois le Consortium, dont les moyens et les ramifications semblent sans limites, l'Institut devra s'engager dans une nouvelle et très inégale lutte...

042 *Gueule d'ange*   Jacques BISSONNETTE

Elle s'appelle Anémone Laurent, est diplômée en criminologie juvénile et vient d'arriver à la section des homicides de la police de Montréal, où l'intégration n'est guère facile. Le lieutenant Stifer, détective d'expérience, lui fait cependant confiance et, en compagnie de Mancini et de Bernard, ils enquêtent sur la mort de Claudia, une jeune sans-abri assassinée dans un parc du quartier Centre-Sud.

Rapidement, Anémone apprend que la jeune fille, qui se droguait et pratiquait le *body-piercing*, faisait partie d'un trio d'inséparables avec ses amies Nancy et Dahlia. Mais voilà que, dans un squat abandonné, la jeune policière découvre le cadavre de Nancy. Quant à Dahlia, surnommée Gueule d'Ange, elle est portée disparue depuis deux semaines !

Dès lors, une course folle s'engage afin de retrouver Gueule d'Ange avant l'assassin. Or, pendant que les enquêteurs plongent dans les bas-fonds les plus sordides de Montréal, Anémone, elle, voit soudain surgir de son passé une ombre qu'elle croyait à jamais disparue…

045 *5150, rue des Ormes*   Patrick SENÉCAL

Il s'appelle Yannick Bérubé, il a vingt-trois ans, il est séquestré au 5150, rue des Ormes, dans la ville de Montcharles, et c'est pourquoi il a décidé d'écrire son histoire. Or, si son récit débute par une banale chute à bicyclette, la suite bascule rapidement dans l'horreur, car la famille qui le retient prisonnier est loin d'être normale : Jacques Beaulieu, le père, est un psychopathe qui ne jure que par le jeu d'échecs et qui se prend pour le dernier des Justes ; Michelle, l'adolescente, semble encore plus dangereuse que son père ; Maude, l'épouse et la mère, est obsédée par le Seigneur et elle obéit aveuglément à son mari. Quant à la petite Anne, elle est muette et ses grands yeux immobiles ressemblent à des puits de néant…

Pour Yannick Bérubé, l'enjeu est simple : il doit s'évader à tout prix de cette maison de fous, sinon il va y laisser sa peau… ou sa raison !

047 *La Trajectoire du pion*   Michel JOBIN

Le merveilleux cirque de la Formule 1 est à Montréal et Charles Maynard, jeune journaliste, a obtenu une entrevue avec Jean-Louis Vincent, le patron du holding Procyon SA, propriétaire de la nouvelle écurie du même nom. Or, quelques heures après sa rencontre avec le sulfureux financier, Maynard est témoin de son enlèvement ! Pourtant, le lendemain, l'événement est vigoureusement nié chez Procyon, Vincent étant « officiellement » en voyage d'affaires ! .

Flairant un bon *scoop*, Charles se lance à la poursuite de Vincent, et ce qu'il découvre au fur et à mesure que son enquête progresse le laisse pantois : ce n'est pas un scoop qu'il a, c'est une véritable bombe ! Si ceux dont il remonte petit à petit la piste savent le danger qu'il représente et tentent de l'éliminer, d'autres personnes, tout aussi inconnues de Charles, semblent très intéressées à ce que, au contraire, il poursuive sa quête…

048 *La Femme trop tard*   Jean-Jacques PELLETIER

Rejoignant Klaus, son amant, au sortir de l'avion, Claudia voit la tête de celui-ci exploser entre ses mains. Dès lors, son univers bascule : harcelée, terrorisée, elle se retrouve au milieu d'intrigues internationales où, entre autres choses, un groupe mystérieux fait chanter plusieurs multinationales. Quel complot se cache derrière ce chantage ?

Aidée – ou utilisée ? – par une agence de renseignements parallèle, sans existence légale, Claudia veut venger son amant et se découvre un allié inattendu : Bamboo Joe, l'agent secret aux allures de moine zen en complet cravate. Mais il y a aussi Limbo, le tueur à gages aux prises avec les souvenirs torturants de son passé. De quel côté est-il ? Et pourquoi certaines personnes persistent-elles à parler de Klaus comme s'il était encore vivant ?

050 *Sanguine*   Jacques BISSONNETTE

Julien Stifer est lieutenant à la SPCUM. Il y a deux ans, sa fille, Chloé, a mystérieusement disparu. Depuis, le lieutenant a remué ciel et terre pour la retrouver tout en redoutant, chaque fois que le service signalait la mort d'une adolescente, que ce ne soit sa fille.

C'est encore l'angoisse du père qui étreint Stifer lorsqu'il se rend dans le quartier Côte-des-Neiges, où une adolescente et son amant, un petit trafiquant de drogues, ont été sauvagement assassinés. Sanguine avait seize ans à peine et Julien voit en elle Chloé, sa fille, qui a peut-être subi un sort analogue sans qu'il le sache.

Stifer se lance à corps perdu dans l'enquête. Il privilégie d'abord la piste de la drogue, mais la découverte d'inquiétantes photos mettant en vedette Sanguine l'amène à croire qu'il fait fausse route, que les meurtres ont peut-être plus à voir avec certaines déviations sexuelles qu'avec un simple règlement de compte.

Mais au fur et à mesure que le lieutenant Stifer découvre de nouveaux indices et qu'il s'approche de son but, son angoisse de père cède la place à l'horreur la plus abjecte, puis à une terrible rage…

051 *Sac de nœuds*   Robert MALACCI

Pour une fois que Malacci peut prendre des vacances – en Guadeloupe ! –, voilà qu'il doit rentrer d'urgence au Québec. Chalifoux, le patron d'*Écho-Matin*, a besoin de ses services comme… détective ! De fait, Raymond Sancerre, ami du patron et président de Zegma Technologies, une importante compagnie de conception de logiciels de sécurité, est décédé accidentellement à son chalet dans des circonstances étranges.

Prétextant la rédaction d'un article, Malacci part à la chasse aux renseignements au siège de la compagnie, puis auprès des membres de la famille du défunt et de celle de son associé, David Barnes. Mais rien n'est facile, tous ayant, semble-t-il, de bonnes raisons d'en dire le moins possible, ce qui n'est pas sans agacer Malacci. Et pour compliquer encore plus sa tâche, voilà qu'un agent du SCRS exerce sur Malacci un chantage ignoble afin de l'obliger à lui refiler les résultats de ses recherches… et ce, avec l'accord même du patron d'*Écho-Matin* !

Décidément, cette affaire n'est pas simple et Malacci a de plus en plus l'impression d'avoir entre les mains un véritable… sac de nœuds.

À l'université Laval, une série d'événements tragiques sème la terreur. Il y a d'abord ce message écrit avec du sang sur un mur des corridors souterrains : « Au bout de ton sang, femelle. » Puis on découvre une chienne horriblement mutilée et, plus atroce encore, la main d'une jeune femme empalée sur une pointe de clôture avec, enroulés autour d'un doigt, les mots « Mes amours décomposés ».

Daniel Duval, lieutenant à la Sûreté du Québec, mène l'enquête avec Louis Harel, son ancien collègue qui reprend du service même s'il est cloué à un fauteuil roulant depuis l'affaire Hurtubise, le tireur fou du boulevard Duplessis.

Mais alors que les spécialistes de l'identité judiciaire tentent désespérément de faire parler le moindre indice, que les enquêteurs peinent à trouver des pistes pouvant les mener à une arrestation, d'autres tragédies surviennent…

Collection « Essais »

Nous avons tous lu, ne serait-ce qu'une fois dans notre vie, un roman policier. Et en ce début de nouveau millénaire, est-il possible de n'avoir jamais entendu parler d'Hercule Poirot ni de l'inspecteur Maigret, ou de leurs créateurs, Agatha Christie et Georges Simenon ? Or, si le « polar » fait partie de notre culture, quelle place occupe-t-il dans notre production littéraire nationale ? D'ailleurs, avons-nous vraiment une littérature policière en Amérique française ?

C'est pour répondre à ces questions que Norbert Spehner a entrepris, voilà plus d'une décennie, un colossal travail de recherche. Résultat ? Le Roman policier en Amérique française constitue le premier guide de lecture analytique et critique des récits policiers et criminels publiés entre 1837 et juin 2000 par des auteurs canadiens de langue française, majoritairement québécois.

Outre qu'il présente une étude éclairante sur les origines du genre littéraire lui-même et ses multiples déclinaisons, ce travail recense 606 romans pour adultes, 350 romans pour la jeunesse, 34 séries de fascicules (dont certaines comptent des centaines de titres), 10 revues et pas moins de 963 études sur le genre. Et si on ajoute à cela 157 titres de romans canadiens traduits, on arrive avec un bilan final de plus de 2000 références.

Pas mal pour un genre qui, selon certains, n'existe pas !

VOUS VOULEZ LIRE DES EXTRAITS
DE TOUS LES LIVRES PUBLIÉS AUX ÉDITIONS ALIRE ?
VENEZ VISITER NOTRE DEMEURE VIRTUELLE !

www.alire.com

LA MORT DANS L'ÂME
est le cinquante-neuvième titre publié
par Les Éditions Alire inc.

Il a été achevé d'imprimer
en mars 2002 sur les presses de